Assessment Program on Blackline Masters

REALIDADES para hispanohablantes

Boston, Massachusetts
Upper Saddle River, New Jersey

ISBN-13: 978-0-13-322592-1

ISBN-10: 0-13-322592-5

8 17

PEARSON

To the Teacher

The *Realidades Assessment Program* includes a variety of ways to evaluate the language learning, communicative abilities, and cultural perspectives of your students. The Assessment Program is organized as follows:

Professional Development: Assessment

Assessing the Larger Picture

In previous years, both instruction and assessment were traditionally broken up into small units. There was a tendency to focus on only one aspect of language at a time, such as vocabulary or grammatical structures. Although such aspects are useful to test, the *Standards for Foreign Language Learning* (1995, see page T17) remind us that vocabulary words and points of structure should not be ends in themselves, but rather parts of a larger picture of language use. To be able to assess what students can do with the vocabulary and grammar they are learning is the focus of assessment in a communication-driven classroom.

Realidades provides a balanced approach to classroom assessment in which the assessment program reflects and supports good classroom assessment practices, such as self-assessment, end-of-chapter tests, oral interviews, checklists, student-selected projects, reflective cultural comparisons, portfolios, and performance demonstrations. Additionally, we provide you with templates for scoring rubrics to grade student performance tasks objectively and fairly.

The philosophy of the ***Realidades*** program is based on the premise that learning comes from the doing and practicing by the learner, whether it is with activities or with assessment tasks. Many times the activities and assessments can be interchangeable, and therefore can serve dual purposes. Good classroom activities can effectively assess student progress on a more frequent basis than formal assessments. Moreover, good assessments provide the student with valuable input to improve performance. With this approach to assessment, you do not have to feel that the time you use for assessment is competing with your instructional time.

The Foundations of Assessment in *Realidades*

The ***Realidades*** assessment program is based on the *Standards for Foreign Language Learning* (1995), the *ACTFL Performance Guidelines for K-12 Learners* (1998, see page T18), and the California *Foreign Language Framework* (2002). The assessment program is built on the philosophy that assessment needs to be an integral part of instruction and improves both student performance and teacher instruction. The *Standards for Foreign Language Learning* are content standards that describe what students should know and be able to do with the language and culture they are learning. The *ACTFL Performance Guidelines* are performance standards that describe how well students can realistically use language at any given point in the learning continuum.

The California *Foreign Language Framework* provides a Language Learning Continuum that gives models and benchmarks for students as they progress through stages in the second language process (see page T21). The ***Realidades*** multi-faceted assessment program applies these documents to provide you with relevant assessment tools. In its totality, the program assists you in answering the six performance questions posed by the *ACTFL Performance Guidelines* in regard to your students:

1. How well are they understood? (comprehensibility)
2. How well do they understand others? (comprehension)
3. How accurate is their language? (language control)
4. How extensive and applicable is their vocabulary? (vocabulary use)
5. How do they maintain communication? (communication strategies)

PROFESSIONAL DEVELOPMENT

6. How is their cultural understanding reflected in their communication? (cultural awareness)

Using Informal Assessment in the Classroom

You probably already use many types of assessment in your classroom, but you may do so in such an informal way that it is difficult to document. These might include teacher observations, recorded anecdotes and/or comments about students, and dialogue journals. Each method of assessment has both advantages and disadvantages. Teacher observation records or anecdotal notes can initially be written on sticky notes while you observe students in individual or group work from your vantage point of "teacher on the sidelines." Although this method involves some recording problems, it can give you good information on performance within paired or group interactions. For example, you might want to choose a specific behavior to observe, such as student effort to use the target language, as students engage in a small group activity. As you walk around the room, you can write your impressions on sticky notes, student cards, or a class roster.

If you have access to a language lab, you can monitor more students anonymously by listening to their conversations as you rotate from group to group while remaining at the teacher console of the lab. These can be correlated to symbols such as *plus* or *minus,* which can later be translated into points. These notations could be accompanied by a very short narrative such as:

Sam: ✓ *Uses mostly English, but is trying. Looks up words in book as he is talking.*

Ryan: + *Stays mostly in Spanish. Has fun trying to figure out a way to get others to understand him.*

These symbols could be converted into points, such as + = 2 points, √ = 1 point, and – = 0 points. In the example above, you have documented that Ryan uses effective and rather sophisticated communication strategies to negotiate his meaning. However, you also substantiated that Sam is on his way to trying to use the Spanish he is learning, although still struggling with cumbersome methods. You probably won't have time to write a comment for each student during each activity, but over a period of time you would have some valuable documentation on student's performance and progress. Later, by scheduling ten minutes in your day, you could transfer these points to your grade book in a more formal way.

Dialogue journals are written conversations between you and your students, which allow you to assess student progress rather than achievement. For example, an entry might be a list of "The Top Ten Things I Like To Do on the Weekend." A simple response by you might be *A mí me gusta también* next to one of the items on a student's list. Once again, it is time consuming to read and react to student journals, but it is an excellent way to access personal information about a student and his or her interests.

The Role of Achievement Assessment

Traditional assessments will test limited material that is covered in a given amount of time, and therefore are achievement based. When attempting to determine if you are giving your students an achievement test, try to imagine the student in your class who puts on his most serious game face the day before the test and asks you, "If I know everything in this chapter, will I get an 'A' on the test?" Although you might be reluctant to give a definitive *yes* to his question, you might find yourself saying to him, "Well, yes, if you really know everything in the chapter you will get an 'A.'" With that response, you can be assured that you are giving an achievement test.

This type of testing is good for auditing student achievement at the end of a chapter or unit. Since instruction is organized by chapters, it makes sense to examine student progress at the end of major units in order to help you decide whether your students are acquiring the necessary language to successfully proceed to the next chapter. In many cases, the more traditional tests evaluate the receptive skills of reading and listening, since it is easier and quicker to grade these more objective test items. They are typically fill-in-the-blank items or multiple choice questions that can be easily graded.

In most traditional types of assessments, the teacher is typically looking for right or wrong answers. Performance on these kinds of tests provides a measure of a student's linguistic competence. The test items often fall under the domains of spelling, vocabulary, grammar, and pronunciation. They either knew the word or they didn't. They either provided the correct verb ending or they didn't. They either changed the *o* to *ue*, or they didn't.

Achievement testing at the end of each chapter or multiple chapters can provide useful information about how effective the instruction was for the students. The results from these tests can help you answer some important questions:

- Can your students recall key vocabulary that they will eventually use in real life applications?
- Are your students able to access learned language to employ in more open-ended situations?
- Can your students begin to apply grammatical constructions within structured and uncomplicated contexts, which will then lead to a more natural application of language?

Many times students are more comfortable with the more traditional paper-and-pencil testing, and it is therefore advisable to include it in your testing program while students progress along the assessment continuum from discrete-point tests to more global assessments. They have grown accustomed to being graded on the number of "right" or "wrong" answers they give on a test and feel uncomfortable if they are suddenly thrown into competency-based testing without practice and careful guidance from you. However, if you provide your students with the many authentic communication activities provided throughout the ***Realidades*** series, they will feel better prepared and more comfortable in using the language they are learning in more creative and personalized ways.

The Role of Authentic/Performance-Based Assessment

In assessing a student's ability to communicate in a second language, teachers often find that an achievement test that focuses on *single answer* may only give them part of the picture. A teacher once described a student who frequently scored 90% or higher on most achievement tests by saying, "He knows a lot, but doesn't have a clue!" In other words, he might know *about* vocabulary and grammar, but he is not able to *do* anything with the language he has learned. Therefore, other forms of assessment are needed to capture the entire picture of student performance.

Authentic assessment includes various forms of assessment that evaluate what students can do with the language, and are therefore competency-based. To that end, ***Realidades*** includes alternative forms of testing. While traditional assessment surveys coverage of material, authentic/performance-based assessment measures "uncoverage." Evaluating students' performance can reveal and "uncover" how the students can use their acquired language creatively and personally. In most cases, performance-based assessments evaluate the productive skills of speaking and writing. They assess the accuracy with which a student carries out a function within a given context, such as complaining to one's parents about an unfair punishment. They challenge the student to use the language creatively and to express personal meaning from the material they have learned.

In these types of assessments, the test items exhibit the following characteristics. They:

- are contextualized, rather than isolated
- encourage personalized answers
- focus on what the student knows, rather than on what the student does not know
- recycle language from previous units or chapters
- reflect real life tasks
- allow creative and divergent responses
- offer open-ended tasks
- probe for "depth" versus "breadth"
- require students to "put it all together" rather than to selectively recall small pieces of knowledge
- are scored based on well-defined performance criteria

Assessment Options in *Realidades*

The assessment options in *Realidades* combine the best of achievement and authentic/performance-based assessment.

Placement Test (Examen de nivel)

At the beginning of *Assessment Program,* teachers will find a placement test that will help in assessing students who already have some knowledge of Spanish. The Placement Test is a proficiency test that covers the content in the first four temas in ***Realidades 1***. As an optional assessment, teachers may consider administering *Examen acumulativo I,* which covers the same content with both an achievement and proficiency section. To further determine placement, it is recommended that the student take *Examen acumulativo II*. This test assesses content in Temas 5–9. Successful or unsuccessful performance on these two tests precisely places the student as a true beginner, as someone familiar with level one content but not ready for second year, or as a student prepared for second-year Spanish.

Para empezar

The introductory chapter, called *Para empezar,* is designed to expose students to a wide range of introductory language: greetings and forms of address, school items, basic school expressions, numbers, dates, body parts, seasons, and weather. This content is recycled in later chapters and students are not expected to have productive control of this content. It is recommended that teachers expose students to this material by doing the various activities provided in the Student Edition and in the ancillaries. The assessment options for this section do not require any production of the content such as spelling accuracy. Students are expected to recognize the content using the receptive skills of listening and reading. This is clearly outlined to the students in the *Preparación para el examen* page at the end of *Para empezar.* The Assessment Program provides teachers a short recognition quiz for each section in *Para empezar* and a final assessment that focuses on listening and reading.

Chapter Quizzes *(Pruebas)*

The *Pruebas* included in all chapters will address vocabulary use, language accuracy, and comprehension. As defined in the Novice Learner Range of the *Performance Guidelines,* students at this level should be able to "comprehend general information and vocabulary when supported by visuals and in situations where the conversation is embedded in familiar contexts." With regard to accuracy, the *Performance Guidelines* remind us that students are most accurate when communicating about very familiar topics using memorized oral and written words and phrases. This type of competency is assessed in the *Pruebas* when students complete a conversation using a form of a verb or expression prompted by a question in which a similar structural pattern is used.

For each chapter there are two vocabulary quizzes. It is recommended that teachers use the first quiz, Vocabulary recognition, after the chapter language input section called *A primera vista*. Students are expected to have a recognition level control of the vocabulary after completing this section. Students are expected to have productive control (spelling accuracy) of the new vocabulary after the first few pages of the *Manos a la obra* section. Teachers are encouraged to give students the Vocabulary production quiz when they feel that students are able to produce the new vocabulary with accuracy.

The *Assessment Program* provides a grammar quiz for each grammar point in a chapter. It is recommended that the students' ability to accurately reproduce the grammatical structures be assessed after they have completed the activities in the Student Edition and selected ancillaries. Students using ***Realidades*** have been exposed to the new grammar first in the *A primera vista* as lexical usage. When they work with the grammar formally in *Manos a la obra*, they are already comfortable with the grammar concept and are able to move quickly through the activities.

Notice that the quizzes were not written to add up to 100%. Teachers across the country told us they did not want artificially inflated point values for quizzes. Feel free to adapt the scoring to meet the way you determine grades.

Examen del capítulo

Current research in assessment emphasizes a direct connection between teaching and testing. The chapter assessments in ***Realidades*** make a direct link to the way in which your students were taught in the chapter. In the chapter tests of ***Realidades*** there is a blending of a traditional achievement format and a performance-based format. This allows teachers to assess what students know and what they can do with the language. Part I of each test assesses the mastery of vocabulary and grammar. Part II assesses the students' ability to apply what they have learned in real life situations.

As state frameworks and district curriculum move to more proficiency-based instructional models, it is recommended that the scoring on the chapter test place more emphasis on the performance-based sections (listening, reading, writing, and speaking). Because of this, the suggested breakdown of points per sections is the following:

- Vocabulary and grammar: 30 points
- Listening: 15 points
- Reading: 15 points
- Writing: 15 points
- Speaking: 15 points
- Culture: 10 points

These point values are *not* printed on the student answer sheet. Instead, the point section is left blank. This allows the teacher to make the final decision as to how the points will be distributed among the different test sections. It also allows for flexibility as teachers pick and choose from different test sections as they construct their end-of-chapter test. It is important to note that the scoring rubrics for both the speaking and writing sections are built upon a top score of 15 points. It is recommended that teachers not change the 15-point total for each of those sections. Teachers will need to write in the point values for each test section on the student answer sheet prior to copying the *Hoja de respuestas*.

Interpreting Meaning: Listening/Reading

In the listening and reading sections of the *Examen del capítulo*, students are asked to interpret simple conversations or narratives. Within a highly contextualized and familiar format, students will listen or read for specific details. They employ the same techniques used in the text. In some cases, for example, students listen or read selectively to extract specific information. In others, they use previously practiced strategies, such as contextual guessing or use of cognates. For example, on the listening test for Chapter 3A, students hear a listening prompt in which other students discuss what they usually eat or drink. They must listen selectively for information, such as personal preferences for specific foods or the specific eating habits of a given individual. In another interpretive task, students read an advice column about problems with friends or family members. They rely on the communication strategies described in the *Performance Guidelines* of applying familiar language in a new context and of using their own background knowledge of what they would expect an advice column to feature in order to predict meaning and enhance comprehension.

Interpersonal and Presentational Communication: Speaking

The speaking component of the *Examen del capítulo* allows students to use the language they have learned primarily in presentational speaking tasks. For example, in Chapter 3B, the student is asked to prepare a short presentation to other students about maintaining a healthy lifestyle. In the presentation, he or she would include information about what foods we should or should not eat. We expect the student to use short, memorized phrases and sentences. In this case you are gathering information to assess how well your students would be understood by sympathetic listeners who are accustomed to interacting with beginning language learners.

Interpersonal and Presentational Communication: Writing

The *Performance Guidelines* tell us that in the Level 1 novice learner range, students are able to meet limited practical writing needs, such as short messages and notes, by recombining learned vocabulary and structures. They may exhibit frequent spelling errors or use invented spelling when writing words on their own. For example, in Chapter 3B a writing task prompts students to write suggestions for developing a healthy lifestyle. According to the *Performance Guidelines*, you should expect students to use high-frequency words or phrases that were practiced in class with a certain degree of accuracy.

Cumulative Tests

After Tema 4 and Tema 9, teachers will find an *Examen acumulativo*. This test combines both achievement and proficiency assessment.

Computer Test Generator

Teachers are reminded that ***Realidades*** offers a Computer Test Generator on CD-ROM. This testing program offers a bank of questions already written into a variety of templates (multiple choice, true/false, short answer, essay, etc.). Teachers are encouraged to use the test generator as part of their assessment options.

Using Rubrics

Scoring Rubrics vs. Checklists

Many people confuse scoring rubrics and checklists. Both are helpful to students, but need to be understood by both teachers and students in order to be beneficial. A *checklist* is helpful for students and teachers to verify that all the elements are evidenced in a student's work or performance. A *scoring rubric* clarifies the degrees or levels of performance within those elements.

The following analogy may be helpful to share with your students. If you wanted to open a new restaurant, you would want to hire the best waiters you could find. The first thing you might do would be to visit your favorite restaurant and make a list of the characteristics of the waiters that most impressed you. Neat appearance, politeness, prompt responses to customer requests, ability to answer food preparation questions, or enthusiasm might be a few of the characteristics you might notice. These elements would be the basis for the checklist you would use to screen applicants.

After reflection, you would choose the elements from your list that were most important to you for the final interview criteria. These elements would be the basis for your final assessment of potential waiters. In order to make your judgments more valid, reliable, and consistent, scoring scales or rubrics can be used. When using rubrics, numerical values are associated with varied performance levels, ranging from below average to excellent. The criteria for each performance level must be precisely defined in terms of what the student must do to demonstrate skill or proficiency at each level.

Rubrics should always have an established purpose. When looking for waiters, the owner wants to find people with the best combinations of the qualities he or she deems necessary. Foreign language teachers use rubrics to measure degrees of student understanding when performing language tasks in real life situations. Rubrics can provide greater authenticity in testing and can teach the student what matters.

Scoring rubrics minimize ambiguity by defining a concrete way to grade varied tasks. Rubrics can be developed for such varied tasks as paired conversations or student-made vocabulary games. In addition, by making known the scoring rubrics before students begin the task, teachers offer students a clear understanding of what criteria must be met and what level of performance students must achieve to earn a certain grade. Accordingly, students can use rubrics to assess their own performance in preparation for the teacher's assessment.

There are two principal types of rubrics: holistic and analytic. Five basic steps are helpful in designing a grading rubric:

- Determine the type of rubric
- Determine the range of the scores possible
- Describe the criteria for each score or rating
- Share the rubric with a small group of students for feedback and revise if necessary
- Standardize the process with a set of anchors or a sample

A *holistic rubric* is used to give students a single score based on several criteria. An *analytic rubric* is used to give students a score on each of several criteria, which are then added together for the final score. There are several templates for both types of scoring rubrics at the end of this section. These rubrics include numerical values that are associated with performance levels, such as Below Average (1 point), Average (3 points), and Excellent (5 points). The criteria for each performance level are precisely defined in terms of what the student actually does to demonstrate his or her performance at that level. The criteria reflect what is considered to be appropriate at Level 1 in regard to skills and strategies.

The rubrics provided by ***Realidades*** are designed to match tasks in both the textbook and the Assessment Program, although the criteria can be changed at any time to reflect a different emphasis.

The rubric should be explained in advance to the students so they can have a clear understanding of what is expected of them. Consequently, it becomes a matter of student responsibility as to whether he or she will perform at the highest levels. With a well-designed rubric, there is no confusion as to what he or she must do in order to receive the highest score.

Grading Criteria

You may feel that performance-based assessment tasks are too subjective to grade, and therefore unfair to the students. You may worry that if challenged, you might not be able to document the grade given with concrete evidence such as provided by traditional paper-and-pencil tests. So students need the explicit criteria of a rubric to help them rate the quality of their finished products and to distinguish between acceptable and unacceptable performance. To elicit the maximum performance from students, you must model a strong performance, give "anchors" or examples of outstanding work, and provide your students with time to practice. This process lays the groundwork for setting standards. When students see exemplary work, they will increase their own standards for their work.

Using Analytic Rubrics

When using the analytic rubrics listed below for the different assessments, a student might score at different levels for each criteria or might score at the same level for all of the criteria. For example, the criteria might include amount of communication, accuracy, and comprehensibility. A "below average" performance would resemble the following:

> *Me gusta a Puerto Rico. Penso voy a tomar el sol. Llevo el traje y los ojos de sol. Hace muy frío en Colorado. Lluevo abrigo. Fui a New York. Yo ver mucho tiendas.*

In this sample, the student is unable to give many details or examples in his or her response. It is randomly organized and has consistent patterns of errors. For example, *me gusta a...* refers to preferred places to visit. Although it is evident that the student knows some related vocabulary, it is misused when he or she says things such as *ojos de sol* or *lluevo* instead of *llevo*. In some cases, it is difficult to understand the intention of the time frames in the various sentences.

A "good" performance might approximate the following sample:

> *Me gustaría voy a Puerto Rico y California. Me gustaría el sol. Hace muy sol en Puerto Rico y California. Me gustaría voy en bote. Me gustaría compro los recuerdos. Fui a sacar fotos. Me gustaría el traje de baño, mis zapatos y el bronceador.*

Although there are a few more examples in this student sample, there are still patterns of errors such as *me gustaría voy* and *me gustaría compro*. The amount of communication is still very limited and tentative.

An "excellent" performance might be similar to the following sample:

> *Me gustaría visitar los lugares de interés en México. Pienso ir a México en junio de mi familia. Vamos a la playa. Voy para el sol. Llevo el traje de baño. Y bronceador. Me gusta bucear a Cancún. Me gustaría visitar la selva tropical. Subo la pirámide. Hace buen tiempo. Menos mal que hablo español.*

In this example, the student produces a very strong response to the prompt. Several examples are given, and there are no serious patterns of errors. There is evidence that the student has internalized much of the vocabulary in the chapter, and is comfortable in expressing his or her thoughts in a way that is easily understood.

Rubrics in *Realidades*

In each student performance, you are looking for evidence to determine at what level students understand and can use the language they are learning in your classroom. *Realidades* provides a wide range of scoring rubrics to evaluate student performance. Following the front matter, you will find rubrics for:

- Theme Projects
- *Presentación oral* and *Presentación escrita* activities in the *¡Adelante!* section of each chapter of the Student Edition
- Writing and Speaking performance-based tasks on the *Examen del capítulo*
- Additional rubrics for group performance, role-plays, individual oral presentations, cultural comparisons, game boards, and technology presentations

Using Portfolios

Because of the limitations that a single test grade can impose, many teachers are including some type of portfolio assessment in their classrooms. A portfolio is a purposeful collection that exhibits a student's performance efforts, progress, and achievement over time. The most basic aspect of portfolios is that they are done *by*, not *to*, the students. A portfolio can be the intimate, personal link between the teacher's instruction and the student's learning. Risk-taking and creativity, which are often missed in other forms of testing, can be encouraged as students generate portfolios.

With portfolios, students participate in their own assessment by evaluating their own work using the same criteria the teacher uses. This learner-centered aspect is the crux of portfolios. It represents what the students are really doing. Additionally, if students choose their own work to be showcased, they are engaging in the type of self-reflection that is far more valuable than simply being given a grade by the teacher. Thus, the student's role changes from passive absorber of information to active learner and evaluator.

Establishing the Purpose of Portfolios in Your Classroom

The most important step in getting started with portfolios is to establish their purpose. The following questions might assist you in determining that.

Is the purpose of the portfolio:

- to monitor student progress?
- to encourage student self-evaluation?
- to encourage student accountability for work?
- to showcase a student's best work?
- to evaluate a student's work within the context of one of the goals of the *Standards for Foreign Language Learning*, such as understanding of other cultures?
- to evaluate written expression?
- to assess oral language?
- to maintain a continuous record to pass on from one level to the next?

Portfolios allow for self-directed work that can be accomplished outside the time constraints of the school day. This can be particularly important under the block schedule. The following chart describes three types of portfolios.

Three Types of Portfolios

Showcase Portfolio	Collection Portfolio	Assessment Portfolio
• Displays only a student's best work • Contains only finished products, and therefore may not illustrate student learning over time • Entries selected to illustrate student achievement rather than the learning process	• Contains all of a student's work • Shows how a student deals with daily assignments • Sometimes referred to as a working folder; illustrates both process and products	• Contents are selected to show growth over time • Each entry is evaluated based on criteria specified by teacher and student in the form of a rubric or checklist • Does not receive a grade; individual entries may be weighted to reflect an overall level of achievement

Types of Portfolio Entries

After determining the purpose of the portfolio in your classroom, you should think about the kinds of entries that will best match your instructional purposes. If you choose to use an assessment portfolio, you will find that it is an excellent vehicle for trying out some of the new approaches to assessment that you are not currently using. It is best to combine both required and optional entries. *Required entries* will provide the primary basis for assessment, and could include samples of specific work, student self-assessments, and some type of teacher assessment. You might begin with two or three entries for each grading period, and build up to about five required entries after both you and your students get accustomed to using portfolios. *Optional entries* provide you with additional information to complement that contained in the required entries. Students provide evidence of their learning by including such things as their preparatory work for a project or a written or tape-recorded story. Refer to the chart below for ideas to include in student portfolios.

Sample First Semester Portfolio Contents

(Shading indicates work not collected that month)

	Sept.	Oct.	Nov.	Dec.
1. Descriptive paragraph about yourself to post on an online chat web site so that others get to know what you are like (required)				
2. Taped interview with a classmate regarding his or her out-of-school activities (required)				
3. Illustrated brochure promoting a healthy lifestyle for teenagers (required)				
4. Letter to a friend describing what you are going to do over winter/summer break (required)				
5. Student generated game to review vocabulary and grammar concepts from all chapters studied (required)				
6. Optional Entry #1 (Possible entry: PowerPoint presentation to illustrate a selected theme previously studied)				
7. Optional Entry #2 (Possible entry: Internet search with illustrated results in a graphic format in regard to a cultural practice or perspective studied in previous chapters)				

The heart of a portfolio is the reflection behind it, not just the work. Many teachers report that since the process requires students to set goals and to self-assess as they progress, their students take more responsibility for their learning. Others report that portfolios allow them to do things with students that they were not able to accomplish before because of a lack of available class time. They encourage students to pursue things outside of class that you don't have time to develop. They are *not* just a collection of work or a scrapbook.

Initial efforts at using portfolios will seem time-consuming. However, rather than looking at them as something extra, you should view them as part of instruction. All portfolios do not need to be evaluated by you on the same day, since students will complete their work over a period of months. When students have finished, they are required to assess their work based on the criteria defined in the scoring rubric you will use to grade them. You can then easily spot-check the students' self-assessments, since the initial groundwork for grading has already been done by them as part of the process.

The real purpose of the portfolio is to coach students to be honest evaluators of their own work and to become part of the learning process instead of passively—or nervously—waiting to be evaluated by you.

Using the Chapter Checklist and Self-Assessment Worksheet

The Assessment Program provides teachers with a two-page Blackline Master to be used at the end of each chapter in ***Realidades***. This Chapter Checklist and Self-Assessment Worksheet allows students to reflect upon their performance at the end of a chapter. Teachers are encouraged to build in the time for students to complete this worksheet. The Checklist asks students to:

- evaluate their performance related to the chapter objectives
- evaluate their participation in class
- make connections to other disciplines
- review learning strategies
- reflect on activities they liked and didn't like
- determine their best work and explain why they think it is their best work

This Checklist and Self-Assessment Worksheet is an excellent opportunity for students to use higher-level thinking skills such as evaluation, reflection, and judgment. This worksheet can become part of each student's portfolio. Upon completion of the Checklist, student and teacher might want to review the student's self-assessment and discuss the implications. How can class participation be improved? Why isn't the student doing the homework? How can learning strategies be used more effectively? If a student likes a certain type of activity, how does that reflect his or her individual learning style? It also allows the teacher to spend a few moments praising the student's performance and encouraging that student to do even more with the language. These Checklists also provide useful information to be shared with parents during conferences or Back-To-School events.

Remediation and Reteaching

For students who do not perform well on the ***Realidades*** *Examen del capítulo*, the following are suggestions for how students can review and work to improve on areas of deficiencies.

Problems Learning Vocabulary

Some students have difficulty spelling. Here are some suggestions to help these learners.

1. **Flash cards.** Provide students with copies of the Vocabulary Clip Art and have them write out the spelling under the picture. Have them check their spelling against the *A primera vista* section in the Student Edition.
2. **Dictation.** Have students listen to the vocabulary pronunciation sections of the Audio Program. Have them write the words as they hear them. They can then check their spelling against the *A primera vista* section in the Student Edition.
3. **End vocabulary list.** Provide students with a copy of the end vocabulary list with the Spanish words deleted. Have them provide the Spanish word and then check their spelling against the end vocabulary list in their Student Edition.
4. **Practice Workbook.** Have students go back and repeat the activities in the Practice Workbook.
5. **Go online.** Encourage students to go online to the ***Realidades*** web site and do the vocabulary activities again.
6. **Write it out.** Remind students that in order to spell a word correctly, they need to say it aloud and write it out. Many students practice spelling by saying the word only. If they say the word aloud and then write it out, they will learn the word more effectively.

Problems Learning Grammar

Grammar is difficult for some students. Many of them don't understand the grammatical concept in English, much less Spanish. Here are some suggestions to help these learners.

1. ***Resumen de gramática.*** Encourage students to study the grammar summary pages at the back of the Student Edition. They will find clear explanations of grammar concepts and examples. This may provide a better understanding of grammar.
2. ***GramActiva* Videos.** Provide students opportunities to watch the *GramActiva* video. It provides a different way of "seeing" grammar and allows students to better connect to the concept.
3. **Grammar Study Guides.** Provide students with the laminated study guides available from Pearson Prentice Hall. These guides provide a quick summary of key grammar rules and may serve as a handy study tool.
4. **Practice Workbook.** Have students go back and repeat the activities in the Practice Workbook.
5. **Go online.** Encourage students to go online to the ***Realidades*** web site and do the grammar activities again.

Using Student Tutors

Another effective tool is to provide student tutors. It may be possible to have the better Spanish students, such as those in the Spanish Honor Society, be available to assist students who are struggling. These tutors may be able to work with students using some of the strategies suggested above.

Remediation for the *Examen del capítulo*

It is important for students to understand the importance of the *Repaso del capítulo* section at the end of each chapter of the Student Edition. The left-hand page provides a complete review of all the new vocabulary and grammar. Students will be expected to show what they know of this content for *Parte I: Vocabulario y gramática en uso* of the *Examen del capítulo.* The right-hand page is an outline of how they will be asked to show what they can do in the authentic/performance-based tasks in listening, speaking, reading, and writing. Students are told the task on the test, they are given a practice task, and they are told specific activities in each chapter that prepare them for the assessment task. If students do not perform well on the chapter test, they should go back and revisit these two pages.

Here is a general guide for additional ways in which students can remediate deficiencies on the chapter test. These tests follow a consistent format. The following chart provides a model for how students can review test sections in which they did not perform well.

Review and Remediation Guidelines

Test Section	Assessment Goal	Review: Print	Review: Technology
I. Vocabulario y gramática en uso	Demonstrate ability to accurately produce the chapter's vocabulary and grammar	• *Repaso del capítulo* in Student Edition • Vocabulary Clip Art • *Practice Workbook* • Writing activities in *Writing, Audio & Video Workbook*	• ***Realidades*** Video Program (*A primera vista* segments, *GramActiva* segments) • Go Online Activities • Audio Program • *Mindpoint Quiz Show* • Grammar Study Guide • *Computer Test Bank*
II. Comunicación y cultura			
A. Escuchar	Demonstrate understanding of short, simple recorded conversation and narratives with highly predictable and familiar contexts	n/a	• Audio Program: *A primera vista* vocabulary input • Audio Program: Student Edition listening activities • Audio Program: Audio activities in *Writing, Audio & Video Workbook*
B. Leer	Demonstrate understanding of written passages in highly predictable and familiar contexts	• *A primera vista* language input section in Student Edition • Reading activities in *Manos a la obra* section of Student Edition • *Lectura* activity in *¡Adelante!* section in Student Edition • Focus on reading strategies	n/a

Test Section	Assessment Goal	Review: Print	Review: Technology
C. Escribir	Demonstrate ability to meet limited practical writing needs, such as short messages and notes, by recombining learned vocabulary and structures to form simple sentences on very familiar topics and with some accuracy	• Writing activities in *Manos a la obra* section in Student Edition • *Presentación escrita* in *¡Adelante!* section of Student Edition • Focus on steps in the writing process found in *Presentación escrita* • Writing activities in the *Writing, Audio & Video Workbook*	n/a
D. Hablar	Demonstrate ability to use short, memorized phrases and sentences with some accuracy in oral presentations on very familiar topics	• Speaking activities in the *Manos a la obra* section of the Student Edition • Communication Activities Blackline Masters in *Teacher's Resource Books* • *Presentación oral* in the *¡Adelante!* section of the Student Edition	• Audio Program: *A primera vista* language input sections • Audio Program: *Pronunciación*
E. Cultura	Demonstrate understanding of a cultural product or practice and its cultural perspective; demonstrate understanding of a cultural comparison	• *Fondo cultural* in Student Edition • *La cultura en vivo* in the *¡Adelante!* section of Student Edition • *Perspectivas del mundo hispano* in the *¡Adelante!* section in Student Edition • *Lectura* in the *¡Adelante!* section in Student Edition	n/a

Standards for Foreign Language Learning

COMMUNICATION: Communicate in Languages Other than English

Standard 1.1: Students engage in conversations, provide and obtain information, express feelings and emotions, and exchange opinions.

Standard 1.2: Students understand and interpret written and spoken language on a variety of topics.

Standard 1.3: Students present information, concepts, and ideas to an audience of listeners or readers on a variety of topics.

CULTURES: Gain Knowledge and Understanding of Other Cultures

Standard 2.1: Students demonstrate an understanding of the relationship between the practices and perspectives of the culture studied.

Standard 2.2: Students demonstrate an understanding of the relationship between the products and perspectives of the culture studied.

CONNECTIONS: Connect with Other Disciplines and Acquire Information

Standard 3.1: Students reinforce and further their knowledge of other disciplines through the foreign language.

Standard 3.2: Students acquire information and recognize the distinctive viewpoints that are only available through the foreign language and its cultures.

COMPARISONS: Develop Insight into the Nature of Language and Culture

Standard 4.1: Students demonstrate understanding of the nature of language through comparisons of the language studied and their own.

Standard 4.2: Students demonstrate understanding of the concept of culture through comparisons of the cultures studied and their own.

COMMUNITIES: Participate in Multilingual Communities at Home and Around the World

Standard 5.1: Students use the language both within and beyond the school setting.

Standard 5.2: Students show evidence of becoming life-long learners by using the language for personal enjoyment and enrichment.

ACTFL Performance Guidelines for K-12 Learners

Novice Learner Range

COMPREHENSIBILITY: How well are they understood?

Interpersonal

- rely primarily on memorized phrases and short sentences during highly predictable interactions on very familiar topics
- are understood primarily by those very accustomed to interacting with language learners
- imitate modeled words and phrases using intonation and pronunciation similar to that of the model
- may show evidence of false starts, prolonged and unexpectedly placed pauses, and recourse to their native language as topics expand beyond the scope of immediate needs
- are able to meet limited practical writing needs, such as short messages and notes, by recombining learned vocabulary and structures to form simple sentences on very familiar topics

Presentational

- use short, memorized phrases and short sentences in oral and written presentations
- are understood primarily by those who are very accustomed to interacting with language learners
- demonstrate some accuracy in pronunciation and intonation when presenting well-rehearsed material on familiar topics
- may show evidence of false starts, prolonged and unexpectedly placed pauses, and recourse to the native language as topics expand beyond the scope of immediate needs
- show abilities in writing by reproducing familiar material
- rely heavily on visuals to enhance comprehensibility in both oral and written presentations

COMPREHENSION: How well do they understand?

Interpersonal

- comprehend general information and vocabulary when the communication partner uses objects, visuals, and gestures in speaking or writing
- generally need contextual clues, redundancy, paraphrase, or restatement in order to understand the message

Interpretive

- understand short, simple conversations and narrative (live or recorded material), within highly predictable and familiar outcomes
- rely on personal background experience to assist in comprehension
- exhibit increased comprehension when constructing meaning through recognition of key words or phrases embedded in familiar contexts
- comprehend written and spoken language better when content has been previously presented in an oral and/or visual context
- determine meaning by recognition of cognates, prefixes, and thematic vocabulary

LANGUAGE CONTROL: How accurate is their language?

Interpersonal

- comprehend messages that include predominantly familiar grammatical structures
- are most accurate when communicating about very familiar topics using memorized oral and written phrases
- exhibit decreased accuracy when attempting to create with the language
- write with accuracy when copying written language but may use invented spelling when writing words or producing characters on their own
- may exhibit frequent errors in capitalization and/or punctuation when target language differs from native language in these areas

Interpretive

- recognize structural patterns in target language narratives and derive meaning from these structures within familiar contexts
- sometimes recognize previously learned structures when presented in new contexts

Presentational

- demonstrate some accuracy in oral and written presentations when reproducing memorized words, phrases, and sentences in the target language
- formulate oral and written presentations using a limited range of simple phrases and expressions based on very familiar topics
- show inaccuracies and/or interference from the native language when attempting to communicate information which goes beyond the memorized or prefabricated
- may exhibit frequent errors in capitalization and/or punctuation and/or production of characters when the writing system of the target language differs from the native language

VOCABULARY USE: How extensive and applicable is their vocabulary?

Interpersonal

- comprehend and produce vocabulary that is related to everyday objects and actions on a limited number of familiar topics
- use words and phrases primarily as lexical items without awareness of grammatical structure
- recognize and use vocabulary from a variety of topics, including those related to other curricular areas
- may often rely on words and phrases from their native language when attempting to communicate beyond the word and/or gesture level

Interpretive

- recognize a variety of vocabulary words and expressions related to familiar topics embedded within relevant curricular areas
- demonstrate increased comprehension of vocabulary in spoken passages when these are enhanced by pantomime, props, and/or visuals
- demonstrate increased comprehension of written passages when accompanied by illustrations and other contextual clues

Presentational

- use a number of words and phrases for common objects and actions in familiar categories
- supplement their basic vocabulary with expressions acquired from sources such as the teacher or picture dictionaries
- rely on native language words and phrases when expressing personal meaning in less familiar categories

COMMUNICATION STRATEGIES: How do they maintain communication?

Interpersonal

- attempt to clarify meaning by repeating words and occasionally selecting substitute words to convey their message
- primarily use facial expressions and gestures to indicate problems with comprehension

Interpretive

- use background experience to anticipate story direction in highly predictable oral or written texts
- rely heavily on visuals and familiar language to assist in comprehension

Presentational

- make corrections by repeating or rewriting when appropriate forms are routinely modeled by the teacher
- rely heavily on repetition, nonverbal expression (gestures, facial expressions), and visuals to communicate their message

CULTURAL AWARENESS: How is their cultural understanding reflected in their communication?

Interpersonal

- imitate culturally appropriate vocabulary and idiomatic expressions
- use gestures and body language that are generally those of the student's own culture, unless they are incorporated into memorized responses

Interpretive

- understand both oral and written language that reflects a cultural background similar to their own
- predict a story line or event when it reflects a cultural background similar to their own

Presentational

- imitate the use of culturally appropriate vocabulary, idiomatic expressions, and nonverbal behaviors modeled by the teacher

Language Learning Continuum: Stage I

The Language Learning Continuum was developed by the Articulation and Achievement Project to provide clear benchmarks that measure student performance. The Language Learning Continuum describes what students should know and be able to do as a result of second language study. The *Foreign Language Framework* for California Public Schools, K-12 relies on the model of the Language Learning Continuum. This chart shows the components and benchmarks for Stage I.

Language Learning Continuum: Stage I

Function	Context	Text Type
Students develop the ability to: • greet and respond to greetings • introduce and respond to introductions • engage in conversations • express likes and dislikes • make requests • obtain information • understand some ideas and familiar details • begin to provide information	Students can perform these functions: • when speaking, in face-to-face social interaction • when listening, in social interaction and using audio or video texts • when reading using authentic materials, e.g., menus, photos, posters, schedules, charts, signs, and short narratives • when writing notes, lists, poems, postcards, and short letters	Students can: • use short sentences, learned words and phrases, and simple questions and commands when speaking or writing • understand some ideas and familiar details presented in clear, uncomplicated speech when listening • understand short texts enhanced by visual clues when reading

Content
Stages I and II often include some combination of the following topics: • **the self**: family, home, rooms, health, school, schedules, leisure activities, campus life, likes and dislikes, shopping, clothes, prices, size and quantity, and pets and animals • **beyond self**: geography, topography, directions, buildings and monuments, weather and seasons, symbols, cultural and historical figures, places and events, colors, numbers, days, dates, months, time, food and customs, transportation, travel, and professions and work

Accuracy
Students: • communicate effectively with some hesitation and errors, which do not hinder comprehension • demonstrate culturally acceptable behavior for Stage I functions • understand most important information

Assessment Terms

alternative assessment: any method employed to find out what students know or can do that is not obtained through traditional methods, such as multiple-choice testing

analytic scoring: the assignment of separate scores in designated categories on a scoring rubric

anchors: representative products or performances used to characterize each point on a scoring rubric or scale

anecdotal records: informal written notes on student learning products or processes, usually jotted down by teacher from direct observation

assessment: a systematic approach to collecting information on student learning or performance, usually based on various scores of evidence

authentic assessment: procedures for evaluating student performance using activities that represent real life tasks

cloze test: an assessment of reading comprehension that asks students to infer the missing words in a reading passage

collection portfolio: a collection of all work showing how a student deals with daily classroom assignments

content standards: the knowledge specific to a given content area

criteria: guidelines, rules, or principles by which student responses, products, or performances are judged

dialogue journal: a type of writing in which students make entries in a notebook on topics of their choice to which the teacher responds

discrete-point tests: a test of a specific linguistic subskill, such as spelling, vocabulary, grammar, or pronunciation

evaluation: interpretation of assessment data regarding the quality of some response, product, or performance

formative assessment: ongoing diagnostic assessment providing information to guide instruction

holistic scoring: the assignment of a single score, based on specific criteria, to a student's performance

information gap: an oral language activity in which a student is rated on his or her success in conveying information unknown to a partner

performance assessment: assessment tasks that require a student to construct a response, create a product, or demonstrate applications of knowledge; performance is often related to a continuum of agreed-upon standards of proficiency or excellence

performance standard: the level of performance required on specific activities

portfolio: a collection of student work demonstrating student reflection and progress or achievement over time in one or more areas

portfolio assessment: a selective collection of student work, teacher observations, and self-assessment used to show progress over time with regard to specific criteria

process writing: a form of writing instruction that typically includes pre-writing, writing, and post-writing stages

project: an activity in which students prepare a product to show what they know and can do

reliability: the degree to which an assessment yields consistent results

rubric: a measurement scale used to evaluate student performance and consisting of a fixed scale and a list of characteristics that describe criteria at each score point for a particular outcome

scaffolding: providing contextual supports for meaning during instruction or assessment, such as visuals, lists, tables, or graphs

self-assessment: appraisal by a student of his or her own work

showcase portfolio: a collection of a student's best work, often selected by the student, that highlights what he or she is able to do

standard: an established level of achievement, quality of performance, or degree of proficiency

summative assessment: culminating assessment for a unit, grade level, or course of study that provides a status report on mastery or degree of proficiency according to identified learning outcomes and that aids in making decisions about passing, failing, or promotion

task: an activity usually requiring multiple responses to a challenging question or problem

test: a set of questions or situations designed to permit an inference about what a student knows or can do in a given area

validity: refers to whether or not a given assessment is an adequate measure of what is being assessed

Criterios de Evaluación de los Proyectos Temáticos

Para evaluar los proyectos temáticos sugeridos en la Edición del Profesor de ***Realidades*** deben usarse los siguientes criterios. Se recomienda que los profesores hagan fotocopias de estas páginas de lenguaje y las repasen con ellos antes de hacer las tareas para los estudiantes.

PARA EMPEZAR

Proyecto: *Pronóstico del tiempo*

CRITERIOS	1 punto	3 puntos	5 puntos
Evidencia de planificación	No hay un borrador escrito	Borrador escrito, pero sin corregir	Evidencia de borrador corregido
Uso de ilustraciones	No incluye mapas	El mapa era difícil de leer, incompleto y/o incorrecto	El mapa era fácil de leer, completo y correcto
Presentación	No incluye la mayoría de los elementos requeridos	Incluye algunos de los siguientes elementos: saludo, nombre, día y fecha, clima y temperatura de los cuatro lugares	Incluye todo lo siguiente: saludo, nombre, día y fecha, clima y temperatura de los cuatro lugares

TEMA 1

Proyecto: *Álbum de recuerdos*

CRITERIOS	1 punto	3 puntos	5 puntos
Evidencia de planificación	No hay un borrador ni un diseño de las páginas	Hay un borrador y un diseño de las páginas, pero no están corregidos	Hay un borrador y un diseño de las páginas corregidos
Uso de ilustraciones	No incluye fotos ni material visual	Incluye fotos/material visual, pero el diseño estaba desorganizado	El álbum era fácil de leer, completo y correcto
Presentación	Incluye muy poco de la información requerida sobre cada foto	Incluye la mayor parte de la información requerida sobre cada foto	Incluye toda la información requerida sobre cada foto

TEMA 2

Proyecto: *Página Web*

CRITERIOS	1 punto	3 puntos	5 puntos
Evidencia de planificación	No hay un borrador ni un diseño de la página	Hay un borrador y un diseño de la página, pero no están corregidos	Hay un borrador y un diseño de la página corregidos
Uso de ilustraciones	No incluye fotos ni material visual	Incluye fotos/material visual, pero el diseño estaba desorganizado	La página Web era fácil de leer, completa y correcta
Presentación	Incluye muy poco de la información requerida	Incluye la mayor parte de la información requerida	Incluye toda la información requerida

TEMA 3

Proyecto: ***Vacaciones para la salud***

CRITERIOS	1 punto	3 puntos	5 puntos
Evidencia de planificación	No hay un borrador ni un diseño de las páginas	Hay un borrador y un diseño, pero no están corregidos	Hay un borrador y un diseño de las páginas corregidos
Uso de ilustraciones	No incluye fotos ni material visual	Incluye fotos/material visual, pero el diseño estaba desorganizado	El folleto era fácil de leer, completo y correcto
Presentación	Incluye muy poco de la información requerida para el folleto; no hace ningún esfuerzo por "vender" el producto	Incluye la mayor parte de la información requerida para el folleto; hace un esfuerzo por "vender" el producto	Incluye toda la información requerida para folleto; trata de "vender" el producto

TEMA 4

Proyecto: ***Guía del ocio***

CRITERIOS	1 punto	3 puntos	5 puntos
Evidencia de planificación	No hay un borrador ni un diseño de la página	Hay un borrador y un diseño de la página, pero no están corregidos	Hay un borrador y un diseño de la página corregidos
Uso de ilustraciones	No incluye fotos ni material visual	Incluye fotos/material visual, pero el diseño estaba desorganizado	La guía era fácil de leer, completa y correcta
Presentación	Incluye muy poco de la información requerida en la guía y en la presentación	Incluye la mayor parte de la información requerida en la guía y en la presentación	Incluye toda la información requerida en la guía y en la presentación

TEMA 5

Proyecto: ***Árbol genealógico con fotos y descripciones***

CRITERIOS	1 punto	3 puntos	5 puntos
Evidencia de planificación	No hay un borrador ni un diseño del cartel	Hay un borrador y un diseño del cartel, pero no están corregidos	Hay un borrador y un diseño del cartel corregidos
Uso de ilustraciones	No incluye fotos ni material visual	Incluye pocas fotos/material visual	Incluye varias fotos/material visual
Presentación	Incluye detalles y diálogos para presentar a sus familiares	Se describe a sí mismo/a y al menos a dos familiares	Se describe a sí mismo/a y a tres o más familiares

TEMA 6

Proyecto: *La casa de mis sueños*

CRITERIOS	1 punto	3 puntos	5 puntos
Evidencia de planificación	No hay un borrador ni plano	Hay un borrador y el plano, pero no están corregidos	Hay un borrador y el plano corregidos
Uso de ilustraciones	No incluye recortes ni dibujos	El plano está completo, pero incluye pocos rótulos, recortes y dibujos	Incluye varios recortes y dibujos
Presentación	Enumera los cuartos de la casa y las cosas en el dormitorio	Describe la casa y algunas cosas en el dormitorio	Describe en detalle la casa y la mayoría de las cosas en el dormitorio

TEMA 7

Proyecto: *Catálogo de ventas por correo*

CRITERIOS	1 punto	3 puntos	5 puntos
Evidencia de planificación	No hay un borrador ni un diseño	Hay un borrador y un diseño, pero no están corregidos	Hay un borrador y un diseño de las páginas corregidos
Uso de ilustraciones	No incluye fotos	Incluye fotos de la mayoría de los artículos; el diseño estaba más o menos bien	Incluye fotos de todos los artículos; el diseño estaba bien
Presentación	Enumera los artículos, pero no los describe; usa pocas oraciones completas	Describe algunos, pero no todos los artículos; usa algunas oraciones completas	Describe todos los artículos usando oraciones completas

TEMA 8

Proyecto: *Diario ilustrado*

CRITERIOS	1 punto	3 puntos	5 puntos
Evidencia de planificación	No hay un borrador ni un diseño	Hay un borrador y un diseño, pero no están corregidos	Hay un borrador y un diseño corregidos
Uso de ilustraciones	No incluye fotos ni ilustraciones	Incluye fotos o ilustraciones, para la mayoría de las entradas	Incluye fotos o ilustraciones para todas las entradas
Presentación	Enumera los lugares, las actividades y los medios de transporte, pero no incluye descripciones ni usa oraciones completas	Enumera los lugares, las actividades y los medios de transporte e incluye algunas descripciones; no siempre usa oraciones completas	Enumera los lugares, las actividades y los medios de transporte e incluye algunas descripciones; usa oraciones completas

TEMA 9

Proyecto: *Cápsula de información*

CRITERIOS	1 punto	3 puntos	5 puntos
Evidencia de planificación	No hay un borrador ni un diseño	Hay un borrador y un diseño, pero no están corregidos	Hay un borrador y un diseño, corregidos
Uso de ilustraciones	No incluye ilustraciones	Incluye ilustraciones para algunas categorías	Incluye ilustraciones para todas las categorías
Presentación	Enumera una serie de cosas que incluiría en la cápsula, pero no las describe ni explica por qué las escogió	Describe brevemente las cosas que incluiría en la cápsula, pero no explica bien por qué las escogió	Describe brevemente las cosas que incluiría en la cápsula y explica por qué las escogió

Criterios de Evaluación de la *Presentación oral* y la *Presentación escrita*

Para evaluar la *Presentación oral* y la *Presentación escrita* sugeridas en la Edición del Estudiante de *Realidades* deben usarse los siguientes criterios.

TEMA 1

Capítulo 1A, Presentación oral

CRITERIOS	1 punto	3 puntos	5 puntos
Cantidad de información comunicada	Menciona sólo un ejemplo detallado de cada categoría	Menciona cuatro actividades y las tres categorías	Menciona cinco actividades y las tres categorías
Facilidad con que se le entiende al estudiante	Difícil de entender; muchos errores de gramática	Se entiende bastante bien; algunos errores de gramática	Fácil de entender; muy pocos errores de gramática
Coherencia entre el material visual y la presentación oral	Incluye sólo tres materiales visuales claramente relacionados con la actividad	Incluye cuatro materiales visuales claramente relacionados con la actividad	Incluye cinco materiales visuales claramente relacionados con la actividad

Capítulo 1B, Presentación escrita

CRITERIOS	1 punto	3 puntos	5 puntos
Partes de la tarea que completa	Sólo incluye algo de la información requerida	Incluye la mayoría de la información requerida	Incluye toda la información requerida
Etapas del proceso de escritura	Incluye sólo las preguntas de antes de escribir	Incluye las preguntas de antes de escribir y un borrador	Incluye antes de escribir, borrador y producto final
Uso correcto de los adjetivos	Usa sólo un adjetivo, y con errores gramaticales	Usa dos adjetivos con algunos errores gramaticales	Usa más de dos adjetivos con muy pocos errores gramaticales

TEMA 2

Capítulo 2A, Presentación oral

CRITERIOS	1 punto	3 puntos	5 puntos
Cuán completa es la preparación	Información escrita sin cuadro	Cuadro incompleto	Cuadro con toda la información
Cantidad de información dada	Describe tres clases pero sólo menciona un detalle de cada clase	Describe tres clases pero sólo menciona dos detalles de cada clase	Describe cinco clases e incluye toda la información requerida
Facilidad con que se le entiende al estudiante	Muy difícil de entender; sólo se reconocen palabras o frases aisladas	Comprensible, pero con muchos errores de vocabulario y gramática	Fácilmente comprensible; no hay que deducir lo que el/la estudiante trata de decir

Capítulo 2B, Presentación escrita

CRITERIOS	1 punto	3 puntos	5 puntos
Uso del vocabulario recién aprendido	Muy poca variedad de vocabulario, y con muchos errores de uso	Vocabulario limitado, y con algunos errores de uso	Variedad de vocabulario con muy pocos errores de uso
Uso correcto del verbo *estar*	Muchas formas verbales incorrectas	Algunas formas verbales incorrectas	Muy pocas formas verbales incorrectas
Cantidad de información dada	Da información sobre dos o menos objetos de la clase	Da información sobre tres o menos objetos de la clase	Da información sobre cuatro o más objetos de la clase

TEMA 3

Capítulo 3A, Presentación oral

CRITERIOS	1 punto	3 puntos	5 puntos
Partes de la tarea que completa	Hace o responde dos preguntas durante la conversación	Hace o responde tres preguntas durante la conversación	Hace o responde cuatro o más preguntas durante la conversación
Facilidad con que se le entiende al estudiante	Muy difícil de entender; sólo se reconocen palabras o frases aisladas	Comprensible, pero con muchos errores de vocabulario y gramática	Fácilmente comprensible; no hay que deducir lo que el/la estudiante trata de decir
Habilidad para mantener la conversación	No responde ni comenta lo que dice el/la compañero/a	Responde o comenta con frecuencia lo que dice el/la compañero/a	Responde todas las preguntas, escucha al/a la compañero/a y continúa la conversación o agrega información o detalles

Capítulo 3B, Presentación escrita

CRITERIOS	1 punto	3 puntos	5 puntos
Partes de la tarea que completa	Escribe al menos tres sugerencias sobre hábitos saludables	Escribe al menos cuatro sugerencias sobre hábitos saludables	Escribe cinco o más sugerencias sobre hábitos saludables
Uso correcto del vocabulario y la gramática	Muy poca variedad de vocabulario y muchos errores gramaticales	Vocabulario limitado y algunos errores gramaticales	Variedad de vocabulario y muy pocos errores gramaticales
Uso efectivo del material visual	Incluye sólo tres materiales visuales claramente relacionados con la información	Incluye cuatro materiales visuales claramente relacionados con la información	Incluye cinco materiales visuales claramente relacionados con la información

TEMA 4

Capítulo 4A, Presentación oral

CRITERIOS	1 punto	3 puntos	5 puntos
Partes de la tarea que completa	Hace o responde dos preguntas	Hace o responde tres preguntas	Hace o responde cuatro o más preguntas
Habilidad para mantener la conversación	No responde ni comenta lo que dice el/la compañero/a	Responde o comenta con frecuencia lo que dice el/la compañero/a	Responde todas las preguntas, escucha al/a la compañero/a y continúa la conversación o agrega información o detalles
Facilidad con que se le entiende al estudiante	Muy difícil de entender; sólo se reconocen palabras o frases aisladas	Comprensible, pero con muchos errores de vocabulario y gramática	Fácilmente comprensible; no hay que deducir lo que el/la estudiante trata de decir

Capítulo 4B, Presentación escrita

CRITERIOS	1 punto	3 puntos	5 puntos
Cantidad de información dada	Da muy pocos o ningún detalle o ejemplo sobre lugares y actividades	Da algunos detalles o ejemplos sobre lugares y actividades	Da todos los detalles y ejemplos requeridos, sobre lugares, horarios y actividades
Uso de las expresiones del vocabulario	Muy poca variedad de vocabulario y con muchos errores de uso	Vocabulario limitado y algunos errores de uso	Variedad de vocabulario y muy pocos errores de uso
Precisión de las estructuras oracionales	Al menos tres oraciones con muchos errores gramaticales	Al menos tres oraciones con algunos errores gramaticales	Al menos tres oraciones con muy pocos errores gramaticales

Capítulo 5A, Presentación oral

CRITERIOS	1 punto	3 puntos	5 puntos
Cuán completa es la preparación del estudiante	Información escrita sin cuadro	Cuadro incompleto	Cuadro con toda la información requerida
Cantidad de información comunicada	Presenta una foto y toda la información requerida	Presenta dos fotos y toda la información requerida	Presenta tres fotos y toda la información requerida
Facilidad con que se le entiende al estudiante	Muy difícil de entender; sólo se reconocen palabras o frases aisladas	Comprensible, pero con muchos errores de vocabulario y de gramática	Fácilmente comprensible; no hay que deducir lo que el/la estudiante trata de decir

Capítulo 5B, Presentación escrita

CRITERIOS	1 punto	3 puntos	5 puntos
Partes de la tarea que completa	Da información en tres categorías de la red de palabras	Da información en cuatro categorías de la red de palabras	Da información en cinco categorías de la red de palabras
Uso del vocabulario nuevo y de repaso	Muy limitado y repetitivo	Sólo usa las palabras recientemente aprendidas	Usa tanto el vocabulario recién aprendido como el aprendido con anterioridad
Precisión en ortografía y gramática	Muchos errores de ortografía y de gramática	Algunos errores de ortografía y de gramática	Muy pocos errores de ortografía y de gramática
Uso correcto de los verbos	Repeticiones constantes de formas verbales incorrectas	Repeticiones frecuentes de formas verbales incorrectas	Muy pocas formas verbales incorrectas

TEMA 6

Capítulo 6A, Presentación oral

CRITERIOS	1 punto	3 puntos	5 puntos
Presentación	Describe el dormitorio pero no incluye material visual	Describe el dormitorio e incluye material visual, pero no da su opinión	Describe el cuarto, incluye material visual, y da su opinión
Cantidad de información comunicada	Incluye sólo dos categorías de la red de palabras	Incluye tres categorías de la red de palabras	Incluye las cuatro categorías de la red de palabras
Facilidad con que se le entiende al estudiante	Muy difícil de entender; sólo se reconocen palabras o frases aisladas	Comprensible, pero con muchos errores de vocabulario y de gramática	Fácilmente comprensible; no hay que deducir lo que el/la estudiante trata de decir

Capítulo 6B, Presentación escrita

CRITERIOS	1 punto	3 puntos	5 puntos
Limpio y atractivo	No incluye material visual y en el anuncio se ven correcciones y borrones	Incluye material visual pero en el anuncio se ven correcciones y borrones	Incluye material visual y el anuncio es atractivo, sin correcciones ni borrones
Uso de las expresiones del vocabulario	Muy poca variedad de vocabulario y con muchos errores	Vocabulario limitado y algunos errores	Variedad de vocabulario y muy pocos errores
Cantidad de información dada	Sólo describe los cuartos	Describe los cuartos y algunas características especiales	Describe los cuartos, las características especiales, e incluye el precio y la dirección

TEMA 7

Capítulo 7A, Presentación oral

CRITERIOS	1 punto	3 puntos	5 puntos
Habilidad para mantener la conversación	No responde ni comenta lo que dice el/la compañero/a	Responde y comenta con frecuencia lo que dice el/la compañero/a	Responde todas las preguntas, escucha al/a la compañero/a y continúa la conversación o agrega información o detalles
Cuán completa es la presentación	Sólo describe la ropa	Describe la ropa e incluye el precio	Describe la ropa, el precio, y la decisión de comprarla (o no)
Uso del vocabulario nuevo y de repaso	Muy limitado y repetitivo	Sólo usa las palabras recientemente aprendidas	Usa tanto el vocabulario recién aprendido como el aprendido con anterioridad

Capítulo 7B, Presentación escrita

CRITERIOS	1 punto	3 puntos	5 puntos
Facilidad con que se entiende la carta	Sólo algo de lo que escribe resulta comprensible	La mayor parte de lo que escribe resulta comprensible	Todo lo que escribe resulta comprensible
Cantidad de información dada	Sólo menciona el regalo y dónde lo ha comprado	Menciona el regalo, y dónde y por qué lo ha comprado	Menciona el regalo, dónde y por qué lo ha comprado, el precio y el tipo de fiesta
Uso correcto del saludo y la despedida	Sólo incluye el saludo o la despedida	Incluye el saludo y la despedida, pero con errores	El saludo y la despedida no presentan errores
Uso correcto del pretérito	Repeticiones constantes de formas verbales incorrectas	Repeticiones frecuentes de formas verbales incorrectas	Muy pocas formas verbales incorrectas

TEMA 8

Capítulo 8A, Presentación oral

CRITERIOS	1 punto	3 puntos	5 puntos
Cantidad de información dada	Sólo incluye dos categorías de la red de palabras	Incluye tres categorías de la red de palabras	Incluye las cuatro categorías de la red de palabras
Uso de fotografías y material visual	Incluye sólo dos materiales visuales claramente relacionados con el viaje	Incluye tres materiales visuales claramente relacionados con el viaje	Incluye cuatro materiales visuales claramente relacionados con el viaje
Facilidad con que se le entiende al estudiante	Muy difícil de entender; sólo se reconocen palabras o frases aisladas	Comprensible, pero con muchos errores de vocabulario y de gramática	Fácilmente comprensible; no hay que deducir lo que el/la estudiante trata de decir

Capítulo 8B, Presentación escrita

CRITERIOS	1 punto	3 puntos	5 puntos
Cuán completa es la información	Sólo incluye el nombre del proyecto	Incluye el nombre y el lugar del proyecto	Incluye el nombre, el lugar, cuándo, por cuánto tiempo y con quién va a realizar el proyecto
Precisión del lenguaje	Poca variedad de vocabulario y muchos errores de gramática	Vocabulario limitado y algunos errores de gramática	Variedad de vocabulario y muy pocos errores de gramática
Presentación del material visual	Sólo el título del cartel como material visual	El título y un material visual en colores	El título y dos o más materiales visuales en colores

TEMA 9

Capítulo 9A, Presentación oral

CRITERIOS	1 punto	3 puntos	5 puntos
Cuán completa es la presentación	Sólo el título del cartel como material visual	El título y un material visual en colores	El título y dos o más materiales visuales en colores
Cantidad de información comunicada	Sólo menciona una película o programa de televisión, y los actores	Menciona y describe la película o el programa, y los actores	Describe la película o el programa, los actores, y presenta su opinión
Facilidad con que se le entiende al estudiante	Muy difícil de entender; sólo se reconocen palabras o frases aisladas	Comprensible, pero con muchos errores de vocabulario y de gramática	Fácilmente comprensible; no hay que deducir lo que el/la estudiante trata de decir

Capítulo 9B, Presentación escrita

CRITERIOS	1 punto	3 puntos	5 puntos
Cantidad de información dada	Sólo incluye una razón y una ventaja	Incluye dos razones y dos ventajas	Incluye tres o más razones y ventajas
Presentación de razones y ventajas	Poco pensada; las razones y ventajas no se corresponden	Relativamente pensada; una o dos de las razones y ventajas se corresponden	Bien pensada; todas las razones y ventajas se corresponden
Uso correcto del vocabulario y la gramática recién aprendidos	Poca variedad de vocabulario y muchos errores de gramática	Vocabulario limitado y algunos errores de gramática	Variedad de vocabulario y muy pocos errores de gramática

Criterios de Evaluación de las Secciones *Hablar* y *Escribir* del *Examen del capítulo*

Para evaluar el desempeño de los estudiantes en las secciones *Hablar* y *Escribir* del *Examen del capítulo* deben usarse los siguientes criterios. Se recomienda que los profesores entreguen con anterioridad fotocopias de estas páginas, o que las proyecten durante el examen, para que los estudiantes puedan ver cómo se evaluará cada parte.

TEMA 1

Capítulo 1A

Escribir

CRITERIOS	1 punto—Por debajo del promedio	3 puntos—Bueno	5 puntos—Excelente
Cantidad de información dada sobre sí mismo/a	Menciona un solo ejemplo detallado de lo que le gusta y lo que no le gusta hacer; hace una sola pregunta	Menciona al menos dos ejemplos detallados de lo que le gusta y no lo que no le gusta hacer; hace al menos dos preguntas	Menciona tres o más ejemplos de lo que le gusta y no le gusta hacer; hace tres o más preguntas
Variedad de formas en que expresó qué le gusta y qué no	Usa sólo *me gusta* y *no me gusta*	Usa alguna vez expresiones como *me gusta más* o *no me gusta nada*	Usa con frecuencia otras expresiones, como *también me gusta*, etc.
Uso correcto del vocabulario y la gramática recién aprendidos	Poca variedad de vocabulario y muchos errores de gramática	Vocabulario limitado y algunos errores de gramática	Variedad de vocabulario y muy pocos errores de gramática

Hablar

CRITERIOS	**1 punto— Por debajo del promedio**	**3 puntos—Bueno**	**5 puntos—Excelente**
Cantidad de información dada sobre sí mismo/a	Menciona un solo ejemplo detallado de lo que le gusta y lo que no le gusta hacer; hace una sola pregunta	Menciona al menos dos ejemplos detallados de lo que le gusta y no lo que no le gusta hacer; hace al menos dos preguntas	Menciona tres o más ejemplos de lo que le gusta y no le gusta hacer; hace tres o más preguntas
Facilidad con que se le entiende al estudiante	Difícil de entender; muchos errores gramaticales	Bastante fácil de entender; algunos errores gramaticales	Fácil de entender; muy pocos errores gramaticales
Variedad de formas en que expresó qué le gusta y qué no	Usa sólo *me gusta* y *no me gusta*	Usa alguna vez expresiones como *me gusta más* o *no me gusta nada*	Usa con frecuencia otras expresiones, como *también me gusta*, etc.

Capítulo 1B

Escribir

CRITERIOS	**1 punto— Por debajo del promedio**	**3 puntos—Bueno**	**5 puntos—Excelente**
Cantidad de información dada sobre sí mismo/a	Se describe con dos o menos adjetivos y da un solo ejemplo de lo que hace fuera de la escuela	Se describe con cuatro o más adjetivos y da un ejemplo de lo que hace fuera de la escuela; da un ejemplo de lo que sus amigos piensan de él/ella	Se describe con cinco o más adjetivos y da varios ejemplos de lo que hace fuera de la escuela; también da varios ejemplos de lo que sus amigos piensan de él/ella
Variedad de vocabulario usado	Usa muy pocas palabras del vocabulario nuevo para describirse	Usa una variedad de palabras y frases del vocabulario nuevo para describirse	Usa una variedad de palabras del vocabulario para describir su personalidad y para describir cómo lo/la ven sus amigos
Uso correcto del vocabulario y la gramática recién aprendidos	Poca variedad de vocabulario y muchos errores de gramática	Vocabulario limitado y algunos errores de gramática	Variedad de vocabulario y muy pocos errores de gramática

Hablar

CRITERIOS	1 punto— Por debajo del promedio	3 puntos—Bueno	5 puntos—Excelente
Cantidad de información dada sobre sí mismo/a	Se describe con dos o menos adjetivos y da un solo ejemplo de lo que hace fuera de la escuela	Se describe con cuatro o más adjetivos y da un ejemplo de lo que hace fuera de la escuela; da un ejemplo de lo que sus amigos piensan de él/ella	Se describe con cinco o más adjetivos y da varios ejemplos de lo que hace fuera de la escuela; también da varios ejemplos de lo que sus amigos piensan de él/ella
Variedad de vocabulario usado	Usa muy pocas palabras del vocabulario nuevo para describirse	Usa una variedad de palabras y frases del vocabulario nuevo para describirse	Usa una variedad de palabras del vocabulario para describirse y para describir cómo lo/la ven sus amigos
Facilidad con que se le entiende al estudiante	Difícil de entender; muchos errores gramaticales	Bastante fácil de entender; algunos errores gramaticales	Fácil de entender; muy pocos errores gramaticales

TEMA 2

Capítulo 2A

Escribir

CRITERIOS	1 punto— Por debajo del promedio	3 puntos—Bueno	5 puntos—Excelente
Cantidad de información dada	Describe al menos dos clases: si le gustan o no, si son difíciles o fáciles	Describe tres de sus clases en términos de interés y dificultad; si le gustan o no, y por qué; describe a cada profesor/a con un adjetivo al menos	Describe tres de sus clases y da múltiples razones de por qué le gustan o no las clases o los profesores; usa un vocabulario variado y no repite las mismas razones para justificar sus opiniones
Precisión con que expresa qué le gusta y qué no	Usa muchas palabras incorrectamente y repite con frecuencia los mismos errores gramaticales (Ej.: usa *me gusta* incorrectamente varias veces)	Usa palabras incorrectamente con frecuencia y repite varias veces los mismos errores gramaticales	Muy pocas veces usa palabras incorrectamente, tampoco repite los mismos errores gramaticales
Variedad de vocabulario usado	Muy limitado y repetitivo	Sólo usa palabras recién aprendidas	Usa tanto el vocabulario nuevo como el aprendido con anterioridad

Hablar

CRITERIOS	1 punto— Por debajo del promedio	3 puntos—Bueno	5 puntos—Excelente
Número de diferencias y semejanzas	Da un solo ejemplo de lo que hace con sus amigos y uno de lo que hacen individualmente	Habla de dos o más cosas que hace con sus amigos y de cosas que hacen individualmente	Habla de tres o más cosas que hace con sus amigos y de cosas que hacen individualmente
Uso correcto de pronombres en función de sujeto y formas verbales	Mucha repetición de errores en el uso de pronombres en función de sujeto y de las formas verbales correspondientes	Repite errores en el uso de pronombres en función de sujeto y de las formas verbales correspondientes	Muy pocos errores en el uso de pronombres en función de sujeto y de las formas verbales correspondientes
Uso del vocabulario recién aprendido	Muy poca variedad y errores frecuentes	Vocabulario limitado y con algunos errores	Variedad de vocabulario y muy pocos errores

Capítulo 2B

Escribir

CRITERIOS	1 punto— Por debajo del promedio	3 puntos—Bueno	5 puntos—Excelente
Cantidad de preguntas que se entienden con facilidad	Escribe al menos tres preguntas con la estructura correcta	Escribe al menos cuatro preguntas con la estructura correcta	Escribe al menos cinco preguntas con la estructura correcta
Variedad del tipo de preguntas	De la lista de siete sugerencias para las preguntas de la encuesta, hace sólo tres preguntas (Ej.: pregunta cuántas clases, cuántos estudiantes en cada una, y si la clase es fácil o difícil)	De la lista de siete sugerencias para las preguntas de la encuesta, hace al menos cuatro preguntas distintas	De la lista de siete sugerencias para las preguntas de la encuesta, hace cinco preguntas distintas
Uso correcto del vocabulario y la gramática recién aprendidos	Poca variedad de vocabulario y muchos errores de gramática	Vocabulario limitado y algunos errores de gramática	Variedad de vocabulario y muy pocos errores de gramática

Hablar

CRITERIOS	1 punto—Por debajo del promedio	3 puntos—Bueno	5 puntos—Excelente
Cantidad de objetos y ubicaciones descritos correctamente	Sólo enumera los objetos; no puede describir la ubicación de cada uno en la clase	Enumera los objetos y puede describir correctamente la ubicación de al menos tres de ellos	Enumera los objetos y puede describir correctamente la ubicación de los cinco
Facilidad con que se le entiende al estudiante	Difícil de entender; sólo se reconocen algunas frases o palabras aisladas	Bastante fácil de entender; pero con errores en el vocabulario y/o la gramática	Fácil de entender; no es necesario deducir lo que dice
Uso correcto del vocabulario y la gramática recién aprendidos	Poca variedad de vocabulario y muchos errores de gramática	Vocabulario limitado y algunos errores de gramática	Variedad de vocabulario y muy pocos errores de gramática

TEMA 3

Capítulo 3A

Escribir

CRITERIOS	1 punto—Por debajo del promedio	3 puntos—Bueno	5 puntos—Excelente
Cantidad de oraciones sobre lo que le gusta o no le gusta comer	Sólo enumera las comidas que le gustan o no para el desayuno y el almuerzo; no escribe oraciones completas	Escribe al menos tres oraciones completas comparando lo que le gusta o no le gusta comer y beber en el desayuno y el almuerzo	Escribe cuatro o más oraciones completas comparando lo que le gusta o no le gusta comer y beber en el desayuno y el almuerzo
Comprensión y organización	Difícil de entender y desorganizado	Bastante fácil de entender pero desorganizado	Ideas bien organizadas y fáciles de entender
Uso correcto del vocabulario y la gramática recién aprendidos	Poca variedad de vocabulario y muchos errores de gramática	Vocabulario limitado y algunos errores de gramática	Variedad de vocabulario y muy pocos errores de gramática

Hablar

CRITERIOS	1 punto— Por debajo del promedio	3 puntos—Bueno	5 puntos—Excelente
Cantidad de oraciones sobre hábitos alimenticios	Menciona al menos tres cosas que come todos los días y al menos tres que nunca come	Menciona al menos cuatro cosas que come todos los días y al menos cuatro que nunca come	Incluye al menos seis oraciones sobre lo que come todos los días, lo que nunca come y la comida que prefiere
Facilidad con que se le entiende	Sólo parte de lo que dice resulta comprensible	La mayor parte de lo que dice resulta comprensible	Todo lo que dice resulta comprensible
Uso del vocabulario y gramática recién aprendido	Muy poca variedad de vocabulario y errores frecuentes de gramática	Vocabulario limitado y con algunos errores de gramática	Variedad de vocabulario y muy pocos errores de gramática

Capítulo 3B

Escribir

CCRITERIOS	1 punto— Por debajo del promedio	3 puntos—Bueno	5 puntos—Excelente
Partes de la tarea que completó	Escribe al menos tres sugerencias para llevar una vida saludable	Escribe al menos cuatro sugerencias para llevar una vida saludable	Escribe cinco o más sugerencias para llevar una vida saludable
Variedad de las sugerencias para el lector	Sólo sugiere comidas saludables	Sugiere comidas saludables y ejercicios específicos	Sugiere comidas saludables, ejercicios específicos y otros hábitos saludables
Uso correcto del vocabulario y la gramática recién aprendidos	Poca variedad de vocabulario y muchos errores de gramática	Vocabulario limitado y algunos errores de gramática	Variedad de vocabulario y muy pocos errores de gramática

Hablar

CRITERIOS	1 punto— Por debajo del promedio	3 puntos—Bueno	5 puntos—Excelente
Partes de la tarea que completó	Sólo incluye unos pocos de los temas sugeridos	Incluye la mayoría de los temas sugeridos	Incluye todos los temas sugeridos
Variedad de sugerencias para los niños	Dice sólo lo que los niños deberían comer	Dice lo que los niños deberían comer y lo que no	Dice lo que los niños deberían comer, lo que no, y sugiere ejercicios apropiados
Uso correcto del vocabulario y la gramática recién aprendidos	Poca variedad de vocabulario y muchos errores de gramática	Vocabulario limitado y algunos errores de gramática	Variedad de vocabulario y muy pocos errores de gramática

Capítulo 4A

Escribir

CRITERIOS	1 punto— Por debajo del promedio	3 puntos—Bueno	5 puntos—Excelente
Variedad de lugares y actividades	Menciona sólo dos lugares y lo que hace en ellos	Menciona al menos tres lugares y lo que hace en ellos	Menciona al menos cuatro lugares y lo que hace en ellos
Cantidad de detalles incluidos	Sólo incluye el lugar y las horas en las que está allí	Incluye el lugar, las horas en las que está allí y la descripción de la actividad	Incluye el lugar, la hora y una descripción detallada de la actividad
Uso correcto del vocabulario y la gramática recién aprendidos	Poca variedad de vocabulario y muchos errores de gramática	Vocabulario limitado y algunos errores de gramática	Variedad de vocabulario y muy pocos errores de gramática

Hablar

CRITERIOS	1 punto— Por debajo del promedio	3 puntos—Bueno	5 puntos—Excelente
Cantidad de información dada	Da muy pocos o ningún detalle o ejemplos sobre lugares y actividades	Da unos pocos detalles o ejemplos sobre lugares y actividades	Da detalles o ejemplos de manera consistente sobre lugares, horas y actividades
Comprensión y organización	Difícil de entender y desorganizado	Bastante fácil de entender pero desorganizado	Ideas bien organizadas y fáciles de entender
Uso del vocabulario y la gramática recién aprendidos	Poca variedad de vocabulario y errores frecuentes de gramática	Vocabulario limitado y con algunos errores de gramática	Variedad de vocabulario y muy pocos errores de gramática

Capítulo 4B

Escribir

CRITERIOS	1 punto— Por debajo del promedio	3 puntos—Bueno	5 puntos—Excelente
Cantidad de actividades que describió	Describe sólo una actividad	Describe al menos dos actividades	Describe tres o más actividades
Variedad de vocabulario	Muy limitado y repetitivo	Usa sólo el vocabulario recién aprendido	Usa tanto el vocabulario nuevo como el aprendido con anterioridad
Uso correcto del vocabulario y la gramática recién aprendidos	Poca variedad de vocabulario y muchos errores de gramática	Vocabulario limitado y algunos errores de gramática	Variedad de vocabulario y muy pocos errores de gramática

Hablar

CRITERIOS	1 punto— Por debajo del promedio	3 puntos—Bueno	5 puntos—Excelente
Interacción en la conversación	No sigue la conversación ni comenta lo que dice el/la compañero/a	Responde con frecuencia o comenta lo que dice el/la compañero/a	Siempre responde, escucha y comenta lo que dice el/la compañero/a, o agrega información
Cantidad de preguntas y excusas comprensibles dadas	Muy limitado y repetitivo	Usa sólo el vocabulario recién aprendido	Usa tanto el vocabulario nuevo como el aprendido con anterioridad
Uso correcto del vocabulario y la gramática recién aprendidos	Poca variedad de vocabulario y muchos errores de gramática	Vocabulario limitado y algunos errores de gramática	Variedad de vocabulario y muy pocos errores de gramática

Capítulo 5A

Escribir

CRITERIOS	1 punto—Por debajo del promedio	3 puntos—Bueno	5 puntos—Excelente
Cantidad de características personales incluidas	Incluye sólo el nombre, la edad y una característica personal	Incluye el nombre, la edad, y al menos dos características personales	Incluye el nombre, la edad, y al menos dos características personales; MÁS al menos dos adornos que le gustan
Cantidad de cosas que le gustan o no	Menciona sólo una cosa que le gusta hacer y sólo una que no le gusta	Menciona al menos dos cosas que le gusta hacer y dos que no le gusta	Menciona tres o más cosas que le gusta hacer y tres o más que no le gusta
Uso correcto del vocabulario y la gramática recién aprendidos	Poca variedad de vocabulario y muchos errores de gramática	Vocabulario limitado y algunos errores de gramática	Variedad de vocabulario y muy pocos errores de gramática

Hablar

CRITERIOS	1 punto—Por debajo del promedio	3 puntos—Bueno	5 puntos—Excelente
Cantidad de familiares descriptos	Describe sólo a dos familiares o parientes	Describe a tres familiares o parientes	Describe a cuatro o más familiares o parientes
Corrección con que describe la relación	Hace muchos errores al describir la relación de cada familiar con él/ella mismo/a, lo que dificulta la comprensión	Hace algunos errores al describir la relación de cada familiar con él/ella mismo/a, lo que dificulta la comprensión	Describe correcta y apropiadamente la relación de cada familiar con él/ella mismo/a
Cantidad de información dada	Sólo menciona la relación y una sola característica del familiar	Menciona la relación con cada persona, al menos dos características de la personalidad de cada una, y la edad	Menciona la relación con cada persona, al menos dos características de la personalidad de cada una, la edad, y al menos dos cosas que le gusta hacer a cada una

Capítulo 5B

Escribir

CRITERIOS	1 punto— Por debajo del promedio	3 puntos—Bueno	5 puntos—Excelente
Partes de la tarea que completó	Sólo menciona lo que tres personas llevarían a la cena	Menciona lo que cuatro personas llevarían a la cena y a qué hora lo harían	Menciona lo que al menos cinco personas llevarían a la cena, el tipo de comida, y a qué hora la llevarían
Variedad de vocabulario	Muy limitado y repetitivo	Usa sólo el vocabulario recién aprendido	Usa tanto el vocabulario nuevo como el aprendido con anterioridad
Uso correcto del vocabulario y la gramática recién aprendidos	Poca variedad de vocabulario y muchos errores de gramática	Vocabulario limitado y algunos errores de gramática	Variedad de vocabulario y muy pocos errores de gramática

Hablar

CRITERIOS	1 punto— Por debajo del promedio	3 puntos—Bueno	5 puntos—Excelente
Fluidez	Muchas pausas largas y comienzos interrumpidos, con frecuente recurrencia al inglés	Algunas pausas y comienzos interrumpidos; ideas expresadas en oraciones cortas	Pocas pausas y comienzos interrumpidos, bien articulados en pocas oraciones
Partes de la tarea que completa	Describe la apariencia física y la edad de sólo tres amigos o familiares	Describe la apariencia física y la edad de al menos cuatro amigos o familiares	Describe la apariencia física y la edad de cinco o más amigos o familiares
Pronunciación	Los problemas de pronunciación dificultan la comprensión de lo que dice	Algunos problemas de pronunciación producen algún malentendido	Pocos problemas de pronunciación; se le comprende fácilmente

Capítulo 6A

Escribir

CRITERIOS	1 punto— Por debajo del promedio	3 puntos—Bueno	5 puntos—Excelente
Diagrama de Venn	No organiza las ideas en el diagrama de Venn antes de escribir el párrafo	Organiza parcialmente las ideas en el diagrama de Venn antes de escribir el párrafo	Categoriza todas las características de los dos cuartos en el diagrama de Venn antes de escribir el párrafo
Cantidad de comparaciones incluidas	Compara semejanzas y diferencias sólo de color y tamaño de los dos cuartos; muy pocas comparaciones de muebles y cosas en las paredes	Compara semejanzas y diferencias en al menos tres aspectos de los dos cuartos; menciona el color, tamaño y algunos muebles y cosas en las paredes	Compara semejanzas y diferencias en al menos cuatro aspectos de los dos cuartos; incluye descripciones detalladas de muebles y cosas en las paredes
Uso correcto del vocabulario y la gramática recién aprendidos	Poca variedad de vocabulario y muchos errores de gramática	Vocabulario limitado y algunos errores de gramática	Variedad de vocabulario y muy pocos errores de gramática

Hablar

CRITERIOS	1 punto— Por debajo del promedio	3 puntos—Bueno	5 puntos—Excelente
Cantidad de preguntas que hace y responde	Hace y responde dos o menos preguntas	Hace y responde al menos tres preguntas	Hace y responde al menos cuatro preguntas
Cantidad de detalles que incluye	Sólo habla del color y el tamaño de los cuartos	Sólo habla del color, el tamaño, y al menos una cosa en la pared	Habla del color, el tamaño, las cosas en la pared, pertenencias y si comparte o no el cuarto con otra persona
Interacción en la conversación	No sigue la conversación ni comenta lo que dice el/la compañero/a	Responde con frecuencia o comenta lo que dice el/la compañero	Responde todas las preguntas y continúa la conversación con otras preguntas o con más información

Capítulo 6B

Escribir

CRITERIOS	1 punto—Por debajo del promedio	3 puntos—Bueno	5 puntos—Excelente
Cantidad de quehaceres	Incluye cinco o menos quehaceres en el cartel	Incluye al menos seis quehaceres en el cartel	Incluye ocho o más quehaceres en el cartel
Cantidad de ilustraciones dadas	Incluye cinco o menos ilustraciones en el cartel	Incluye al menos seis ilustraciones en el cartel	Incluye ocho o más ilustraciones en el cartel
Ortografía, vocabulario y gramática	Muchas faltas de ortografía y errores de vocabulario y gramática	Frecuentes faltas de ortografía y errores de vocabulario y gramática	Muy pocas faltas de ortografía y errores de vocabulario y gramática

Hablar

CRITERIOS	1 punto—Por debajo del promedio	3 puntos—Bueno	5 puntos—Excelente
Cantidad de quehaceres	Menciona al menos dos quehaceres	Menciona al menos cuatro quehaceres	Menciona cinco o más quehaceres
Variedad y uso del vocabulario	Muy poca variedad de vocabulario para describir los quehaceres (Ej.: *limpio el baño, limpio la cocina*, etc.)	Vocabulario limitado para describir los quehaceres (Ej.: *limpio el baño, lavo los platos*, etc.)	Variedad de vocabulario para describir los quehaceres
Fluidez y pronunciación	Muchas pausas largas y comienzos interrumpidos; recurrencia al inglés; los problemas de pronunciación dificultan la comprensión	Algunas pausas y comienzos interrumpidos; oraciones cortas; los problemas de pronunciación producen algún malentendido	Pocas pausas y comienzos interrumpidos; ideas bien articuladas en pocas oraciones; pocos problemas de pronunciación; se le comprende fácilmente

TEMA 7

Capítulo 7A

Escribir

CRITERIOS	1 punto—Por debajo del promedio	3 puntos—Bueno	5 puntos—Excelente
Cantidad de artículos de la lista	Describe correctamente cinco o menos artículos	Describe correctamente al menos seis artículos	Describe correctamente los ocho artículos
Concordancia de sustantivos y adjetivos	Los adjetivos concuerdan con los sustantivos en sólo cinco casos o menos	Los adjetivos concuerdan con los sustantivos en al menos seis casos	Los adjetivos concuerdan con los sustantivos en los ocho casos
Descripción precisa de otros dos artículos	Agrega dos prendas más, pero no describe el color ni la talla	Agrega dos prendas más y describe el color y la talla con algún error gramatical	Agrega dos prendas más y describe el color y la talla sin errores gramaticales

Hablar

CRITERIOS	1 punto— Por debajo del promedio	3 puntos—Bueno	5 puntos—Excelente
Cantidad de prendas descriptas	Describe correctamente al menos tres prendas	Describe correctamente al menos cuatro prendas	Describe correctamente al menos cinco prendas
Cantidad de información dada	Nombra cada prenda y describe el color	Nombra cada prenda y describe el color y la talla	Nombra cada prenda y describe el color, la talla y el precio de cada una
Uso correcto del vocabulario y la gramática recién aprendidos	Poca variedad de vocabulario y muchos errores de gramática	Vocabulario limitado y algunos errores de gramática	Variedad de vocabulario y muy pocos errores de gramática

Capítulo 7B

Escribir

CRITERIOS	1 punto— Por debajo del promedio	3 puntos—Bueno	5 puntos—Excelente
Partes de la tarea que completa	Describe sólo una prenda nueva o accesorio	Describe dos prendas nuevas o accesorios	Describe tres o más prendas nuevas o accesorios
Cantidad de detalles que incluye	Menciona sólo las prendas y el precio	Menciona las prendas, el precio, y dónde las compró	Menciona las prendas, el precio, dónde las compró y la razón de la compra
Ortografía y uso correcto del vocabulario y la gramática	Muchas faltas de ortografía y errores de vocabulario y gramática	Frecuentes faltas de ortografía y errores de vocabulario y gramática	Muy pocas faltas de ortografía y errores de vocabulario y gramática

Hablar

CRITERIOS	1 punto— Por debajo del promedio	3 puntos—Bueno	5 puntos—Excelente
Habilidad para preguntar y responder	Hace y responde dos o menos de las preguntas sugeridas	Hace y responde al menos tres de las preguntas sugeridas	Hace y responde todas las preguntas sugeridas
Habilidad para mantener la conversación	No sigue la conversación ni comenta lo que dice el/la compañero/a	Responde con frecuencia o comenta lo que dice el/la compañero/a	Responde todas las preguntas del/de la compañero/a, escucha y continúa la conversación
Uso correcto del vocabulario y la gramática recién aprendidos	Poca variedad de vocabulario con muchos errores gramaticales	Vocabulario limitado; algunos errores gramaticales	Variedad de vocabulario y muy pocos errores gramaticales

TEMA 8

Capítulo 8A

Escribir

CRITERIOS	1 punto— Por debajo del promedio	3 puntos—Bueno	5 puntos—Excelente
Cantidad de detalles en el cuento	Sólo describe el tipo, tamaño y color del animal	Describe el tipo, tamaño, color, hábitat y modos de desplazarse del animal	Describe el tipo, tamaño, color, hábitat, modos de desplazarse y la habilidad característica del animal
Elementos que incluyó en el cuento	Nombra el animal y describe adónde fue	Nombra el animal, describe adónde fue, qué comió y qué hizo	Nombra el animal, describe adónde fue, qué comió, qué hizo y lo que vio
Uso correcto del vocabulario y del tiempo pasado	Comete muchos errores al usar el tiempo pasado; usa un vocabulario muy limitado	Comete algunos errores al usar el tiempo pasado; usa correctamente el vocabulario recién aprendido	Usa el tiempo pasado correcta y apropiadamente; usa un vocabulario variado

Hablar

CRITERIOS	1 punto— Por debajo del promedio	3 puntos—Bueno	5 puntos—Excelente
Pronunciación y fluidez	Muchas pausas largas y comienzos interrumpidos; recurrencia al inglés; los problemas de pronunciación dificultan la comprensión	Algunas pausas y comienzos interrumpidos, oraciones cortas; los problemas de pronunciación producen algún malentendido	Pocas pausas y comienzos interrumpidos; ideas bien articuladas en pocas oraciones; pocos problemas de pronunciación; se le comprende fácilmente
Habilidad para mantener la conversación	No sigue la conversación ni comenta lo que se le dice	Responde con frecuencia o comenta lo que dice el/la compañero/a	Responde todas las preguntas del/de la compañero/a, escucha y continúa la conversación
Uso correcto del vocabulario y del pretérito	Comete muchos errores al usar el tiempo pasado; usa un vocabulario muy limitado	Comete algunos errores al usar el tiempo pasado; usa correctamente el vocabulario recién aprendido	Usa el tiempo pasado correcta y apropiadamente; usa correctamente un vocabulario variado

Capítulo 8B

Escribir

CRITERIOS	1 punto— Por debajo del promedio	3 puntos—Bueno	5 puntos—Excelente
Partes de la tarea que completa	Escribe al menos seis sugerencias en el cartel	Escribe al menos ocho sugerencias en el cartel	Escribe las diez sugerencias en el cartel
Vocabulario	Muy limitado y repetitivo	Usa sólo el vocabulario nuevo	Usa tanto el vocabulario nuevo como el de repaso
Ortografía y gramática	Muchas faltas de ortografía y errores de vocabulario y gramática	Frecuentes faltas de ortografía y errores de vocabulario y gramática	Muy pocas faltas de ortografía y errores de vocabulario y gramática

Hablar

CRITERIOS	1 punto— Por debajo del promedio	3 puntos—Bueno	5 puntos—Excelente
Cantidad de información dada	Hace y responde preguntas sobre un solo ejemplo de servicio comunitario	Hace y responde preguntas sobre al menos dos ejemplos de servicio comunitario	Hace y responde preguntas sobre al menos tres ejemplos de servicio comunitario
Habilidad para mantener la conversación	No sigue la conversación ni comenta lo que dice el/la compañero/a	Responde con frecuencia o comenta lo que dice el/la compañero/a	Responde siempre todas las preguntas del/de la compañero/a, escucha y continúa la conversación
Pronunciación y fluidez	Muchas pausas largas y comienzos interrumpidos; recurrencia al inglés; los problemas de pronunciación dificultan la comprensión	Algunas pausas y comienzos interrumpidos; oraciones cortas; los problemas de pronunciación producen algún malentendido	Pocas pausas y comienzos interrumpidos; ideas bien articuladas en pocas oraciones; pocos problemas de pronunciación; se le comprende fácilmente

TEMA 9

Capítulo 9A

Escribir

CRITERIOS	1 punto— Por debajo del promedio	3 puntos—Bueno	5 puntos—Excelente
Cantidad de información dada para respaldar su opinión	Da sólo una razón por la que le gusta o no la película	Da al menos dos razones por las que le gusta o no la película	Da tres o más razones por las que le gusta o no la película
Uso correcto de la ortografía y el vocabulario	Muchas faltas de ortografía y errores de vocabulario y gramática	Frecuentes faltas de ortografía y errores de vocabulario y gramática	Muy pocas faltas de ortografía y errores de vocabulario y gramática
Variedad de expresiones y de vocabulario	Muy limitado y repetitivo	Sólo usa el vocabulario y las expresiones recién aprendidas	Usa tanto el vocabulario y las expresiones nuevas como lo aprendido con anterioridad

Hablar

CRITERIOS	1 punto— Por debajo del promedio	3 puntos—Bueno	5 puntos—Excelente
Cantidad de información dada para respaldar su opinión	Da sólo una razón por la que le gusta o no la película o programa de televisión	Da al menos dos razones por las que le gusta o no la película o el programa de televisión	Da tres o más razones por las que le gusta o no la película o el programa de televisión
Habilidad para mantener la conversación	No sigue la conversación ni comenta lo que se le dice	Responde con frecuencia o comenta lo que dice el/la compañero/a	Responde todas las preguntas del/de la compañero/a, escucha y continúa la conversación
Pronunciación y fluidez	Muchas pausas largas y comienzos interrumpidos; recurrencia al inglés; los problemas de pronunciación dificultan la comprensión	Algunas pausas y comienzos interrumpidos; oraciones cortas; los problemas de pronunciación producen algún malentendido	Pocas pausas y comienzos interrumpidos; ideas bien articuladas en pocas oraciones; pocos problemas de pronunciación; se le comprende fácilmente

Capítulo 9B

Escribir

CRITERIOS	1 punto— Por debajo del promedio	3 puntos—Bueno	5 puntos—Excelente
Cantidad de oraciones correctas sobre el uso de la computadora y/o el Internet	Describe una sola cosa que hace en la computadora; comete muchos errores gramaticales	Describe al menos dos cosas que hace en la computadora; comete algunos errores gramaticales	Describe tres o más cosas que hace en la computadora; comete muy pocos errores gramaticales
Cantidad de oraciones correctas acerca de por qué le gusta usar la computadora y/o el Internet	Da una sola razón de por qué le gusta trabajar con la computadora y/o el Internet; comete muchos errores gramaticales	Da al menos dos razones de por qué le gusta trabajar con la computadora y/o el Internet; comete algunos errores gramaticales	Da tres o más razones de por qué le gusta trabajar con la computadora y/o el Internet; comete muy pocos errores gramaticales
Uso del vocabulario especializado de computación y/o Internet	Incluye menos de dos palabras del nuevo vocabulario, relacionadas con computación y/o Internet (Ej.: *Estar en línea*)	Incluye al menos tres palabras del nuevo vocabulario, relacionadas con computación y/o Internet	Incluye al menos tres palabras del nuevo vocabulario, relacionadas con computación y/o Internet

Hablar

CRITERIOS	1 punto— Por debajo del promedio	3 puntos—Bueno	5 puntos—Excelente
Habilidad para tratar los temas de conversación en detalle y con ejemplos	Describe al menos dos cosas que hace en la computadora, pero no dice por qué le gustan	Describe al menos tres cosas que hace en la computadora y da al menos una razón de por qué le gusta usar la computadora	Describe al menos cuatro cosas que hace en la computadora y da tres razones de por qué le gusta usar la computadora
Uso correcto del vocabulario tecnológico recién aprendido	Incluye menos de dos palabras del nuevo vocabulario, relacionadas con computación y/o Internet (Ej.: *Estar en línea*)	Incluye al menos tres palabras del nuevo vocabulario, relacionadas con computación y/o Internet	Incluye cuatro o más palabras del nuevo vocabulario, relacionadas con computación y/o Internet
Pronunciación y fluidez	Muchas pausas largas y comienzos interrumpidos; recurrencia al inglés; los problemas de pronun-ciación dificultan la comprensión	Algunas pausas y comienzos interrumpidos; oraciones cortas; los problemas de pronun-ciación producen algún malentendido	Pocas pausas y comienzos interrumpidos; ideas bien articuladas en pocas oraciones; pocos problemas de pronunciación; se le comprende fácilmente

Evaluación de la Sección *Cultura* del *Examen del capítulo*

El propósito de la sección de cultura de cada prueba o examen es que los estudiantes puedan demostrar que han aprendido la información dada en las notas culturales del libro, y que pueden aplicar esos conocimientos a situaciones de la vida real. Se les asignará la mayor calificación, 10 puntos, a aquellas respuestas que demuestren, si corresponde, tanto que se tiene la información como que se ha reflexionado sobre ella. En la Clave de Respuestas encontrará modelos de respuestas.

Criterios para Evaluar las Secciones *Hablar* y *Escribir* del *Examen* de *Nivel* y los *Exámenes Acumulativos I* y *II*

EXAMEN DE NIVEL

Escribir

CRITERIOS	1 punto— Por debajo del promedio	3 puntos—Bueno	5 puntos—Excelente
Cantidad de información dada	Describe al menos dos elementos del dibujo (Ej.: personalidad y clases que toma)	Describe con oraciones coherentes tres o cuatro elementos del dibujo	Describe todos los elementos del dibujo con la mayoría de las construcciones correctas
Variedad de vocabulario	Muy limitado y repetitivo	Vocabulario variado; no repitió palabras ni frases	Usó correctamente el vocabulario de todas las secciones evaluadas
Vocabulario y gramática	Muchas palabras mal usadas y repetición de los mismos errores gramaticales	Uso limitado del vocabulario, pero pocos errores gramaticales	Variedad de vocabulario y muy pocos errores gramaticales

Hablar

CRITERIOS	1 punto— Por debajo del promedio	3 puntos—Bueno	5 puntos—Excelente
Cantidad de información dada	Da muy pocos o ningún detalle sobre el tema	Da pocos detalles o ejemplos relacionados con el tema	Da de forma consistente detalles y ejemplos relacionados con el tema
Comprensión y organización	Difícil de entender y desorganizado	Bastante fácil de entender, pero desorganizado	Ideas bien organizadas y fáciles de entender
Precisión del vocabulario y gramática	Muchas palabras mal usadas y repetición de los mismos errores gramaticales	Uso limitado del vocabulario, pero pocos errores gramaticales	Variedad de vocabulario y muy pocos errores gramaticales

EXAMEN ACUMULATIVO I

Escribir

CRITERIOS	1 punto— Por debajo del promedio	3 puntos—Bueno	5 puntos—Excelente
Partes de la tarea que completa	Completa lo básico y escribe sobre uno o dos aspectos (Ej.: las actividades que más y que menos le gustan)	Escribe al menos sobre tres aspectos usando oraciones completas	Escribe un párrafo entero incluyendo todos los aspectos
Variedad de vocabulario	Muy limitado y repetitivo	Vocabulario algo limitado; pero no repite palabras ni frases	Usa una variedad de palabras y frases del vocabulario para describirse a sí mismo/a y su horario
Precisión del vocabulario y gramática	Muchas palabras mal usadas y repetición de los mismos errores gramaticales	Uso limitado del vocabulario, pero pocos errores gramaticales	Variedad de vocabulario y muy pocos errores gramaticales

Hablar

CRITERIOS	1 punto— Por debajo del promedio	3 puntos—Bueno	5 puntos—Excelente
Cantidad de información dada	Da muy pocos o ningún detalle sobre el tema	Da algunos detalles o ejemplos relacionados con el tema	Da de forma consistente detalles y ejemplos relacionados con el tema
Comprensión y organización	Difícil de entender y desorganizado	Bastante fácil de entender, pero desorganizado	Ideas bien organizadas y fáciles de entender
Precisión del vocabulario y gramática	Muchas palabras mal usadas y repetición de los mismos errores gramaticales	Uso limitado del vocabulario, pero pocos errores gramaticales	Variedad de vocabulario y muy pocos errores gramaticales

EXAMEN ACUMULATIVO II

Escribir

CRITERIOS	1 punto— Por debajo del promedio	3 puntos—Bueno	5 puntos—Excelente
Cantidad de información dada	Describe al menos dos elementos del dibujo (Ej.: la ropa que lleva y qué está haciendo)	Describe con oraciones correctas tres o cuatro elementos del dibujo	Describe todos los elementos del dibujo con explicaciones coherentes
Variedad de vocabulario	Limitado y proveniente de un solo capítulo	Algo limitado; pero proveniente de al menos tres capítulos	Palabras y frases provenientes de cuatro o más capítulos
Precisión del uso de la gramática	Repite muchas veces los mismos errores gramaticales; conocimientos muy limitados de la gramática del programa	Comete algunos errores gramaticales; pero emplea algunos conceptos gramaticales	Pocos errores gramaticales; emplea gran variedad de conceptos

Hablar

CRITERIOS	1 punto— Por debajo del promedio	3 puntos—Bueno	5 puntos—Excelente
Cantidad de información dada	Da muy pocos o ningún detalle sobre el tema	Da algunos detalles o ejemplos relacionados con el tema	Da de forma consistente detalles y ejemplos relacionados con el tema
Comprensión y organización	Difícil de entender y desorganizado	Bastante fácil de entender, pero desorganizado	Ideas bien organizadas y fáciles de entender
Precisión de vocabulario y gramática	Poca variedad de vocabulario y muchos errores gramaticales	Uso limitado del vocabulario, pero pocos errores gramaticales	Variedad de vocabulario y muy pocos errores gramaticales

Criterios para Evaluar otras Tareas

Criterio 1. Actividades en grupo

Estos criterios pueden usarse para evaluar cualquier actividad en grupo, como una representación o un informe.

Criterios para evaluar actividades en grupo

CRITERIOS	Debe ensayar más 1 punto — Por debajo del promedio	De aquí, al noticiero local 3 puntos — Bueno	¡De aquí, al noticiero nacional! 5 puntos — Excelente
Preparación	No presenta un plan	Presenta una lista de ideas	Presenta una lista de ideas, un borrador del informe, y el detalle de la tarea asignada a cada estudiante
Material visual	No usa material visual ni de apoyo	Usa algo de material visual o de apoyo	Usa varios materiales visuales y de apoyo
Calidad del contenido	Proporciona poca o ninguna información	Proporciona información inexacta o incompleta	Proporciona información veraz y completa
Calidad de la presentación	Difícil de entender o seguir	Poco clara en algunos momentos	Clara y efectiva
Creatividad	Presenta lo básico, sin agregar nada extra fuera de la asignación original	Enriquece la presentación con alguna adición a la asignación original	Enriquece la presentación con al menos dos adiciones a la asignación original
PUNTUACIÓN TOTAL: 23–25 puntos = A 19–22 puntos = B 14–18 puntos = C 11–13 puntos = D			

Criterio 2. Representación de situaciones

Estos criterios pueden usarse para evaluar cualquier actividad o tarea en que dos estudiantes deban representar una situación.

Criterios para evaluar representaciones

CRITERIOS	De aquí, al teatro escolar 1 punto — Por debajo del promedio	De aquí, al teatro de la comunidad 3 puntos — Bueno	¡De aquí, a Broadway! 5 puntos — Excelente
Uso de la lengua	Recurre demasiado a las palabras, el orden de las palabras y la pronunciación del inglés	Recurre algunas veces a las palabras, el orden de palabras y la pronunciación del inglés	Puede expresarse bien y mantener la conversación
Habilidad para conversar	Sólo responde las preguntas directas del/la compañero/a	Hace y responde preguntas y expresa su opinión	Expresa opiniones, razones y acuerdo o desacuerdo con el/la compañero/a
Interacción en la conversación	No reacciona a lo que dice el/la compañero/a	Reacciona con limitaciones a lo que dice el/la compañero/a	Responde naturalmente a lo que se le dice
Uso del vocabulario	Muy limitado y repetitivo	Sólo usa el vocabulario recién aprendido	Usa tanto el vocabulario nuevo como el aprendido anteriormente
PUNTUACIÓN TOTAL: 18–20 puntos = A 15–17 puntos = B 12–14 puntos = C 8–11 puntos = D			

Criterio 3. Presentación oral individual

Estos criterios pueden usarse para evaluar cualquier actividad o tarea en que el/la estudiante deba describir algo o a alguien.

Criterios para evaluar presentaciones orales individuales

CRITERIOS	Los hechos ante todo 1 punto — Por debajo del promedio	¡Una buena conversación! 3 puntos — Bueno	Grandes oradores 5 puntos — Excelente
Uso de la lengua	Errores al tratar de reproducir las palabras o frases que memoriza	Usa correctamente un número muy limitado de las palabras y frases que memoriza	Usa correctamente una variedad de palabras y frases memorizadas
Fluidez	Muchas pausas largas y comienzos interrumpidos, con frecuente recurrencia al inglés	Frecuentes pausas y comienzos interrumpidos; ideas expresadas en oraciones cortas	Pocas pausas o comienzos interrumpidos; ideas bien organizadas en oraciones
Pronunciación	Los problemas de pronunciación dificultan la comprensión de lo que dice	Frecuentes problemas de pronunciación crean algún malentendido	Pocos problemas de pronunciación; se le entiende fácilmente
Partes de la tarea que completa	Sólo se refiere a unos pocos de los temas sugeridos	Se refiere a la mayoría de los temas sugeridos	Se refiere a todos los temas sugeridos
PUNTUACIÓN TOTAL: 18–20 puntos = A 15–17 puntos = B 12–14 puntos = C 8–11 puntos = D			

Criterio 4. Comparación entre culturas

Estos criterios pueden usarse para evaluar cualquier actividad o tarea en que el/la estudiante deba comparar una cultura con otra(s).

Criterios para evaluar comparaciones culturales

CRITERIOS	Turista amable 1 punto — Por debajo del promedio	Viajero/a experimentado/a 3 puntos — Bueno	Guía turístico/a internacional 5 puntos — Excelente
Cantidad de semejanzas y diferencias que señala	Menciona al menos dos semejanzas o diferencias	Menciona al menos cuatro semejanzas o diferencias	Menciona al menos seis semejanzas o diferencias
Cantidad de fuentes consultadas	Sólo el libro de texto	Al menos dos fuentes (revistas, libros, Internet)	Tres o más fuentes (revistas, libros, Internet, entrevistas, etc.)
Comparación de ilustraciones	Presenta la información en un cuadro o diagrama de Venn	Presenta la información en un cuadro con al menos una ilustración	Presenta la información en un cartel con ilustraciones
Evidencia de reflexión cultural	No expresa ninguna reflexión sobre el tema	Incluye al menos una opinión o comentario sobre el tema	Incluye una opinión o comentario, y una conclusión personal
PUNTUACIÓN TOTAL: 18–20 puntos = A 15–17 puntos = B 12–14 puntos = C 8–11 puntos = D			

Criterio 5. Juegos

Puede ser entretenido para los estudiantes poder presentar una tarea de evaluación en forma de juego que les permita practicar el vocabulario, la gramática o los temas culturales con toda la clase. Tanto la creación y preparación como la puesta en práctica del juego en el salón de clase contribuirá a que los estudiantes repasen conceptos aprendidos en el curso. Los siguientes criterios pueden usarse para evaluar cultura, vocabulario y estrategias de comunicación.

Criterios para evaluar la preparación y participación en juegos

CRITERIOS	Juego de segunda mano 1 punto — Por debajo del promedio	¡Ganadores de la semana! 3 puntos — Bueno	Edición de lujo 5 puntos — Excelente
Juegos de tablero	Sólo hace un borrador; no lo corrige ni completa	Presenta un tablero de colores, sin faltas de ortografía en la mayoría de las palabras o frases	Presenta un tablero atractivo y correcto, y un juego de tarjetas
Marcadores del juego	Sin ninguna relación con el tema	Relacionado con el tema del juego	Objetos que corresponden al tema del juego
Vocabulario	Usa palabras de un solo grupo (Ej.: el vocabulario de los colores)	Usa palabras de al menos tres grupos (Ej.: personalidad, ropa, cuartos)	Usa palabras de más de tres grupos
Estrategias de conversación	Los jugadores no conversan entre sí y el resultado queda librado a la suerte	Los jugadores leen las preguntas escritas en tarjetas para obtener información	Los jugadores hacen preguntas para obtener respuestas, e interactúan para ganar
PUNTUACIÓN TOTAL: 18–20 puntos = **A** 15–17 puntos = **B** 12–14 puntos = **C** 8–11 puntos = **D**			

Criterio 6. Hyperstudio/PowerPoint

Criterios para evaluar las presentaciones de Hyperstudio/PowerPoint

CRITERIOS	1 punto — Por debajo del promedio	3 puntos — Bueno	5 puntos — Excelente
Organización de la información	No tiene una estructura organizativa clara o lógica; sólo una serie de datos	Usa encabezamientos o listas; pero la organización general no es consistente	El contenido está bien organizado bajo encabezamientos, o en listas de elementos afines
Creatividad	Presenta lo básico, sin agregar nada extra fuera de la asignación original	Enriquece la presentación con alguna adición a la asignación original	Enriquece la presentación con al menos tres adiciones a la asignación original
Uso de gráficas	Las gráficas son atractivas, pero varias no contribuyen a la presentación del tema o contenido	Las gráficas son atractivas, pero algunas no contribuyen a la presentación del tema o contenido	Las gráficas son atractivas, del tamaño y colores apropiados, y todas contribuyen a la presentación del tema o contenido
Diseño del programa	Sin conexiones ni enlaces; muy difícil de navegar	Al menos una conexión o enlace; pero con algunas opciones "sin salida"	Al menos una conexión o enlace; el programa fluye fácil y lógicamente
PUNTUACIÓN TOTAL: 18–20 puntos = **A** 15–17 puntos = **B** 12–14 puntos = **C** 8–11 puntos = **D**			

AUTOEVALUACIÓN DEL CAPÍTULO

I. Autoevaluación

A. Hasta dónde cumplí con los objetivos del capítulo.

Vuelve a leer los objetivos que aparecen al comienzo del capítulo. Cópialos, y pon una √ junto a aquellos que hayas cumplido.

- ☐ Ahora puedo ______
- ☐ Ahora puedo ______
- ☐ Ahora puedo ______
- ☐ Ahora puedo ______

B. Cómo describiría mi participación en las actividades de la clase.

Evalúa cómo fue tu trabajo en este capítulo.

	Excelente	Bueno	No tan bueno	Comentarios
Participación en clase				
Trabajo en pareja/grupo				
Tarea para la casa				

II. Conexiones

Cómo puedo relacionar con otras clases lo que aprendí en este capítulo.

______

______

III. Estrategias de aprendizaje

Estrategia que usé para cumplir con una tarea de este capítulo.

Actividad: ______

Estrategia: ______

IV. Reflexión

La actividad de este capítulo que más me gustó fue ______________________________

La actividad de este capítulo que menos me gustó fue ____________________________

V. Mi mejor trabajo

Como ejemplos de los mejores trabajos que hice en este capítulo, incluí:

1. ____

2. ____

Razón por la que escogí esos trabajos.

____

____

____

____

____

____

VI. Observaciones sobre el tema de cultura

Fuera de la escuela, observé los siguientes aspectos o participé en las siguientes actividades relacionadas con el tema cultural del capítulo.

____

____

____

Éstos son mis comentarios, opiniones, comparaciones o ideas sobre esa experiencia:

____

____

____

____

Examen del capítulo
Guiones para la comprensión auditiva

Placement Test

The Rojas family is having dinner at a restaurant, and their daughter, Lolita, is very picky. First, read the menu on your answer sheet. Then, listen to the Rojas' conversation and cross out all of the foods that Lolita doesn't like. You will hear this conversation twice.

[PAPÁ]: Bueno, ¿qué vamos a pedir?
[MAMÁ]: Pues, yo quiero los espaguetis, pero a Lolita no le gustan.
[PAPÁ]: Hmmm...¿quizás una hamburguesa para ella?
[MAMÁ]: Tú sabes que no come ni hamburguesas ni bistec.
[PAPÁ]: Lolita, ¿quieres un pescado delicioso?
[LOLITA]: Ay, no, papi. No me gusta el pescado. Sólo quiero una ensalada.
[MAMÁ]: Pero hija, no puedes comer sólo una ensalada. Puedes pedir pollo, ¿no?
[LOLITA]: Pues, sí. Quizás arroz con pollo.
[PAPÁ]: Y con un vaso de leche fría.
[LOLITA]: ¡Qué asco! Quiero un refresco.
[MAMÁ]: Muy bien, hija, pero no puedes comer tu pastel favorito si no comes bien.
[LOLITA]: Pero me encantan los postres ...

Para empezar

You plan to spend a month in Bolivia as an exchange student. Because you want to avoid making mistakes when responding to questions, you have asked a friend to help you practice your Spanish. Listen, then choose the most appropriate response to each comment or question. You will hear these questions twice.

1. ¿Qué tal?
2. ¿Qué día es hoy?
3. Estoy bien, ¿y usted?
4. Hoy es el cinco de julio.
5. ¿Cómo te llamas?
6. Son las nueve y media.

Examen del capítulo, 1A

Listen to voicemails from students looking for a "match-up" to the homecoming dance. Each caller was asked to tell two things he or she likes to do and one thing he or she does not like to do. You're helping out by listening to the voicemails that were recorded in Spanish. Look at the pictures on your answer sheet, and match the picture to the information given by each caller. Be careful! The callers do not always give the information in the same order!

You will hear an example first. Listen to Luis's voicemail and look at the pictures selected to match what he says. You will hear each set of statements twice.

Modelo: Hola. Me llamo Luis. A mí me gusta nadar y correr. ¿Qué más?... No me gusta nada bailar.

1. Buenos días. Me llamo Carla. Me gusta pasar tiempo con mis amigos. También me gusta hablar por teléfono. No me gusta trabajar.
2. ¡Hola! Me llamo Ana. Me gusta muuuuucho bailar. También me gusta leer revistas.

No me gusta correr. ¡Adiós!

3. Buenas tardes. Me llamo Gabriel. ¿Qué tal? No me gusta NADA jugar videojuegos. Me gusta más tocar la guitarra y escuchar música.
4. Buenos días. Me llamo Nacho. No me gusta leer. Me gusta montar en monopatín y montar en bicicleta.
5. Hola. Me llamo Andrés. Me gusta practicar deportes. Hmmm. Oh, me gusta esquiar también. No me gusta patinar.

Examen del capítulo, 1B

Listen as people talk about their friends. They each have at least one good thing to say about the friend, but they also mention personality flaws. As you listen, look at the pictures in the grid that represent personality traits. Put one check mark in the column that corresponds to the good trait, and one check mark in the column that corresponds to the flaw that you hear for each person. You will hear each set of statements twice.

1. Lorena es una buena amiga. ¡Es muy paciente y MUY inteligente! ¿El problema? Me gusta una persona más graciosa. Lorena es muy seria.
2. Javier es el amigo perfecto. Le gusta practicar deportes. Es deportista, como yo. Pero, a veces es muy desordenado. Es un problema. Yo soy muy ordenado.
3. Kiki es una amiga muy buena. Es muy talentosa. Pero a ella le gusta jugar videojuegos y no le gusta estudiar. Ella no es estudiosa. ¡Es un problema!
4. Mi amigo Nico es un buen amigo. A veces es impaciente, pero es gracioso también. Me gusta mucho pasar tiempo con Nico.
5. Yo soy una chica muy perezosa, pero mi amiga Loli es muy trabajadora. Le gusta leer mucho y escribir cuentos. ¿El problema? Loli es muy impaciente.
6. Beto es un amigo perfecto. Le gusta practicar deportes y es muy deportista. Pero a veces, él es muy reservado.

Examen del capítulo, 2A

Listen as students talk to each other about the classes on their new schedules. Some students like their classes and others don't. As each student describes a class, place a check mark in each column that matches a reason he or she gives for either liking or disliking the class. You will hear each set of statements twice.

1. No me gusta nada la clase de matemáticas. Tengo mucha tarea. Mis amigos y yo practicamos deportes y no tengo tiempo para la tarea. Es una clase muy difícil para mí.
2. En la quinta hora tengo una clase muy divertida. Es la clase de ciencias naturales. El señor Gómez enseña la clase. Normalmente no me gustan las ciencias, pero el señor Gómez es mi profesor favorito. Me gusta mucho la clase.
3. Me gusta mucho mi horario. En la primera hora, tengo mi clase favorita: tecnología. Me gusta usar las computadoras y me gusta estudiar más en la clase. Es una clase muy práctica para mí. Y el profesor es muy gracioso.
4. ¡La clase de matemáticas es imposible! Es muy difícil y MUY aburrida. Hay clases más interesantes que la clase de matemáticas en la segunda hora.
5. ¿Estudias inglés? Es el primer día de clases y no me gusta ni el profesor ni la tarea. Tengo MUCHA tarea en la clase. Él no enseña bien. Es muy aburrido.

Examen del capítulo, 2B

Listen as these students discuss something that they left behind in one of their classrooms. Their friends and teachers all have suggestions for places to look. As you hear their suggestions, fill in the grid on your answer sheet to indicate which item was lost and where it was eventually found. You will hear each conversation twice.

1. [PACO]: ¡Ay! ¡Mi cartel! ¿Dónde está mi cartel? Necesito mi cartel para la clase de ciencias. Susi… ¿dónde está mi cartel?

   [SUSI]: ¿Tu cartel? Hmmm. Está encima de la mesa en la clase de matemáticas. ¡Paco, tú eres muy desordenado!

   [PACO]: ¡Gracias, Susi!

2. [ANA]: Marco, ¿qué es esto? ¿Es tu disquete para la clase de tecnología?

   [MARCO]: Sí. ¿Dónde está tu disquete, Ana?

   [ANA]: No está ni en mi mochila ni en mi pupitre. Marco, ¿dónde está mi disquete?

   [MARCO]: ¡Está debajo de tu pupitre… aquí, en la clase de tecnología!

3. [ANDRÉS]: ¿Dónde está mi tarea? ¡Necesito mi tarea! Roberto, ¿dónde está mi tarea?

   [ROBERTO]: Andrés, tú eres muy impaciente. Hay una hoja de papel al lado de la computadora en la clase de español.

   [ANDRÉS]: Gracias, Roberto. Nos vemos.

4. [SR. RUIZ]: ¿Dónde está tu carpeta, Graciela?

   [GRACIELA]: Eh, Beto. ¿Dónde está mi carpeta? ¿En la cafetería?

   [BETO]: ¿Tu carpeta? Está en la clase de ciencias. En la papelera.

   [GRACIELA]: ¡Ay! ¿En la papelera?

5. [CHUCHO]: Marta, ¿dónde está mi mochila? ¡No está aquí, debajo de mi pupitre!

   [MARTA]: Tu mochila está en la clase de educación física, ¿no? Al lado de la bandera.

   [CHUCHO]: Gracias, Marta. Hasta luego.

Examen del capítulo, 3A

Listen as students describe what they usually eat and drink for breakfast or lunch. As you hear their descriptions, check off the food items that each person mentions in the appropriate column. You will hear each set of statements twice.

1. Me llamo Marta. No como mucho en el desayuno. Siempre tomo café con pan tostado y ensalada de frutas.
2. Me llamo Enrique. Para mí, el desayuno es el momento favorito del día. Yo bebo un jugo de manzana y un té. Como huevos con salchichas y un yogur. Es mi comida favorita. ¡Me encanta el desayuno!
3. Soy Kiki. El desayuno es una comida muy importante, ¿verdad? Me encantan las fresas con yogur de desayuno. A veces como unos plátanos.
4. Me llamo Orlando. En el almuerzo siempre como pizza y unas galletas con un refresco. También me encantan las papas fritas y los perritos calientes.

Examen del capítulo, 3B

All of these teens live busy lives. Listen to the interviews to find out each teen's habits. Listen for one thing each teen usually does, and one thing that each teen usually doesn't do. In the grid on your answer sheet, write **Sí** in one column that corresponds to something that the teen does. Write **No** in one column that corresponds to something that the teen doesn't do. You will hear each set of statements twice.

1. Me llamo Alejandra. Me encanta pasar tiempo con mis amigos todos los días. Debo estudiar, pero es muy aburrido. Mis amigas hacen ejercicio, pero yo no. Prefiero comer un pastel y ver la tele.
2. Mis amigos me llaman Chachis. Siempre estudio cuatro horas al día. Nunca veo la tele ni juego videojuegos con mis amigos. No tengo tiempo. Me gusta levantar pesas. Prefiero la comida buena, como el pollo o el pescado.
3. Me llamo Catrina. Nunca como ni pizza ni pasteles. Prefiero comer mucho yogur y tomar jugos. Paso muchas horas con mi libro de matemáticas. También levanto pesas con mis amigas en el gimnasio.
4. Soy Nicolás. Como un helado de chocolate todos los días. No hago ejercicio. Preparo una comida buena por la noche: un bistec, papas, zanahorias y guisantes. Mis amigos y yo vemos la tele por la noche.
5. Hola. Me llamo Lorenzo. Todos los días, levanto pesas. Nunca como ni pasteles ni helado. No paso tiempo con mis amigos porque hago mucho ejercicio en el gimnasio. Todos los días como un bistec, unas papas y una ensalada en el almuerzo.

Examen del capítulo, 4A

Listen as these teens invite a friend to do something. At first, each friend declines the invitation. However, after asking a question, each decides to accept the invitation after all. Decide whether each person changed his or her mind because of *who* was going, *when* the event was taking place, *where* the event was taking place, or *why* the event was taking place and place a check mark in the appropriate column on the grid. You will hear each conversation twice.

1. [CHUCHO]: Gabriel, ¿vas a la fiesta de Sara el viernes?
   [GABRIEL]: No. ¿Quiénes van a la fiesta?
   [CHUCHO]: Diana.
   [GABRIEL]: ¿Diana? Ella es MUY interesante. Voy a la fiesta.
2. [MARTA]: Susi, ¿vas al centro comercial con nosotros?
   [SUSI]: Creo que no. Voy a mi trabajo cada día después de la escuela. ¿Cuándo van?
   [MARTA]: El sábado.
   [SUSI]: Pues, voy con ustedes.
3. [BETO]: Javier, ¿vas con nosotros el sábado? Vamos a ver la película nueva de Lena Lamas.
   [JAVIER]: Creo que no. No me gustan las películas de Lena Lamas.
   [BETO]: A mí tampoco. Pero… me gustaría ir al cine con Elena y Verónica.
   [JAVIER]: ¿Ellas van al cine?
   [BETO]: Sí, ellas van.
   [JAVIER]: ¡Sí voy!

4. [LAURA]: Ana, ¿quieres ir a la biblioteca a las cuatro y media? Necesitamos estudiar.

[ANA]: Creo que no. Tengo una lección de piano hoy. ¿Qué estudian?

[LAURA]: Estudiamos para la clase de historia.

[ANA]: ¡Me encanta la clase de historia! Sí, voy con ustedes.

5. [JAIME]: Nacho, voy a hacer ejercicio. ¿Vas?

[NACHO]: No. Me gusta hacer ejercicio, pero no me gusta ir al gimnasio. ¿Adónde vas?

[JAIME]: Voy al parque a correr.

[NACHO]: Vamos a las cinco.

Examen del capítulo, 4B

Victor has several messages on his answering machine from friends asking if he can go somewhere this Saturday. Listen to each message to find out where the person wants to go and what time he or she wants to go. Place a check mark in the column that corresponds to the place, and write the time underneath the check mark. You will hear each set of statements twice.

1. —¡Oye! Soy yo… Esteban. Estoy aquí en la casa de Ernesto. Es viernes. Vamos al Café Caliente mañana a las siete de la noche para pasar tiempo con Susana, Marta y Ana. ¿Puedes ir con nosotros?
2. —Hola. Soy yo, Angélica. ¡Qué tristeza! ¡No estás en casa! Voy al cine el sábado a las cinco y media para ver una película nueva. ¿Quieres ir conmigo? Susi y Luis van a ir también.
3. —Hola. Habla Pablo. ¿Adónde vas el sábado? ¿Quieres ir al centro comercial a las tres? Tengo que comprar un videojuego para la fiesta de Carlos.
4. —Hola. Soy yo, Mónica. ¿Te gustaría ir al concierto de Toni Tela mañana? Hay algo muy especial para nosotros… vamos a hablar con Toni después del concierto. ¡Qué genial! ¡Oye… tienes que ir! El concierto es a las siete y media.
5. —¡No me digas! ¿No estás en casa? Habla Lorena. Oye, quiero jugar al tenis mañana a las diez de la mañana, pero mi amiga Diana está enferma. ¿Puedes jugar conmigo?

Examen acumulativo I

Listening Exercise A

Some friends are talking about the activities that they enjoy. Listen as they talk and check off the activities that each person *likes* to do. You will hear each of them speak in the order in which they are listed on the grid. You will hear each set of statements twice.

[SUSANA]: Hola, me llamo Susana. ¿Qué me gusta hacer? Pues, a mí me encanta practicar deportes, especialmente el béisbol. También corro y nado, pero no me gusta esquiar. ¿Eres deportista también, Mauricio?

[MAURICIO]: No, a mí no me gustan los deportes. Prefiero leer y escribir cuentos. Me encanta ir a la biblioteca para estudiar y hablar con mis profesores.

[RAQUEL]: A mí también me gusta hablar, pero por teléfono con mis amigos. ¡Soy muy sociable! Me encanta bailar con ellos también.

[PACO]: ¿Te gustaría bailar conmigo? ¡Bailo muy bien! Pero también soy estudioso como Mauricio y Julián. Estudiamos mucho, ¿verdad, Julián?

[JULIÁN]: Sí, mucho. Y después de estudiar, me gusta leer cuentos. Me encanta leer, pero no me gusta nada escribir. También…

Examen acumulativo I

Listening Exercise B

Victoria has a lot to do today. Listen as she talks about her plans with her mother. She will mention things that she is going to do and the places she will need to go. Write numbers on the buildings to indicate the order in which she will do the activities.You will hear this conversation twice.

[MAMÁ]: ¿A qué hora vienes hoy, hija?

[VICTORIA]: Bueno, tengo muchas cosas que hacer antes de venir. Primero, tengo que buscar un libro en la biblioteca. Después tengo que comprar un regalo para el cumpleaños de Enrique en el centro comercial.

[MAMÁ]: ¿No vas a la piscina hoy?

[VICTORIA]: No, voy al parque para correr con Isabel. Y a las dos voy al Café del Sol para comer con Ramón.

[MAMÁ]: ¡Qué bien, hija! ¿Qué más?

[VICTORIA]: Pues, tengo que ir a la iglesia por unos minutos. Finalmente, voy a casa; como a las seis.

[MAMÁ]: Está bien, Victoria. Te veo a las seis.

Examen del capítulo, 5A

You are going to your friend's house for a family birthday party. When you arrive, your friend points out his family members and tells you a little about each of them. Look at the picture as you listen to his descriptions. Match the description of each family member to the corresponding person in the drawing and write the correct letter in the grid on your answer sheet. You will hear each set of statements twice.

1. Mi hermana menor lee un libro. Ella tiene quince años. No le gusta jugar con sus primos. Prefiere jugar con el gato. Es muy tímida.
2. ¿Dónde está mi hermano Andrés? Pues…aquí está al lado de su perro, Chachis. Ahora juega con él. Los dos son muy graciosos.
3. Aquí está mi primo Luis. Él prepara los globos para la fiesta de cumpleaños. Es muy divertido.
4. Aquí está mi tía Luisa. Tiene treinta y tres años y es muy talentosa. Ella siempre prepara los pasteles de cumpleaños para nuestra familia. ¡Mira las decoraciones del pastel! ¡Son bicicletas y perros, las cosas favoritas de mi hermano!
5. ¡El perro tiene papel picado encima de la cabeza! ¡Qué gracioso es! El perro se llama Chachis. ¡Ay! ¡Chachis rompe los globos! ¿Es muy divertido, no?
6. Mi abuelo tiene los dulces para la piñata. ¡Él es **muy** popular con los chicos y con los perros! Creo que tiene setenta y seis años.
7. Ella es mi madre. Ahora ella decora la mesa con muchas flores. También prepara la comida para todos.
8. Mi prima Kiki celebra su cumpleaños. Ella rompe la piñata y hay muuuuuchos dulces. A Kiki le gusta comer dulces de chocolate. Tiene doce años.

Examen del capítulo, 5B

Listen to the complaints the receptionist at the Hotel Duquesa receives about room service. Determine if the problem is that (a) something is wrong with the food order; (b) some condiments are missing; (c) the silverware and/or napkin is missing; or (d) the order was not delivered at the correct time. Fill in the grid with the letter that corresponds to the complaints. Be careful, there may be more than one kind of complaint! If so, fill in the blanks with more than one letter. You will hear each set of statements twice.

1. Habla el señor Robles. Son las nueve de la mañana y mi desayuno no está aquí. ¿Dónde está? Tengo que ir a la casa de mi amigo a las nueve y media.
2. Habla la señora Martín. Me faltan un cuchillo y un tenedor. No puedo comer el bistec sin un cuchillo. También, tengo papas fritas. No quiero papas fritas. Quiero arroz.
3. Habla la señorita Muñoz. Necesito azúcar para mi café. Y no tengo ni servilleta ni cuchara tampoco. ¡Tengo mucho sueño y necesito mi café!
4. Necesito hablar con el camarero. Yo pido una hamburguesa y una ensalada y él me trae un bistec y papas. ¡Qué asco! Tengo mucha hambre, pero no quiero comer un bistec. Tampoco tengo sal ni pimienta.
5. Habla el señor Lenis. Pido tocino y el camarero me trae salchichas. Pido cereal y él me trae pan tostado. Pido un yogur con fresas y el camarero me trae un yogur con plátano. ¡Qué horror!

Examen del capítulo, 6A

You will be spending a month in a Spanish Immersion Camp next summer. You go to their Web site to find out what the accommodations are like. As you listen to the audio descriptions, determine which items are provided and which items you would have to bring with you. Fill in the grid on your answer sheet. You will hear each set of statements twice.

1. ¿Vas a pasar el verano con nosotros? Tenemos los mejores dormitorios. Los dormitorios y las camas son muy grandes. Vas a dormir muy bien. ¡Necesitas tu propio despertador! Tenemos el desayuno a las ocho de la mañana.
2. En todos los dormitorios hay alfombras. En los dormitorios para dos personas tenemos alfombras azules. En los dormitorios para una persona tenemos alfombras marrones. Además, todos los dormitorios tienen cortinas blancas.
3. No tenemos equipos de sonido en los dormitorios. Tienes que traer tu propio equipo para escuchar música en tu dormitorio, pero hay televisores en todos los dormitorios.
4. A muchos de ustedes les gustan las computadoras, ¿no? En cada dormitorio hay una computadora.
5. Hay mesitas y lámparas en todos los dormitorios. En la pared hay un espejo muy grande. Puedes traer tus propios carteles para las paredes, si quieres. ¡Muchos jóvenes traen fotos de sus amigos, sus familias o sus perros!

Examen del capítulo, 6B

Listen as these inventive teens give reasons for not doing what their moms have asked them to do. In the grid on your answer sheet, place a check mark in the column that has a picture of the chore that the teen is asked to do. Then, place a check mark in the column that has a picture of the reason that the teen thinks he or she shouldn't do the chore. You will hear each conversation twice.

1. [MADRE]: Jorge, haz la cama. Nunca haces la cama, hijo.
[JORGE]: No necesito hacer la cama. Voy a dormir en la cama otra vez esta noche.
[MADRE]: ¡Qué perezoso eres! Arregla tu dormitorio también.

2. [MADRE]: Susi, ¿qué estás haciendo? Da de comer al perro. Tiene mucha hambre. Son las nueve de la noche.
[SUSI]: El perro está jugando con su plato. No quiere comer.

3. [MADRE]: ¿Estás mirando la tele en la sala?
[PACO]: Sí, mami.
[MADRE]: Por favor, quita el polvo y pasa la aspiradora.
[PACO]: Lo siento. No puedo. Tengo que trabajar en la computadora para mi clase de tecnología.

4. [MADRE]: Clara, por favor, limpia tu baño. Todo está muy sucio. ¡Qué asco!
[CLARA]: Estoy ocupada. Estoy hablando por teléfono con Elena. Es muy importante. Voy a limpiar mi baño en quince minutos.

5. [MADRE]: Miguel, saca la basura y pon el básquetbol en el sótano. No debe estar en la cocina. La cocina no es un gimnasio.
[MIGUEL]: Pero, mami. Felipe y yo vamos a jugar al básquetbol a las dos. Necesito llevar el básquetbol conmigo.

6. [MADRE]: José. Lava el coche y limpia el garaje para ayudar a tu papá.
[JOSÉ]: Pero, mami. Hace mucho frío en el garaje y yo estoy un poco enfermo.
[MADRE]: ¿Enfermo? Pobrecito. Debes beber un jugo de naranja y dormir.
[JOSÉ]: Gracias, mami.

Examen del capítulo, 7A

Listen as people explain to a clerk in a department store why they are returning or exchanging items they received as gifts. Identify what they are returning and the reason they are returning it. It could be because (a) it doesn't fit; (b) it's the wrong color or style; (c) it's too expensive; or (d) they just didn't like it. In the chart on your answer sheet, write in the name of the item each person is returning and the letter that corresponds to the reason he or she is returning it. You will hear each conversation twice.

1. [CLIENTE]: Perdón.
[DEPENDIENTA]: ¿En qué puedo servirle?
[CLIENTE]: Esta blusa es para una mujer de sesenta años y yo tengo veinte años. Y no me gusta el color rosado. Me gustaría tener otra blusa.

2. [DEPENDIENTA]: Buenas tardes. ¿En qué puedo servirle?
[CLIENTE]: No me quedan bien estos zapatos. No puedo ni caminar ni correr.
[DEPENDIENTA]: ¿Qué desea usted? ¿Otros zapatos o el dinero?
[CLIENTE]: El dinero, por favor.

3. [CLIENTE]: ¿Puede ayudarme, señora?
[DEPENDIENTA]: Claro.
[CLIENTE]: Es la sudadera. Nunca hago ejercicio y no necesito una sudadera. ¿Tiene un suéter del mismo color?

[DEPENDIENTA]:	Sí. Aquí tenemos un suéter azul. ¿Le gusta?
[CLIENTE]:	Sí. Me gusta mucho.

4. [CLIENTE]: Buenas tardes. Esta chaqueta es un regalo de mi hermano, pero cuesta doscientos dólares. ¡Es mucho dinero!
[DEPENDIENTA]: Tiene razón. Cuesta mucho. ¿Qué quiere hacer?
[CLIENTE]: Quiero esos dos suéteres y ese vestido. ¡Los tres cuestan menos que la chaqueta!

5. [DEPENDIENTA]: Hola. ¿En qué puedo servirle?
[CLIENTE]: Estos pantalones son para mi padre, pero no le quedan bien. Él es muy alto y estos pantalones son para un hombre muy bajo.
[DEPENDIENTA]: ¿Quiere unos del mismo color?
[CLIENTE]: Sí. Pantalones negros, pero más grandes.

Examen del capítulo, 7B

Listen as people discuss the presents they bought for Cristina's **quinceañera** celebration in Mexico City. As you listen, identify what each person bought and how much it cost. On the grid on your answer sheet, write the price (in numbers) that the person paid for the gift in the column that goes with the gift that he or she bought. You will hear each set of statements twice.

1. Yo compré este perfume en el almacén hace una semana. Es el perfume favorito de Cristina. Se llama "Compulsión". Es un buen regalo para una joven que es muy romántica, como ella. Pagué trescientos pesos por el perfume.
2. Yo busqué un llavero para Cristina la semana pasada en el almacén, pero lo compré en la joyería. Pagué doscientos cincuenta pesos. Es muy bonito, ¿no? Creo que es un buen regalo para ella.
3. Anoche mis amigos y yo buscamos el regalo perfecto para Cristina. Ella es mi novia y necesito algo fantástico. Compré un collar muy bonito y sólo pagué setecientos pesos. No es muy caro.
4. Un libro es un buen regalo para Cristina. Ella es muy estudiosa y le gusta leer. Yo compré un libro de las mujeres famosas como Cleopatra. Lo compré en la librería por ciento treinta pesos.
5. A mí me gusta comprar por computadora. Es más fácil que ir al centro comercial y hay muchos descuentos. Yo compré unos guantes negros para Cristina. Pagué sólo ciento sesenta pesos. Es más barato que en los almacenes.

Examen del capítulo, 8A

Listen as people talk about their most recent vacation. On the grid on your answer sheet, look at the pictures of each vacation and write the name of the person that went on that vacation in the appropriate column. You will hear each set of statements twice.

1. Soy Elena. Fui de vacaciones con mis padres a Cancún. Llegamos en avión por la mañana. Fue tremendo. Aprendí a bucear en el mar Caribe. También vimos un lago muy bonito. Quiero regresar este verano.
2. Me llamo Alejandro. Mi familia y yo fuimos a Puerto Rico en barco el verano pasado. Me gustó mucho el viaje. El primer día monté a caballo en la playa. Vi el mar y el agua azul. Fue muy divertido.

3. Hola, soy Rodrigo. Fui de viaje a Costa Rica en avión. ¡Mi experiencia más divertida fue visitar un parque nacional! Vi los volcanes, los árboles tropicales y muchos pájaros. Fue muy impresionante.
4. Me llamo Sara. Fui de vacaciones a España en avión el verano pasado. Visité el famoso Museo del Prado en Madrid y vi los cuadros de los artistas famosos de España. También fui al sur de España y vi un baile flamenco.
5. Soy Carlos. El verano pasado nuestra familia fue en coche a San Diego, California. El primer día fuimos al zoológico. Vimos muchos animales como osos y monos. ¡Los monos son mis favoritos porque son muy divertidos! Fue un lugar fantástico.

Examen del capítulo, 8B

For *La semana de la comunidad,* a local radio station sponsored a contest to encourage people to help in the community. As a service project, your Spanish class participated in this contest. Listen as classmates report to the radio announcer what they did that week. Try to identify whether each person (a) helped older people; (b) worked on a recycling project; (c) worked as a volunteer in a hospital; (d) worked as a volunteer in a school; or (e) worked on a construction project. Write the letter of the correct choice in the box on the grid. You will hear each set of statements twice.

1. Alejandro y yo trabajamos como voluntarios con un grupo de niños de siete años. Fuimos a su escuela primaria para enseñarles a leer. ¡Fue increíble la satisfacción que nos dio cuando nos leyeron un libro!
2. La semana pasada fuimos a visitar a los ancianos en un centro cerca de nuestra escuela. Les leímos el periódico y hablamos con ellos.
3. El reciclaje es muy importante. Como proyecto, recogimos la basura de las calles y separamos el plástico del vidrio y llevamos todo al centro de reciclaje.
4. Muchos de nosotros preferimos trabajar al aire libre. Nos gusta trabajar con las manos. La semana pasada ayudamos a construir una casa. Pintamos las paredes y trabajamos en el jardín. Es una experiencia inolvidable.
5. Me gusta el trabajo voluntario y me encanta pasar tiempo con niños como voluntario en el hospital. Muchos niños que están en el hospital no tienen ningún juguete. Nosotros les llevamos unos juguetes y unos libros.

Examen del capítulo, 9A

Listen as people tell a telephone interviewer their opinions about the TV programs they have watched on a new Spanish-language cable station. After listening to each person, decide if the show (a) bored the viewer; (b) interested the viewer; (c) was too violent for the viewer; or (d) was too childish or silly for the viewer. Write the letter that corresponds to each person's opinion in the grid. You will hear each set of statements twice.

1. Me gustan los programas de entrevistas. En el programa "Julio", los actores y las actrices hablan de sus vidas personales: de sus familias, de sus amigos, de todo. Esta información me interesa mucho.
2. Nuestra familia ve los programas para niños, pero el programa "La cara contenta" es muy infantil. Mi hermano dice que es un programa para niños de ocho a doce años, pero en realidad, es para niños de cinco años.
3. Me aburren mucho los programas de concursos. Los participantes son tontos. No me interesa ver a un participante que recibe doscientos dólares porque sabe cuantas personas viven en la Florida.

4. Es difícil ser padre porque hay muchos programas violentos. Acabo de ver una película policíaca muy violenta en la tele. Es difícil dormir después de ver una película de esta clase.
5. A las once de la mañana tengo que ver "mis programas", o sea, mis telenovelas. Para mí, los personajes no son ni actores ni actrices. Son mis amigos. Me interesa mucho que a Diego no le gusta María y que a María no le gusta la hermana de Susana. Es muy complicado, pero MUY divertido.
6. No me interesan nada los programas de la vida real. No necesito ver a una familia veinticuatro horas al día. Su conversación y sus amigos me aburren. Es más interesante jugar con mi perro.

Examen del capítulo, 9B

In the school cafeteria, you overhear parts of conversations in which students are expressing their opinions about computers. As they talk, listen for the reason *why* each person either likes or dislikes using the computer. In the grid on your answer sheet, write whether each person likes or dislikes computers, and the letter of the corresponding picture that illustrates the reason for his or her opinion. You will hear each set of statements twice.

1. Hay un laboratorio muy moderno en nuestra escuela, pero no me gusta usar la computadora. Tengo miedo de usarla.
2. Cuando preparo presentaciones para mis clases, prefiero navegar en la Red para buscar información. Es más rápido que ir a la biblioteca.
3. Me gusta hablar con mis amigos muy tarde por la noche. Tengo que estar en casa a las diez de la noche, pero luego hablo con mis amigos en los salones de chat. ¡Me encantan las computadoras!
4. No necesito ni teléfono ni cartas para hablar con mi novia en Madrid. Yo estoy aquí en Houston, pero con el correo electrónico puedo "hablar" con ella todos los días de la semana, a todas horas. ¡Es increíble!
5. No me gustan las computadoras. Son muy complicadas. Hay que saber mucha información, como las direcciones electrónicas de todos los amigos. Es imposible.
6. Escribir cartas es algo del pasado. Para mí, es muy triste. Yo soy una abuela de ochenta años y prefiero recibir una carta de mis hijos. No me gusta nada el correo electrónico.
7. Me encanta enviar fotos por la Red. Es muy fácil. En cinco minutos, puedo sacar una foto de mi perro aquí en Miami y enviarla a mi hermana en Los Ángeles. ¡Es increíble!
8. Me gusta grabar discos compactos en mi computadora. Puedo escuchar la música en la Red y grabarla inmediatamente. Es muy fácil, barato y divertido.

Examen acumulativo II

Listening Exercise A

Listen as Marta and Tomás talk with their father about the household chores that need to be done today. Check off whether Tomás or Marta will do the chores. ¡**Ojo**! Some tasks may require two check marks. You will hear this conversation twice.

[PAPÁ]: Bueno, hijos, hay mucho que hacer hoy. Marta, ¿vas a lavar los platos?

[MARTA]: No, papá. Tomás los va a lavar. Yo voy a hacer la cama.

[PAPÁ]: Está bien. Después de hacer la cama, quita el polvo de la sala.

[MARTA]: Sí, papi. Pero no quiero pasar la aspiradora.

[PAPÁ]: Bien, Tomás puede pasarla. Y después, ustedes dos pueden lavar el coche. Y también pueden sacar la basura. ¿Bien?

[TOMÁS]: Si tengo tiempo, me gustaría cortar el césped.

[PAPÁ]: ¡Qué buen hijo eres!

[TOMÁS]: Y después yo quiero usar el coche para salir con mis amigos.

[PAPÁ]: ¡Por supuesto, hijo!

[MARTA]: ¡Pero papá…!

Examen acumulativo II

Listening Exercise B

Linda just returned from a shopping trip and is showing her purchases to Patricio. First, read the statements on your answer sheet. Then, listen to their conversation and put the statements in the order in which they are said. You will hear this conversation twice.

[LINDA]: Mira, Patricio, las cosas que acabo de comprar con el dinero que recibí para mi cumpleaños. Primero, encontré este suéter azul por sólo quince dólares. ¿Te gusta?

[PATRICIO]: Sí, me gusta mucho. ¿Qué más compraste?

[LINDA]: Pues, en otra tienda vi una falda verde y otra negra. Decidí comprar la negra porque cuesta menos.

[PATRICIO]: A ver… ¡Qué bonita! ¿Algo más? ¿Compraste la camisa que viste en el periódico ayer?

[LINDA]: No, pero encontré otra que me gusta más. Es negra y roja y me queda muy bien con la falda.

[PATRICIO]: ¿Y unos zapatos negros también?

[LINDA]: No, ¡rojos! ¿Qué piensas?

[PATRICIO]: Vas a estar muy guapa. Pero, ¿qué me compraste a mí?

[LINDA]: ¿A ti? Pues… mmm…

Examen del capítulo
Guiones para el nivel de conversación

Administering the *Examen del capítulo* Speaking Proficiency Test

The speaking section in the *Examen del capítulo* evaluates a student's speaking proficiency. Students in the first year of language study should be expected to interact with a conversational partner primarily using memorized phrases and short sentences within a familiar context.

There are several ways to administer this section of the test.

- Call individual students aside while the remainder of the class is taking the *Examen del capítulo.* The student brings up his or her test and answer sheet. The teacher speaks with the student, evaluates the performance using the rubric, and writes the score on the student answer sheet. The disadvantage of this system is that it is difficult to monitor the rest of the class while speaking one-on-one with an individual student.
- Administer the speaking task in the days prior to test day. Give students the speaking task and rubric in advance of the test and administer the task while other students are reviewing or doing other activities.
- Be available before or after school for students who prefer to speak with you outside of class.
- Administer the test using a cassette recorder or the language lab. Students can record the speaking task for evaluation at a later time or in the lab with the teacher listening while other students are working.

Another option is to use a different speaking activity in the chapter and program resources such as the *Presentación oral* or the *Situation Cards* from the *Teacher's Resource Book* as the end-of-chapter speaking task. You would evaluate using the appropriate rubric and use that score as you give a final grade on the *Examen del capítulo.*

Evaluating the *Examen del capítulo* Speaking Proficiency Task

Teachers are encouraged to use the rubrics available in the *Assessment Program* front matter section called "Speaking and Writing Rubrics for the *Examen del capítulo.*" A rubric has been specially written for each speaking task. For a complete overview of rubrics, see the article called "Using Rubrics" in the Professional Development section.

Placement Test

Getting started: Students will have already read through the task (four possible tasks are provided) while at their desks. Greet the student in Spanish. You might "warm up" the conversation by asking a few familiar questions, such as the following:

Task 1: *¿De dónde eres tú?* or *¿Cuántos años tienes?*

Task 2: *¿Qué comes cada día?* or *¿Qué comida no comes nunca?*

Task 3: *¿Qué tiempo hace hoy?* or *¿Nieva mucho donde vives?*

Task 4: *¿Tienes un dormitorio grande o pequeño?* or *¿Tienes que compartir el dormitorio?*

After the greeting, summarize the speaking task in Spanish by saying:

Task 1: *Vamos a hablar de tus clases y actividades. ¿Cuál es tu clase favorita?*

Task 2: *Vamos a hablar de la comida. ¿Qué tipo de comida es buena para la salud?*

Task 3: *Vamos a hablar del tiempo y las estaciones. ¿Cuál es tu estación favorita?*

Task 4: *Vamos a hablar de tu dormitorio. ¿De qué color es tu dormitorio?*

The student will begin discussing the appropriate topic. If the student is having difficulty providing the information on the task, you might want to prompt with these questions:

Task 1: *¿Qué te gusta hacer los fines de semana? ¿Te gusta más estudiar o ir al cine con tus amigos?*

Task 2: *¿La ensalada es una buena comida para mantener la salud? ¿Por qué?*

Task 3: *¿Qué actividades haces durante el verano? ¿Y en el invierno?*

Task 4: *Describe los muebles que están en tu dormitorio.*

You might want to ask an additional question or two based upon the information the student provides.

Closing: Make your closing statement such as a personal opinion or a simple expression appropriate to the topic the student has been talking about. End the conversation with an appropriate expression.

Examen del capítulo, 1A

Getting started: Students will have already read through the task while at their desks. Greet the student in Spanish. You might "warm up" the conversation by asking a few familiar questions, such as: *¡Hola! ¿Cómo te llamas?* or *¿Cómo estás?*

After the greeting, summarize the speaking task in Spanish by saying: *Vamos a hablar sobre lo que te gusta y no te gusta hacer. ¿Qué te gusta hacer?* The student will begin discussing his or her likes and dislikes. If the student is having difficulty providing the information on the task, you might want to prompt with these questions: *¿Qué te gusta hacer más, hablar por teléfono o leer? ¿Qué le gusta hacer con tu mejor amigo(a)?* You might want to ask an additional question or two based upon the information the student provides.

Closing: Make your closing statement such as a personal opinion or a simple expression appropriate to the topic the student has been talking about. End with an appropriate expression to wrap up the conversation.

Examen del capítulo, 1B

Getting started: Students will have already read through the task while at their desks. Greet the student in Spanish. You might "warm up" the conversation by asking a few familiar questions, such as: *¡Hola! ¿Qué tal?* or *¿Cómo estás?*

After the greeting, summarize the speaking task in Spanish by saying: *Vamos a hablar de cómo eres tú. Dime algunas cosas sobre ti mismo(a).* The student will begin discussing what he or she is like. If the student is having difficulty providing the information on the task, you might want to prompt with these questions: *Según tu amigo(a), ¿cómo eres? ¿Eres ordenado(a) o desordenado(a)? ¿Eres trabajador(a) o perezoso(a)?* You might want to ask an additional question or two based upon the information the student provides.

Closing: Make your closing statement such as a personal opinion or a simple expression appropriate to the topic the student has been talking about. End with an appropriate expression to wrap up the conversation.

Examen del capítulo, 2A

Getting started: Students will have already read through the task while at their desks. Greet the student in Spanish. You might "warm up" the conversation by asking a few familiar questions, such as: *¿Qué te gusta hacer?* or *¿Te gustan las clases?*

After the greeting, summarize the speaking task in Spanish by saying: *Vamos a hablar de ti y de tus amigos. ¿Qué actividades haces con tus amigos?* The student will begin discussing him- or herself and his or her friends. If the student is having difficulty providing the information on the task, you might want to prompt with these questions: *¿A tus amigos les gusta más practicar deportes o estudiar? ¿Cuál es tu clase favorita?* You might want to ask an additional question or two based upon the information the student provides.

Closing: Make your closing statement such as a personal opinion or a simple expression appropriate to the topic the student has been talking about. End with an appropriate expression to wrap up the conversation.

Examen del capítulo, 2B

Getting started: Students will have already read through the task while at their desks. Greet the student in Spanish. You might "warm up" the conversation by asking a few familiar questions, such as: *¿Dónde está la bandera?* or *¿La computadora está encima de o debajo de la mesa?*

After the greeting, summarize the speaking task in Spanish by saying: *Vamos a hablar de las cosas y dónde están. ¿Dónde está tu tarea?* The student will begin discussing where things are located. If the student is having difficulty providing the information on the task, you might want to prompt with these questions: *Y el sacapuntas, ¿dónde está? ¿Dónde está tu mochila?* You might want to ask an additional question or two based upon the information the student provides.

Closing: Make your closing statement such as a personal opinion or a simple expression appropriate to the topic the student has been talking about. End with an appropriate expression to wrap up the conversation.

Examen del capítulo, 3A

Getting started: Students will have already read through the task while at their desks. Greet the student in Spanish. You might "warm up" the conversation by asking a few familiar questions, such as: *Yo como desayuno cada día, ¿y tú?* or *¿Bebes café por la mañana?*

After the greeting, summarize the speaking task in Spanish by saying: *Vamos a hablar de la comida. ¿Qué tipo de comida te gusta?* The student will begin discussing the foods he or she likes to eat. If the student is having difficulty providing the information on the task, you might want to prompt with these questions: *¿Que comes cada día? ¿Cuál es tu comida favorita? ¿Qué comes en el almuerzo?* You might want to ask an additional question or two based upon the information the student provides.

Closing: Make your closing statement such as a personal opinion or a simple expression appropriate to the topic the student has been talking about. End with an appropriate expression to wrap up the conversation.

Examen del capítulo, 3B

Getting started: Students will have already read through the task while at their desks. Greet the student in Spanish. You might "warm up" the conversation by asking a few familiar questions, such as: *Es muy importante mantener la salud, ¿no?* or *¿Haces mucho ejercicio?*

After the greeting, summarize the speaking task in Spanish by saying: *Vamos a hablar de la salud. ¿Qué comidas son buenas para la salud?* The student will begin discussing healthy foods/lifestyle. If the student is having difficulty providing the information on the task, you might want to prompt with these questions: *Para mantener la salud, ¿prefieres caminar o levantar pesas? ¿Prefieres comer zanahorias o papas fritas?* You might want to ask an additional question or two based upon the information the student provides.

Closing: Make your closing statement such as a personal opinion or a simple expression appropriate to the topic the student has been talking about. End with an appropriate expression to wrap up the conversation.

Examen del capítulo, 4A

Getting started: Students will have already read through the task while at their desks. Greet the student in Spanish. You might "warm up" the conversation by asking a few familiar questions, such as: *¿Tienes mucho tiempo libre?* or *¿Adónde vas después de las clases?*

After the greeting, summarize the speaking task in Spanish by saying: *Vamos a hablar del tiempo libre. Generalmente, ¿qué te gusta hacer en tu tiempo libre?* The student will begin discussing what he or she does in his or her free time. If the student is having difficulty providing the information on the task, you might want to prompt with these questions: *¿Qué haces los fines de semana? ¿Tienes un trabajo? ¿Prefieres ir al centro comercial o a la biblioteca?* You might want to ask an additional question or two based upon the information the student provides.

Closing: Make your closing statement such as a personal opinion or a simple expression appropriate to the topic the student has been talking about. End with an appropriate expression to wrap up the conversation.

Examen del capítulo, 4B

Getting started: You will need to assign partners for this task. Students will have already read through the task while at their desks. Greet the students in Spanish. You might "warm up" the conversation by asking a few familiar questions, such as: *Me gusta mucho bailar, ¿y a ti?* or *¿Qué prefieres, jugar al tenis o jugar al fútbol?*

After the greeting, summarize the speaking task in Spanish by saying: *Van a hablar de actividades.* The students will begin the task. If the students are having difficulty providing the information on the task, you might want to prompt with these questions: *¿Qué tipos de actividades les gustan a tus amigos(as)? ¿Cuál es tu actividad favorita?*

Closing: Make your closing statement such as a personal opinion or a simple expression appropriate to the topic the student has been talking about. End with an appropriate expression to wrap up the conversation.

Examen acumulativo I

Getting started: Students will have already read through the task (two possible tasks are provided) while at their desks. Greet the students in Spanish. You might "warm up" the conversation by asking a few familiar questions, such as the following:

Task 1: *¿Qué te gusta comer?* or *¿Cuál es tu comida favorita?*

Task 2: *¿Qué cosas llevas en tu mochila?* or *¿Qué usas en tus clases?*

After the greeting, summarize the speaking task in Spanish by saying:

Task 1: *Vamos a hablar de la comida. ¿Qué tipo de comida es buena para la salud?*

Task 2: *Vamos a hablar de tus clases y actividades. ¿Cuál es tu clase favorita?*

The student will begin discussing the appropriate topic. If the student is having difficulty providing the information on the task, you might want to prompt with these questions:

Task 1: *¿Qué prefieres comer, fruta o pasteles? ¿Cuál de los dos es mejor para mantener la salud?*

Task 2: *¿Qué cosas usas en clase? ¿Qué cosas tienes en la clase que no tienes en casa?*

You might want to ask an additional question or two based upon the information the student provides.

Closing: Make your closing statement such as a personal opinion or a simple expression appropriate to the topic the student has been talking about. End the conversation with an appropriate expression.

Examen del capítulo, 5A

Getting started: Students will have already read through the task while at their desks. Greet the student in Spanish. You might "warm up" the conversation by asking a few familiar questions, such as: *Tengo una familia grande, ¿y tú?* or *¿Cuántos años tienes?*

After the greeting, summarize the speaking task in Spanish by saying: *Vamos a hablar de un miembro de tu familia. ¿De quién quieres hablar?* The student will begin discussing the family member. If the student is having difficulty providing the information on the task, you might want to prompt with these questions: *¿Y cuántos años tiene? ¿Qué le gusta hacer? ¿Cómo es?* You might want to ask an additional question or two based upon the information the student provides.

Closing: Make your closing statement such as a personal opinion or a simple expression appropriate to the topic the student has been talking about. End with an appropriate expression to wrap up the conversation.

Examen del capítulo, 5B

Getting started: Students will have already read through the task while at their desks. Greet the student in Spanish. You might "warm up" the conversation by asking a few familiar questions, such as: *¿Cómo eres tú?* or *¿Cuántos años tienes?* or *¿Eres alto(a) o bajo(a)?*

After the greeting, summarize the speaking task in Spanish by saying: *Vamos a hablar de las características de las personas. ¿De qué color son los ojos de tu madre?* The student will begin discussing characteristics of various people. If the student is having difficulty providing the information on the task, you might want to prompt with these questions: *¿Cómo es tu tía favorita? ¿Cuántos años tienen tus hermanos? ¿Cómo son tus amigos?* You might want to ask an additional question or two based upon the information the student provides.

Closing: Make your closing statement such as a personal opinion or a simple expression appropriate to the topic the student has been talking about. End with an appropriate expression to wrap up the conversation.

Examen del capítulo, 6A

Getting started: You will need to assign partners for this task. Students will have already read through the task while at their desks. Greet the students in Spanish. You might "warm up" the conversation by asking a few familiar questions, such as: *¿De qué color es tu casa?* or *¿Tienes una casa grande o pequeña?*

After the greeting, summarize the speaking task in Spanish by saying: *Van a hablar de sus dormitorios.* The students will begin the task. If the students are having difficulty providing the information on the task, you might want to prompt with these questions: *¿De qué color son las paredes de tu dormitorio? Describe las cortinas en tu dormitorio. ¿Hay una alfombra en tu dormitorio?*

Closing: Make your closing statement such as a personal opinion or a simple expression appropriate to the topic the student has been talking about. End with an appropriate expression to wrap up the conversation.

Examen del capítulo, 6B

Getting started: Students will have already read through the task while at their desks. Greet the student in Spanish. You might "warm up" the conversation by asking a few familiar questions, such as: *¿Tienes quehaceres de la casa? ¿Cuáles son?*

After the greeting, summarize the speaking task in Spanish by saying: *Vamos a hablar de los quehaceres. ¿Tienes muchos quehaceres?* The student will begin talking about chores. If the student is having difficulty providing the information on the task, you might want to prompt with these questions: *En tu familia ¿quién hace los quehaceres de la casa? ¿Tú? ¿Tu mamá? ¿Te gusta hacer tus quehaceres?* You might want to ask an additional question or two based upon the information the student provides.

Closing: Make your closing statement such as a personal opinion or a simple expression appropriate to the topic the student has been talking about. End with an appropriate expression to wrap up the conversation.

Examen del capítulo, 7A

Getting started: Students will have already read through the task while at their desks. Greet the student in Spanish. You might "warm up" the conversation by asking a few familiar questions, such as: *¿Tienes mucha ropa?* or *¿Te gusta ir de compras?*

After the greeting, summarize the speaking task in Spanish by saying: *Vamos a hablar de varios tipos de ropa. ¿Qué necesitas comprar?* The student will begin discussing the clothes he or she would like to buy. If the student is having difficulty providing the information on the task, you might want to prompt with these questions: *¿Y cuánto cuesta la chaqueta que quieres comprar? ¿De qué color es la chaqueta? ¿Que más quieres comprar?* You might want to ask an additional question or two based upon the information the student provides.

Closing: Make your closing statement such as a personal opinion or a simple expression appropriate to the topic the student has been talking about. End with an appropriate expression to wrap up the conversation.

Examen del capítulo, 7B

Getting started: You will need to assign partners for this task. Students will have already read through the task while at their desks. Greet the students in Spanish. You might "warm up" the conversation by asking a few familiar questions, such as: *Me gusta comprar regalos para mi familia, ¿y a ti?* or *¿Qué tipo de regalo te gusta recibir?*

After the greeting, summarize the speaking task in Spanish by saying: *Van a hablar de los regalos.* The students will begin the task. If the students are having difficulty providing the information on the task, you might want to prompt with these questions: *¿Y cuánto costó el regalo que compraste? ¿Le gusta el regalo a tu mamá? ¿Dónde compras los regalos?*

Closing: Make your closing statement such as a personal opinion or a simple expression appropriate to the topic the student has been talking about. End with an appropriate expression to wrap up the conversation.

Examen del capítulo, 8A

Getting started: You will need to assign partners for this task. Students will have already read through the task while at their desks. Greet the students in Spanish. You might "warm up" the conversation by asking a few familiar questions, such as: *El verano pasado, ¿adónde fue de vacaciones tu familia?* or *¿Qué quieres hacer cuando vas de vacaciones?*

After the greeting, summarize the speaking task in Spanish by saying: *Van a hablar de las vacaciones.* The students will begin the task. If the students are having difficulty providing the information on the task, you might want to prompt with these questions: *¿Y qué hiciste durante tus vacaciones? ¿Compraste un recuerdo del viaje? ¿Cuál es? ¿Quieres regresar algún día?*

Closing: Make your closing statement such as a personal opinion or a simple expression appropriate to the topic the student has been talking about. End with an appropriate expression to wrap up the conversation.

Examen del capítulo, 8B

Getting started: You will need to assign partners for this task. Students will have already read through the task while at their desks. Greet the students in Spanish. You might "warm up" the conversation by asking a few familiar questions, such as: *Es importante ayudar a la comunidad. ¿Trabajas como voluntario en tu comunidad?* or *¿Cuál es un problema que existe en tu comunidad hoy?*

After the greeting, summarize the speaking task in Spanish by saying: *Van a hablar de la comunidad.* The students will begin the task. If the students are having difficulty providing the information on the task, you might want to prompt with these questions: *¿Hay un programa de reciclaje en tu comunidad? ¿Qué tipo de trabajo voluntario te interesa más? En tu opinión, ¿por qué es importante ayudar a la comunidad?*

Closing: Make your closing statement such as a personal opinion or a simple expression appropriate to the topic the student has been talking about. End with an appropriate expression to wrap up the conversation.

Examen del capítulo, 9A

Getting started: You will need to assign partners for this task. Students will have already read through the task while at their desks. Greet the students in Spanish. You might "warm up" the conversation by asking a few familiar questions, such as: *Me gusta mucho ir al cine, ¿y a ti?* or *¿Cuál es tu programa favorito?*

After the greeting, summarize the speaking task in Spanish by saying: *Van a hablar de las películas o los programas.* The students will begin the task. If the students are having difficulty providing the information on the task, you might want to prompt with these questions: *¿Quién es tu actor (actriz) favorito(a)? ¿Por qué? ¿Has visto alguna película española? ¿Cuál fue? ¿Cómo fue?*

Closing: Make your closing statement such as a personal opinion or a simple expression appropriate to the topic the student has been talking about. End with an appropriate expression to wrap up the conversation.

Examen del capítulo, 9B

Getting started: Students will have already read through the task while at their desks. Greet the student in Spanish. You might "warm up" the conversation by asking a few familiar questions, such as: *¿Tienes una computadora en tu casa?* or *¿Tienes una dirección electrónica?*

After the greeting, summarize the speaking task in Spanish by saying: *Vamos a hablar de las computadoras y la Red. ¿Qué tipo de información buscas en la Red?* The student will begin discussing how he or she uses computers and the Internet. If the student is having difficulty providing the information on the task, you might want to prompt with these questions: *¿Navegas la Red para buscar información para informes? ¿Qué te parecen los salones de chat? ¿Cuáles son algunas ventajas del uso de correo electrónico?* You might want to ask an additional question or two based upon the information the student provides.

Closing: Make your closing statement such as a personal opinion or a simple expression appropriate to the topic the student has been talking about. End with an appropriate expression to wrap up the conversation.

Examen acumulativo II

Getting started: Students will have already read through the task (two possible tasks are provided) while at their desks. Greet the students in Spanish. You might "warm up" the conversation by asking a few familiar questions, such as the following:

Task 1: *¿Te gusta viajar?* or *¿Te gusta más viajar en avión o en coche?*

Task 2: *¿Cómo ayudas a tus padres en casa?*

After the greeting, summarize the speaking task in Spanish by saying:

Task 1: *Vamos a hablar de las vacaciones. ¿Adónde fuiste el verano pasado?*

Task 2: *Vamos a hablar de los quehaceres. ¿Tienes muchos quehaceres?*

The student will begin discussing the appropriate topic. If the student is having difficulty providing the information on the task, you might want to prompt with these questions:

Task 1: *¿Te gusta más visitar una playa o una ciudad grande? ¿Por qué?*

Task 2: *¿Prefieres sacar la basura o pasar la aspiradora? ¿Por qué son importantes los quehaceres?*

You might want to ask an additional question or two based upon the information the student provides.

Closing: Make your closing statement such as a personal opinion or a simple expression appropriate to the topic the student has been talking about. End the conversation with an appropriate expression.

Clave de respuestas

HOJA DE RESPUESTAS

A. Escuchar (___ /15 puntos)

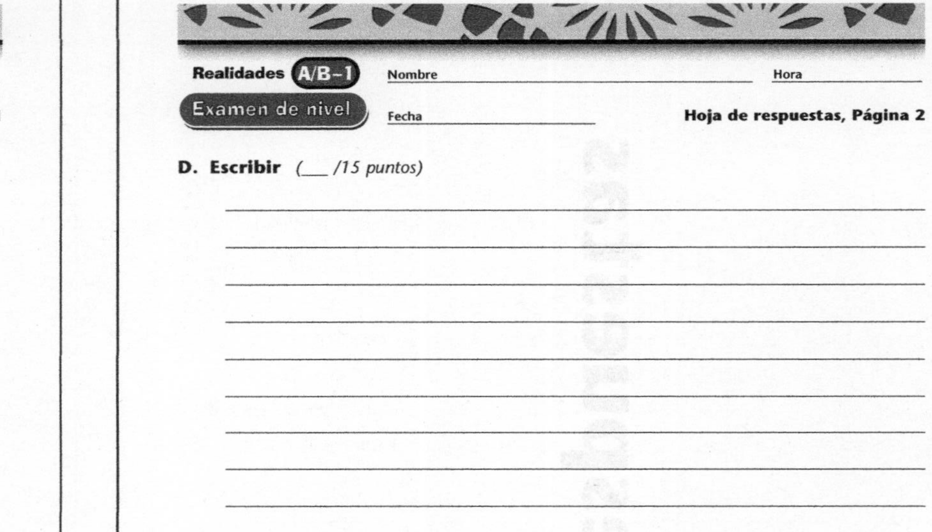

B. Leer (___ /25 puntos)

1. Nora está en Santiago, Chile. ___F___
2. A Nora le gusta la comida de Argentina. ___C___
3. Nora es deportista. ___F___
4. Nora no estudia el inglés. ___F___
5. Nora y sus amigos visitan muchos lugares interesantes. ___C___

C. Leer (___ /30 puntos)

Una buena compañera de cuarto para Virginia:

1. **(a.)** es sociable — **b.** es callada
2. **a.** es perezosa — **(b.)** es deportista
3. **a.** estudia mucho — **(b.)** estudia poco
4. **(a.)** quiere bailar — **b.** no baila
5. **(a.)** sale mucho — **b.** prefiere quedarse en casa
6. **a.** come en casa — **(b.)** quiere salir a comer

D. Escribir (___ /15 puntos)

____
____
____
____
____
____
____
____
____
____
____
____

E. Hablar (___ /15 puntos)

Prueba P-1

En la escuela

A. Escribe la letra de la respuesta que mejor complete cada oración.

1. Hola, Sr. Ramos, ¿cómo está ***d*** ?
2. ¡Hola, buenos ***c*** !
3. ***a*** bien, gracias.
4. ¿Cómo ***e*** ?
5. ***b*** Sara. ¿Y tú?

a. Muy
b. Me llamo
c. días
d. Ud.
e. te llamas

B. Escribe el número que corresponda a las siguientes palabras.

1. dieciocho ***18***
2. veintidós ***22***
3. catorce ***14***
4. seis ***6***
5. once ***11***
6. cuarenta ***40***
7. cincuenta y uno ***51***
8. treinta y nueve ***39***
9. setenta y siete ***77***
10. noventa y cuatro ***94***

C. Empareja la parte del cuerpo que marca la flecha con la palabra en español que corresponda.

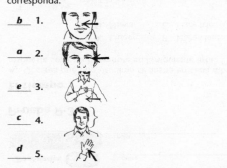

b 1.
a 2.
e 3.
c 4.
d 5.

a. el ojo
b. la nariz
c. la cabeza
d. la mano
e. el estómago

Prueba P-2

En la clase

A. Escribe la letra del dibujo que corresponda a cada palabra.

1. el bolígrafo ***G***
2. el lápiz ***A***
3. el pupitre ***C***
4. el profesor ***E***
5. el día ***H***
6. el libro ***J***
7. el mes ***F***
8. la carpeta ***D***
9. la profesora ***I***
10. la hoja de papel ***B***

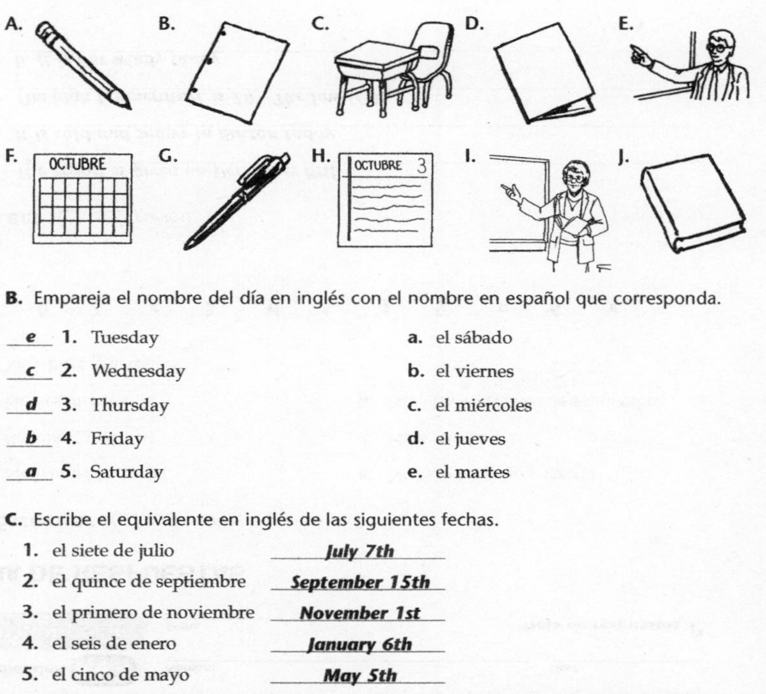

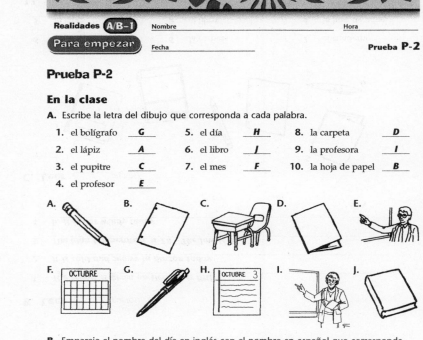

B. Empareja el nombre del día en inglés con el nombre en español que corresponda.

e 1. Tuesday
c 2. Wednesday
d 3. Thursday
b 4. Friday
a 5. Saturday

a. el sábado
b. el viernes
c. el miércoles
d. el jueves
e. el martes

C. Escribe el equivalente en inglés de las siguientes fechas.

1. el siete de julio ***July 7th***
2. el quince de septiembre ***September 15th***
3. el primero de noviembre ***November 1st***
4. el seis de enero ***January 6th***
5. el cinco de mayo ***May 5th***

Realidades A/B-1 Nombre ______ Hora ______

Para empezar Fecha ______ **Prueba P-3**

Prueba P-3

El tiempo

A. Observa qué tipo de clima se ilustra en cada dibujo. Luego, escribe la letra de la respuesta correcta basándote en la siguiente lista.

A. Llueve. **B.** Hace viento. **C.** Hace sol.
D. Nieva. **E.** Hace frío. **F.** Hace calor.

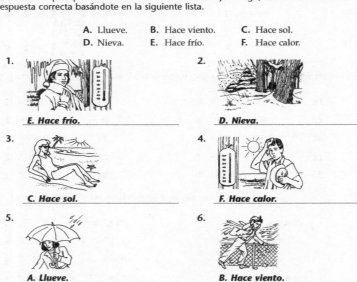

1. 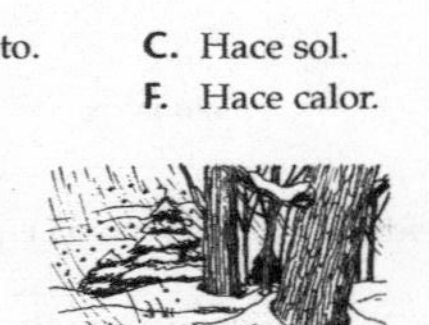
E. Hace frío.

2. 
D. Nieva.

3. 
C. Hace sol.

4. 
F. Hace calor.

5. 
A. Llueve.

6. 
B. Hace viento.

B. Las letras de las siguientes palabras están desordenadas. Reordénalas y descubre el nombre de las cuatro estaciones. Luego, escribe junto a cada uno el equivalente en inglés.

1. aaprrimev ***primavera*** ***spring***
2. ñooot ***otoño*** ***autumn***
3. veoiinrn ***invierno*** ***winter***
4. veonra ***verano*** ***summer***

Realidades A/B-1 Nombre ______ Hora ______

Para empezar Fecha ______ **Hoja de respuestas P**

HOJA DE RESPUESTAS

A. Escuchar (__/__ *puntos*)

a. Me llamo Margarita.
b. Regular, ¿y tú?
c. Hoy es viernes.
d. Muy bien, gracias.
e. No. Son las ocho y cuarto.
f. Hace frío hoy.
g. No. Hoy es el doce de septiembre.

1. ***b*** 2. ***c*** 3. ***d*** 4. ***g*** 5. ***a*** 6. ***e***

B. Leer (__/__ *puntos*)

1. ***The report is given on December fifth***.
2. ***It is cold and snowy in Boston today***.
3. ***The high temperature is 20°. The low is 0°***.
4. ***b. It is not windy today***.

C. Leer (__/__ *puntos*)

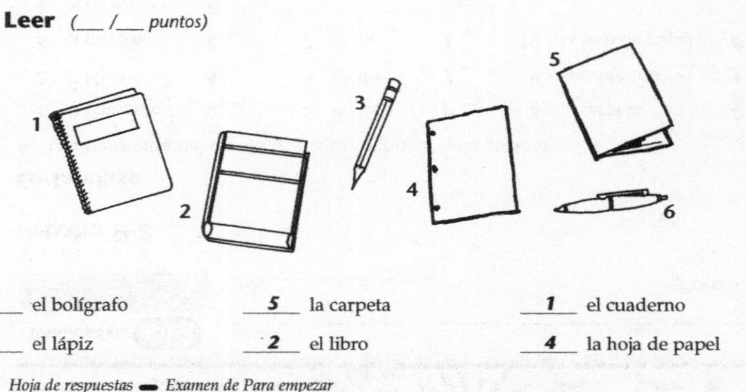

6 el bolígrafo ***5*** la carpeta ***1*** el cuaderno
3 el lápiz ***2*** el libro ***4*** la hoja de papel

Realidades A/B-1 Nombre ____ Hora ____

Capítulo 1A Fecha ____ **Prueba 1A-1, Página 1**

Prueba 1A-1

Comprensión del vocabulario

A. Escribe el nombre de la acción que corresponda a cada dibujo. Usa las palabras o expresiones de la lista.

bailar	esquiar	nadar
cantar	estudiar	practicar deportes
dibujar	hablar por teléfono	tocar la guitarra
escribir cuentos	jugar videojuegos	usar la computadora

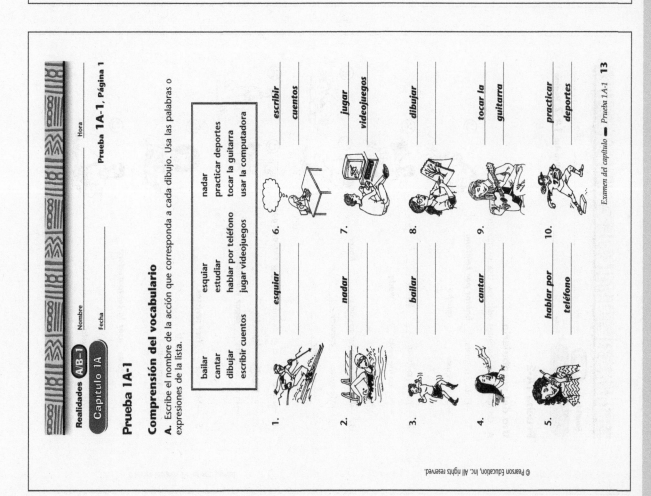

1.  ***esquiar***
2.  ***nadar***
3.  ***bailar***
4.  ***cantar***
5.  ***hablar por teléfono***
6.  ***escribir cuentos***
7.  ***jugar videojuegos***
8.  ***dibujar***
9.  ***tocar la guitarra***
10.  ***practicar deportes***

Realidades A/B-1 Nombre ____ Hora ____

Capítulo 1A Fecha ____ **Prueba 1A-1, Página 2**

B. Encierra en un círculo la letra que corresponda a lo que está pensando cada persona.

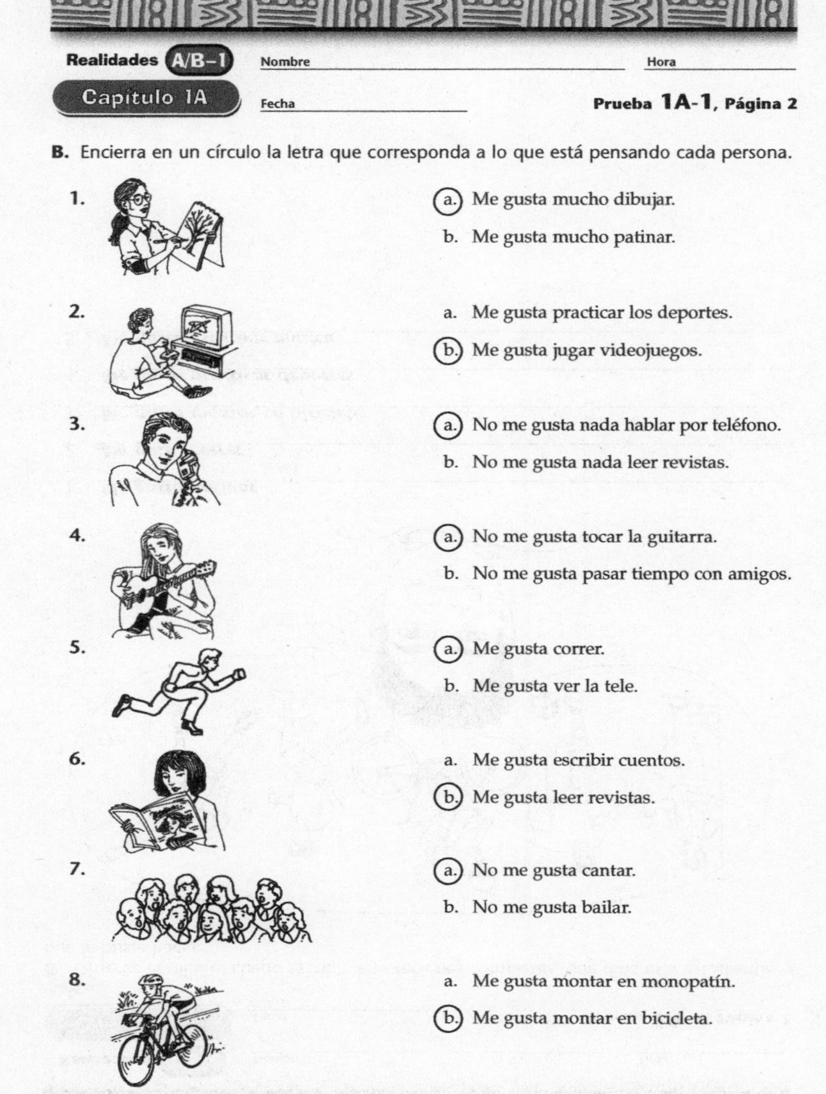

1. (a.) Me gusta mucho dibujar.
   b. Me gusta mucho patinar.
2. a. Me gusta practicar los deportes.
   (b.) Me gusta jugar videojuegos.
3. (a.) No me gusta nada hablar por teléfono.
   b. No me gusta nada leer revistas.
4. (a.) No me gusta tocar la guitarra.
   b. No me gusta pasar tiempo con amigos.
5. (a.) Me gusta correr.
   b. Me gusta ver la tele.
6. a. Me gusta escribir cuentos.
   (b.) Me gusta leer revistas.
7. (a.) No me gusta cantar.
   b. No me gusta bailar.
8. a. Me gusta montar en monopatín.
   (b.) Me gusta montar en bicicleta.

Prueba 1A-2

Uso del vocabulario

A. Completa los siguientes diálogos. Usa los dibujos como guía.

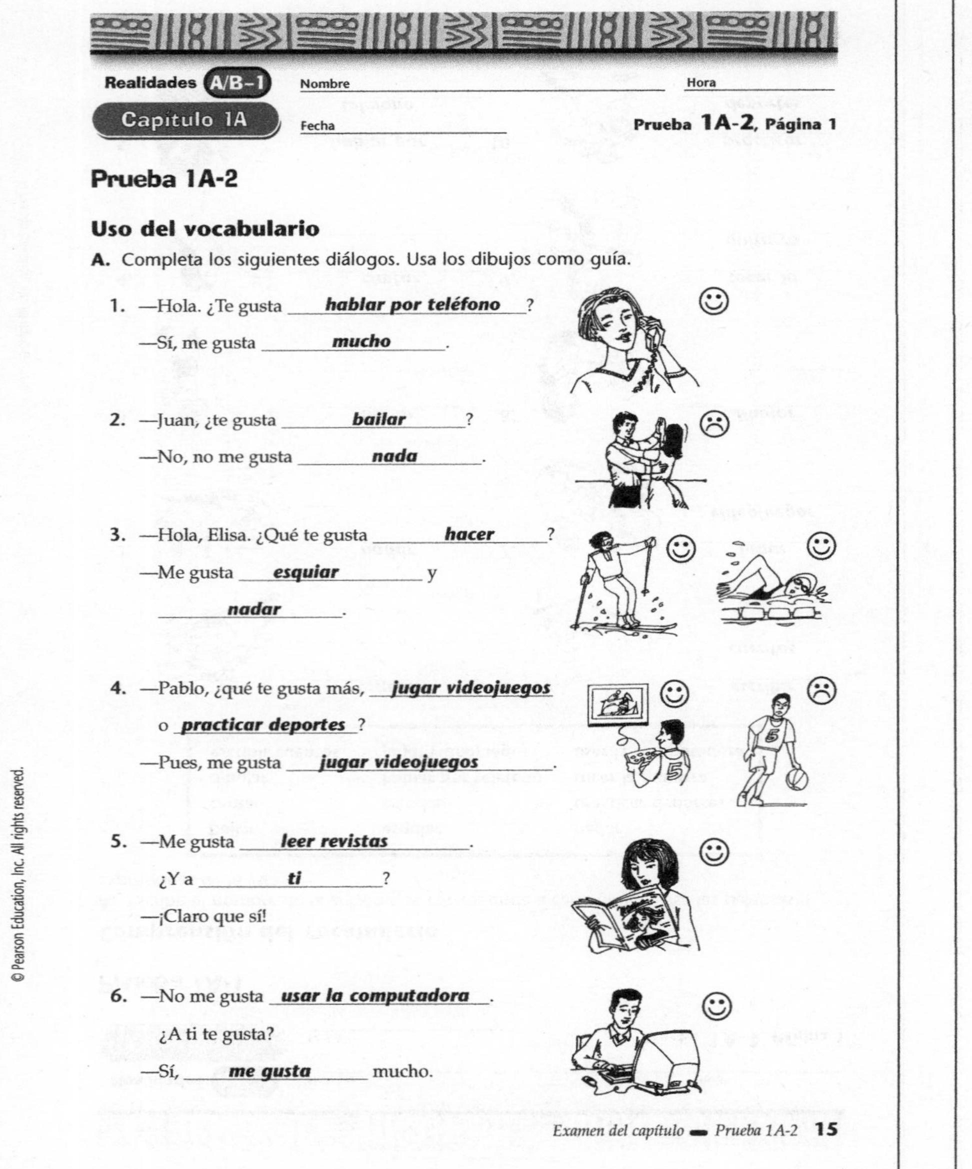

1. —Hola. ¿Te gusta ***hablar por teléfono***?
   —Sí, me gusta ***mucho***.

2. —Juan, ¿te gusta ***bailar***?
   —No, no me gusta ***nada***.

3. —Hola, Elisa. ¿Qué te gusta ***hacer***?
   —Me gusta ***esquiar*** y ***nadar***.

4. —Pablo, ¿qué te gusta más, ***jugar videojuegos*** o ***practicar deportes***?
   —Pues, me gusta ***jugar videojuegos***.

5. —Me gusta ***leer revistas***.
   ¿Y a ***ti***?
   —¡Claro que sí!

6. —No me gusta ***usar la computadora***.
   ¿A ti te gusta?
   —Sí, ***me gusta*** mucho.

B. Observa el dibujo. Luego escribe, en oraciones completas, qué diría este estudiante que le gusta hacer.

1. ***Me gusta patinar***.
2. ***Me gusta correr***.
3. ***Me gusta montar en bicicleta***.
4. ***Me gusta practicar deportes***.
5. ***Me gusta escuchar música***.

Realidades A/B-1 Nombre ____ Hora ____

Capítulo 1A Fecha ____ Prueba 1A-3

Prueba 1A-3

Infinitivos

Observa los dibujos y determina qué actividad representa cada uno. Luego, escribe sólo el verbo que corresponda en la columna apropiada según su terminación.

	-ar	-er	-ir
1.		*leer*	
2.	*pasar*		
3.	*hablar*		
4.		*correr*	
5.	*trabajar*		
6.	*montar*		
7.	*usar*		
8.			*escribir*
9.	*escuchar*		
10.		*ver*	

Realidades A/B-1 Nombre ____ Hora ____

Capítulo 1A Fecha ____ Prueba 1A-4

Prueba 1A-4

Palabras negativas

Observa los dibujos y escribe qué diría cada persona que le gusta o no.

1. ☹ *No me gusta nadar.*
2. ☺ *Me gusta leer.*
3. ☺ *Me gusta escribir cuentos.*
4. ☹ *No me gusta cantar.*
5. ☹ *No me gusta practicar deportes.*
6. ☺ *Me gusta montar en bicicleta.*
7. ☹ *No me gusta bailar.*
8. ☹ *No me gusta correr.*

HOJA DE RESPUESTAS

PARTE I: Vocabulario y gramática en uso

A. (___ /___ *puntos*)

1. *leer revistas*
2. *pasar tiempo con amigos*
3. *tocar la guitarra*
4. *hablar por teléfono*
5. *escribir cuentos*
6. *usar la computadora*

B. (___ /___ *puntos*)

1. *A mí tampoco*
2. *hacer*
3. *a ti*
4. *A mí también*
5. *más*

C. (___ /___ *puntos*)

1. *dibujar*
2. *Sí, me gusta dibujar*
3. *trabajar*
4. *no me gusta trabajar*
5. *te gusta*
6. *me gusta ver la tele*
7. *me gusta bailar*
8. *(me gusta) cantar*
9. *No me gusta ni patinar ni montar en monopatín*

PARTE II: Comunicación y cultura

A. Escuchar (___ /___ *puntos*)

A B C D E
F G H I J
K L M N O
P Q R S T

	LE GUSTA...	NO LE GUSTA...
Modelo A LUIS	S, K	I
1. A CARLA	*F, A*	*O*
2. A ANA	*I, H*	*K*
3. A GABRIEL	*M, E*	*D*
4. A NACHO	*L, G*	*H*
5. A ANDRÉS	*C, N*	*T*

B. Leer (___/___ *puntos*)

¿Les gusta? Pon una √. ¿No les gusta? Pon una X.

	Mónica	Noé	Javier
escuchar música	✓		
correr	X	✓	
tocar la guitarra			✓
ir a la escuela			
practicar deportes	X		
jugar a los videojuegos		✓	
salir con amigos			
nadar	X	✓	
leer revistas	✓		
cantar			✓
andar en bicicleta		✓	
trabajar			X
bailar	✓		✓
ver televisión	✓		

C. Escribir (___/___ *puntos*)

______

______

______

______

D. Hablar (___/___ *puntos*)

E. Cultura (___/___ *puntos*)

a. ***el merengue*** c. ***la cumbia***

b. ***el flamenco*** d. ***el tango***

Prueba 1B-1

Comprensión del vocabulario

A. Empareja los dibujos de la Columna A con la palabra más apropiada de la Columna B.

A	B
i (g) 1.	**a.** serio
d (a) 2.	**b.** perezosa
j (g) 3.	**c.** trabajadora
a (d) 4.	**d.** reservado
b 5.	**e.** deportista
g 6.	**f.** desordenado
f 7.	**g.** estudiosa
e 8.	**h.** sociable
c 9.	**i.** inteligente
h 10.	**j.** ordenada

B. Los estudiantes están empezando a conocer a sus compañeros de clase. Lee las siguientes conversaciones y selecciona la palabra de la lista que mejor complete lo que dicen.

se	amigo	pero	le
a veces	se llama	cómo	

1. —Yo soy muy deportista. Y tú, ¿ ***cómo*** eres?

   —Soy deportista, ***pero*** también soy estudiosa.

   —Mi ***amigo*** es estudioso también. ***Le*** gusta mucho estudiar.

   —¿Cómo ***se*** llama tu amigo?

   — ***Se llama*** Miguel.

   —¿Y cómo es tu amigo?

   —Miguel es muy inteligente, pero ***a veces*** es desordenado.

le	pero	ella	muy
cómo	buena	según	

2. —¿Cómo es tu amiga Lorena?

   —Ella es sociable y ***muy*** paciente.

   —¿ ***Le*** gusta hablar por teléfono?

   —Sí, pero le gusta más pasar tiempo con amigos. ***Ella*** es una ***buena*** amiga.

   —Y tú, ¿eres muy similar a ella?

   —No, soy más impaciente, ***pero*** soy sociable también.

   —¿Y ***cómo*** eres, ***según*** tu familia?

   —Trabajadora y simpática.

Prueba 1B-2

Uso del vocabulario

A. Responde las preguntas sobre las personas que están en la fila.

1. ¿Cómo es el Sr. Privatera? ***Él es desordenado***.
2. ¿Cómo es Juanita? ***Ella es graciosa***.
3. ¿Cómo es la Sra. Villanueva? ***Ella es impaciente***.
4. ¿Cómo es Héctor? ***Él es deportista***.
5. ¿Cómo es la Sra. Salazar? ***Ella es ordenada***.
6. ¿Cómo es Carmen? ***Ella es inteligente***.
7. ¿Cómo es Álvaro? ***Él es paciente***.

B. Un grupo de estudiantes están conversando sobre sus gustos. En los espacios en blanco, escribe el adjetivo que mejor se asocie con sus gustos. Sigue el modelo.

Modelo JESÚS: Lucita, ¿te gusta dibujar?
LUCITA: Sí, soy muy ***creativa***.

1. JOSÉ: María, ¿te gusta trabajar?
   MARÍA: Sí, soy muy ***trabajadora***.
2. MATEO: Me gusta practicar deportes y correr.
   MARCOS: Eres muy ***deportista***, ¿no?
3. TOMÁS: Josefina, ¿te gusta estudiar?
   JOSEFINA: No, no soy ***estudiosa***.
4. TERESA: Me gusta hablar por teléfono.
   MARTA: Eres muy ***sociable***, ¿no?
5. FE: Soy muy ordenada. Y tú, Lucas, ¿eres ordenado también?
   LUCAS: No, yo soy ***desordenado***.

Prueba 1B-3

Adjetivos

Escribe cómo es cada uno según los dibujos. Recuerda cambiar la terminación de los adjetivos para que concuerde con el género del sujeto.

1. Anita es ***atrevida***.
2. Carlos es ***ordenado***.
3. Manolo es ***trabajador***.
4. Carolina es ***perezosa***.
5. Andrea es ***seria***.
6. Pedro es ***estudioso***.
7. Alejandro es ***deportista***.
8. Mariana es ***desordenada***.
9. Javier es ***gracioso***.
10. Sara es ***artística***.

Prueba 1B-4

Artículos definidos e indefinidos

A. Escribe en los espacios en blanco el artículo definido (**el** o **la**) que corresponda a cada dibujo.

Modelo *la*

1. *la*
2. *la*
3. *el*
4. *el*
5. *el*
6. *el*

B. Ahora, escribe el artículo indefinido (**un** o **una**) que corresponda a cada una de las palabras de la Parte A.

Modelo *una* profesora

1. *una* guitarra
2. *una* computadora
3. *un* lápiz
4. *un* chico
5. *un* pupitre
6. *un* libro

Prueba 1B-5

El orden de las palabras: Ubicación de los adjetivos

Escribe una oración correcta con cada uno de los siguientes grupos de palabras.

1. chica / artística / una / soy
   Soy una chica artística.
2. un / soy / inteligente / chico
   Soy un chico inteligente.
3. soy / según / talentoso / amigos / muy / mis
   Según mis amigos soy muy talentoso.
4. eres / una / no / perezosa / chica
   No eres una chica perezosa.
5. estudiante / soy / trabajador / un
   Soy un estudiante trabajador.
6. amiga / Elena / buena / una / es
   Elena es una buena amiga.
7. muy / es / Óscar / desordenado / a veces
   Óscar es muy desordenado a veces (A veces Óscar es muy desordenado).
8. el Sr. Ortega / inteligente / es / profesor / un
   El Sr. Ortega es un profesor inteligente.
9. es / profesora / la Sra. Pérez / una / buena / muy
   La Sra. Pérez es una profesora muy buena.
10. simpática / una / Alicia / es / chica
    Alicia es una chica simpática.

HOJA DE RESPUESTAS

PARTE I: Vocabulario y gramática en uso

A. (___/___ *puntos*)

1. *chica*
2. *ordenado*
3. *gracioso*
4. *perezosa*
5. *impaciente*

B. (___/___ *puntos*)

1. *Se llama*
2. *le gusta*
3. *le gusta*
4. *deportista*
5. *a veces*
6. *soy*
7. *Según*
8. *Eres*
9. *soy*

C. (___/___ *puntos*)

1. *El chico es desordenado*.
2. *El chico es gracioso*.
3. *La chica no es artística*.
4. *La estudiante es inteligente*.
5. *La chica es ordenada*.
6. *El chico es deportista*.

PARTE II: Comunicación y cultura

A. Escuchar (___/___ *puntos*)

		Lorena	Javier	Kiki	Nico	Loli	Beto
☺		✓					
		✓					
					✓		
			✓				✓
				✓			
						✓	
						✓	
☹				✓			
					✓	✓	
							✓
		✓					
			✓				
				✓			

Realidades A/B-1 Nombre ____ Hora ____

Capítulo 1B Fecha ____ **Hoja de respuestas 1B, Página 3**

B. Leer *(___/___ puntos)*

Determina en cada caso: (a) si lo que se dice es cierto, (b) si es falso, o (c) si te falta información para poder decidir.

A **1.** El personaje que representa el Sr. Bandero es como él.
B **2.** El personaje que representa la Srta. Robles es como ella.
A **3.** El Sr. Bandero se considera talentoso.
A **4.** La Srta. Robles se considera reservada y romántica.
B **5.** Aunque su personaje es muy trabajador, el Sr. Bandero no lo es.
C **6.** Srta. Robles es impaciente con su compañero, el Sr. Bandero.
A **7.** El Sr. Bandero ve a su personaje como un tipo simpático.
B **8.** La Srta. Robles ve a su personaje como alguien que prefiere leer una revista buena en vez de ir a una fiesta.
A **9.** El Sr. Bandero se considera muy agradable.
C **10.** La Srta. Robles preferiría hacer cine que televisión.

C. Escribir *(___/___ puntos)*

D. Hablar *(___/___ puntos)*

Realidades A/B-1 Nombre ____ Hora ____

Capítulo 1B Fecha ____ **Hoja de respuestas 1B, Página 4**

E. Cultura *(___/___ puntos)*

Full credit = The two Spanish words for friendships are "amigo" and "conocido." A very close friend is an "amigo." A casual friend or acquaintance is a "conocido."

Realidades A/B-1 Nombre ______ Hora ______

Capítulo 2A Fecha ______ **Prueba 2A-1, Página 1**

Prueba 2A-1

Comprensión del vocabulario

A. Escribe la letra de las horas de clase de la Columna B que corresponda a las horas dadas en la Columna A.

	A	B
b **1.**	8:00–8:50	**a.** novena hora
g **2.**	9:00–9:50	**b.** primera hora
i **3.**	10:00–10:50	**c.** séptima hora
e **4.**	11:00–11:30	**d.** octava hora
j **5.**	11:30–12:00	**e.** cuarta hora
f **6.**	12:00–12:50	**f.** sexta hora
c **7.**	1:00–1:50	**g.** segunda hora
d **8.**	2:00–2:50	**h.** décima hora
a **9.**	3:00–3:30	**i.** tercera hora
h **10.**	3:30–4:00	**j.** quinta hora

B. Lee las siguientes oraciones y determina cuál es **lógica** y cuál es **ilógica,** según tus conocimientos del vocabulario. Escribe una **L** si es **lógica** y una **I** si es **ilógica**.

1. Necesito una calculadora y una carpeta de argollas para la clase de matemáticas. ***L***
2. Tengo mucha tarea para el almuerzo. ***I***
3. Mi amigo Paquito enseña la clase de tecnología. ***I***
4. Necesito un diccionario para la clase de inglés. ***L***
5. Es importante estudiar para la clase de español. ***L***
6. La clase de matemáticas es divertida y aburrida. ***I***
7. El profesor Martín enseña la clase de español. ***L***
8. La clase de arte es mi clase favorita. ***L***
9. La clase de ciencias naturales es difícil y fácil. ***I***
10. La clase de educación física es divertida y no es aburrida. ***L***

Realidades A/B-1 Nombre ______ Hora ______

Capítulo 2A Fecha ______ **Prueba 2A-1, Página 2**

C. Elige la palabra de la lista que mejor complete cada oración y escríbela en el espacio en blanco que corresponda.

inglés	diccionario	almuerzo	tecnología	horario	calculadora

1. "Me gusta mi ***horario***; tengo muchas clases interesantes."
2. "Necesito un ***diccionario*** para la clase de español."
3. "La clase de ***tecnología*** es práctica y divertida."
4. "Tengo mucha tarea en mi clase de ***inglés***."
5. "Necesito una ***calculadora*** para la clase de matemáticas."

Prueba 2A-2

Uso del vocabulario

A. Escribe en la columna de la derecha del horario de Cristina el nombre de la clase que corresponda según el dibujo.

1.	***matemáticas***
2.	***ciencias naturales***
3.	***arte***
4.	***ciencias sociales***
5.	***español***
6.	***educación física***

B. A la madre de Cristina le gustaría saber más sobre el horario de su hija. Completa las respuestas de Cristina en oraciones completas usando la información de la página anterior.

—Cristina, ¿qué clase tienes en la primera hora?

— ***Tengo la clase de matemáticas en la primera hora*** .

—¿Y qué clase tienes en la segunda hora?

— ***Tengo la clase de ciencias naturales en la segunda hora*** .

—¿Tienes la clase de arte?

— ***Sí, tengo la clase de arte en la tercera hora*** .

—En la cuarta hora, ¿tienes la clase de español?

— ***No, tengo la clase de español en la quinta hora (tengo la clase de ciencias sociales en la cuarta hora)*** .

—¿Y qué clase tienes en la sexta hora?

— ***Tengo la clase de educación física en la sexta hora*** .

C. Lee las claves dadas y escribe la palabra del vocabulario que sugiere cada una.

1. No es fácil ***difícil***
2. No es aburrida ***divertida***
3. ______, segundo, tercero, … ***primero***
4. tercera, cuarta, ______ … ***quinta***
5. octava, novena, ______ … ***décima***
6. sexto, ______, octavo … ***séptimo***
7. Necesito practicar deportes en la clase de ______. ***educación física***
8. Me encanta la clase. Es mi clase ______. ***favorita***
9. El profesor ______ la clase. ***enseña***
10. Dice *Inglés-Español, Español-Inglés.*
    Es un ______. ***diccionario***

Realidades A/B-1 Nombre ______ Hora ______

Capítulo 2A Fecha ______ Prueba 2A-3

Prueba 2A-3

Pronombres personales que pueden funcionar como sujeto

A. Escribe el pronombre que usarías para hablar *sobre* las siguientes personas.

Modelo Francisco ***él***

1. Marta ***ella***
2. Raúl y yo ***nosotros***
3. El profesor Piedra ***él***
4. José y Elisa ***ellos***
5. Julia y Ud. ***Uds.***
6. Anita y Juana ***ellas***

B. Escribe el pronombre que usarías como sujeto (**tú, Ud.,** o **Uds.**) para dirigirte a cada una de las personas o grupos que aparecen en los dibujos.

1. ***tú***
2. ***Uds.***
3. ***Ud.***
4. ***Uds.***
5. ***Uds.***
6. ***tú***

Realidades A/B-1 Nombre ______ Hora ______

Capítulo 2A Fecha ______ Prueba 2A-4

Prueba 2A-4

Presente de los verbos terminados en *-ar*

Completa las siguientes oraciones con la forma correcta del verbo entre paréntesis más apropiado.

1. El profesor Castro ***enseña*** la clase de español. (patinar / enseñar)
2. Los estudiantes ***estudian*** mucho para la clase de ciencias naturales. (hablar / estudiar)
3. Mis amigos y yo ***hablamos*** en clase. (hablar / necesitar)
4. Yo ***necesito*** una calculadora para la clase de matemáticas. (necesitar / pasar)
5. ¿***Dibujas*** (tú) mucho en la clase de arte? (usar / dibujar)
6. Sebastián y Puri ***montan*** en monopatín. (montar / bailar)
7. Tú ***nadas*** en la clase de educación física. (cantar / nadar)
8. La profesora Martínez ***usa*** la computadora para la clase de español. (usar / esquiar)
9. Yo ***escucho*** música en el almuerzo. (escuchar / hablar)
10. Nosotros ***practicamos*** deportes en la clase de educación física. (practicar / montar)
11. Tú ***patinas*** muy bien. (usar / patinar)
12. Yo ***paso*** mucho tiempo con mis amigos. (pasar / escuchar)
13. Iván y Víctor ***trabajan*** mucho para la clase de ciencias naturales. (trabajar / bailar)
14. Natalia es talentosa. ***Canta*** y ***baila*** muy bien. (cantar / necesitar / bailar)

Realidades A/B-1 Nombre ______ Hora ______

Capítulo 2A Fecha ______ **Hoja de respuestas 2A, Página 1**

HOJA DE RESPUESTAS

PARTE I: Vocabulario y gramática en uso

A. (___ /___ *puntos)*

1. ***tercera***
2. ***sexta***
3. ***segunda***
4. ***primera***
5. ***cuarta***
6. ***quinta***

B. (___ /___ *puntos)*

1. ***yo***
2. ***ellos***
3. ***tú***
4. ***nosotros(as)***
5. ***ellas***
6. ***Uds.***
7. ***ella***
8. ***él***
9. ***nosotros(as)***

C. (___ /___ *puntos)*

1. ***estudiamos***
2. ***estudio***
3. ***enseña***
4. ***habla***
5. ***hablo***
6. ***enseñan***
7. ***estudio***
8. ***estudias***

D. (___ /___ *puntos)*

1. ***Él monta en bicicleta***.
2. ***Ellos practican deportes***.
3. ***Yo esquío***.
4. ***Nosotros bailamos***.
5. ***Ella escucha música***.
6. ***Ud. nada***.
7. ***Tú dibujas***.

Realidades A/B-1 Nombre ______ Hora ______

Capítulo 2A Fecha ______ **Hoja de respuestas 2A, Página 2**

PARTE II: Comunicación y cultura

A. Escuchar (___ /___ *puntos)*

1.	✓		✓			
2.					✓	✓
3.				✓	✓	
4.		✓	✓			
5.	✓	✓				

B. Leer (___ /___ *puntos)*

	Luis	Victoria
1. Le gusta pasar tiempo con amigos en la cafetería.	✓	
2. La profesora habla mucho en la clase.	✓	
3. No le gusta una de las clases.		✓
4. Tiene muchas clases aburridas.	✓	
5. Tiene un profesor muy popular en la escuela.		✓

C. Escribir (___/___ *puntos)*

D. Hablar (___/___ *puntos)*

E. Cultura (___/___ *puntos)*

Full credit = Soccer ("el fútbol") is the most popular sport in Spanish-speaking countries. There are several similarities: many fans, cheers, cheerleaders, and team chants or songs.

Prueba 2B-1

Comprensión del vocabulario

A. Empareja los dibujos con el nombre de cada objeto. Escribe la letra que corresponda a cada palabra en el espacio en blanco.

d 1.   **a.** la mesa

i 2.   **b.** el teclado

f 3.   **c.** la ventana

e 4.   **d.** la silla

h 5. BARCELONA   **e.** el ratón

g 6.   **f.** la puerta

a 7.   **g.** la mochila

j 8.   **h.** el cartel

c 9.   **i.** el sacapuntas

b 10.   **j.** la pantalla

B. Encierra en un círculo la letra de la respuesta más lógica a cada una de las siguientes preguntas.

1. ¿Dónde está el reloj?
   - (a.) Está en la sala de clases.
   - b. Está encima de la sala de clases.
   - c. Está bien.
2. ¿Hay un sacapuntas en la sala de clases?
   - a. Hay una mochila en la sala de clases.
   - (b.) Sí, está al lado de la ventana.
   - c. Hay unos libros y unos pupitres.
3. ¿Qué es esto?
   - a. La silla está allí.
   - b. Soy de Puerto Rico.
   - (c.) Es una bandera de México.
4. ¿Cuántos pupitres hay en tu clase?
   - a. Mi pupitre está aquí.
   - b. Hay una bandera y dos ventanas.
   - (c.) Hay treinta y dos.
5. ¿Qué está al lado del escritorio?
   - (a.) La papelera.
   - b. Sí, está detrás del escritorio.
   - c. No, no está al lado de la puerta.
6. ¿Dónde está tu tarea?
   - a. No, es la tarea de Raquel.
   - b. No está bien.
   - (c.) Está aquí, encima del pupitre.
7. ¿Qué es esto? ¿Es tu mochila?
   - a. Sí, hace frío.
   - (b.) No, es la mochila de Pedro.
   - c. Aquí están las ventanas.
8. ¿Dónde está la computadora?
   - (a.) Está encima de la mesa.
   - b. Está al lado de la pantalla.
   - c. Está debajo de la silla.

Prueba 2B-2

Uso del vocabulario

A. Observa el dibujo del salón de clases. Completa las oraciones de abajo para indicar dónde está cada objeto.

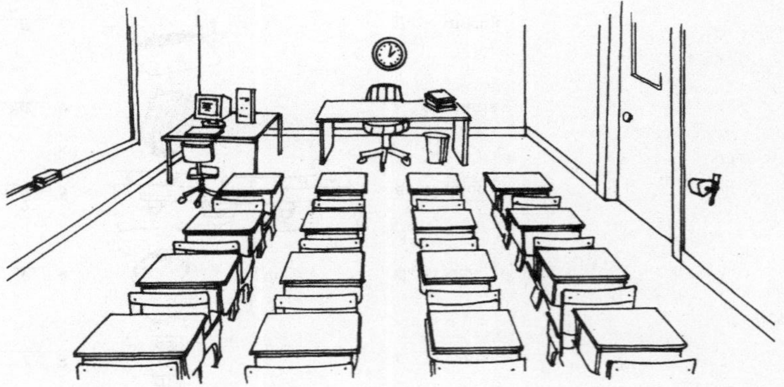

1. Los pupitres están ***delante*** del escritorio.
2. La computadora está ***encima*** de la mesa.
3. La papelera está ***debajo*** del escritorio.
4. El sacapuntas está ***al lado*** de la puerta.
5. Los libros están ***encima*** de la mesa.
6. El reloj está ***detrás*** de la silla.

B. Responde las siguientes preguntas con oraciones completas, según los dibujos.

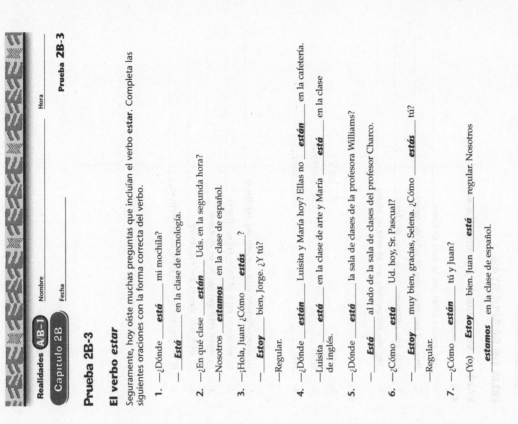

1. —¿Qué es esto?
   — ***Es la bandera de los Estados Unidos***
2. —¿Qué hay en la mochila?
   — ***En la mochila hay unos lápices, unos bolígrafos, una calculadora, el libro de matemáticas y el libro de inglés***.
3. —¿Cuántas sillas hay?
   — ***Hay nueve (9) sillas***
4. —¿Qué está al lado de la ventana?
   — ***La puerta está al lado de la ventana***
5. —¿Qué hay en la mesa?
   — ***Hay una computadora con pantalla, teclado y un ratón en la mesa***

Prueba 2B-3

El verbo *estar*

Seguramente, hoy oíste muchas preguntas que incluían el verbo **estar**. Completa las siguientes oraciones con la forma correcta del verbo.

1. —¿Dónde ***está*** mi mochila?
   — ***Está*** en la clase de tecnología.
2. —¿En qué clase ***están*** Uds. en la segunda hora?
   —Nosotros ***estamos*** en la clase de español.
3. —¡Hola, Juan! ¿Cómo ***estás***?
   — ***Estoy*** bien, Jorge. ¿Y tú?
   —Regular.
4. —¿Dónde ***están*** Luisita y María hoy? Ellas no ***están*** en la cafetería.
   —Luisita ***está*** en la clase de arte y María ***está*** en la clase de inglés.
5. —¿Dónde ***está*** la sala de clases de la profesora Williams?
   — ***Está*** al lado de la sala de clases del profesor Charco.
6. —¿Cómo ***está*** Ud. hoy, Sr. Pascual?
   — ***Estoy*** muy bien, gracias, Selena. ¿Cómo ***estás*** tú?
   —Regular.
7. —¿Cómo ***están*** tú y Juan?
   —(Yo) ***Estoy*** bien. Juan ***está*** regular. Nosotros ***estamos*** en la clase de español.

Realidades A/B-1 Nombre ______ Hora ______

Capítulo 2B Fecha ______ Prueba 2B-4

Prueba 2B-4

El plural de los sustantivos y los artículos

A. Escribe la forma plural de los siguientes sustantivos y artículos. Fíjate si el artículo es definido o indefinido antes de escribir el plural.

Modelo el libro *los libros*

1. la computadora ***las computadoras***
2. el reloj ***los relojes***
3. una mesa ***unas mesas***
4. la bandera ***las banderas***
5. una carpeta ***unas carpetas***
6. una clase ***unas clases***
7. el pupitre ***los pupitres***
8. un cuaderno ***unos cuadernos***
9. la pantalla ***las pantallas***
10. la papelera ***las papeleras***
11. el profesor ***los profesores***
12. la pierna ***las piernas***
13. un lápiz ***unos lápices***
14. un cartel ***unos carteles***
15. el bolígrafo ***los bolígrafos***
16. la estudiante ***las estudiantes***
17. el señor ***los señores***
18. la señora ***las señoras***
19. un sacapuntas ***unos sacapuntas***
20. el mes ***los meses***

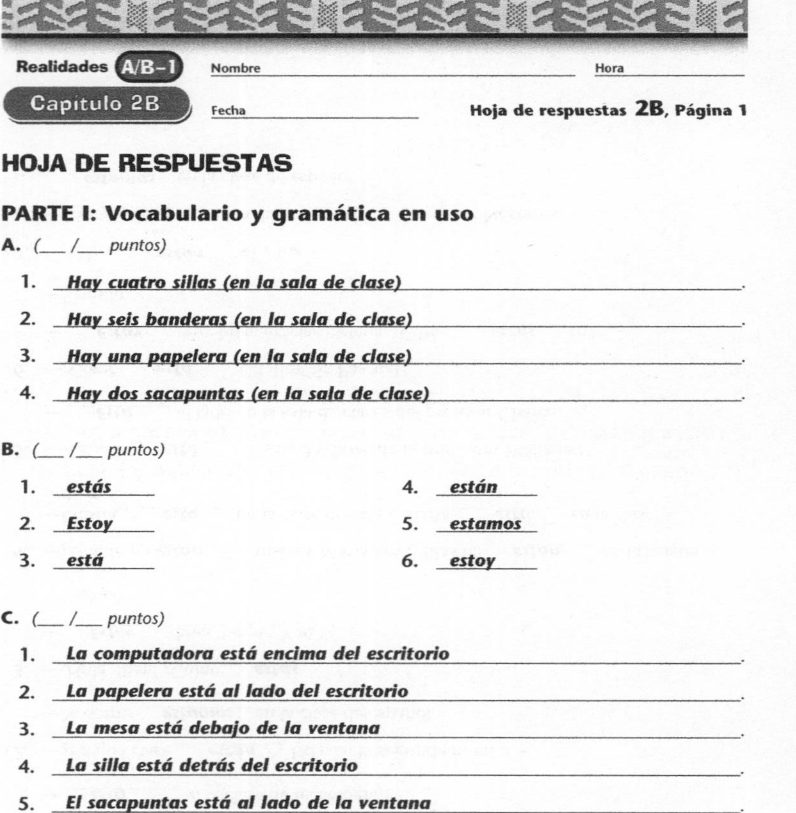

Realidades A/B-1 Nombre ______ Hora ______

Capítulo 2B Fecha ______ Hoja de respuestas **2B**, Página 1

HOJA DE RESPUESTAS

PARTE I: Vocabulario y gramática en uso

A. (___ /___ *puntos*)

1. ***Hay cuatro sillas (en la sala de clase)***.
2. ***Hay seis banderas (en la sala de clase)***.
3. ***Hay una papelera (en la sala de clase)***.
4. ***Hay dos sacapuntas (en la sala de clase)***.

B. (___ /___ *puntos*)

1. ***estás***
2. ***Estoy***
3. ***está***
4. ***están***
5. ***estamos***
6. ***estoy***

C. (___ /___ *puntos*)

1. ***La computadora está encima del escritorio***.
2. ***La papelera está al lado del escritorio***.
3. ***La mesa está debajo de la ventana***.
4. ***La silla está detrás del escritorio***.
5. ***El sacapuntas está al lado de la ventana***.

PARTE II: Comunicación y cultura

A. Escuchar *(__ /__ puntos)*

Persona que busca el objeto	a) Objeto	b) Clase	c) Lugar en la clase
Paco	***cartel***	***clase de matemáticas***	***encima de la mesa***
Ana	***cuaderno***	***clase de tecnología***	***debajo del pupitre***
Andrés	***tarea***	***clase de español***	***al lado de la computadora***
Graciela	***carpeta***	***clase de ciencias***	***en la papelera***
Chucho	***mochila***	***clase de educación física***	***al lado de la bandera***

B. Leer *(__ /__ puntos)*

1. Paulina está en la clase de arte en la primera hora. ***falso***
2. Hay muchos estudiantes en la clase. ***cierto***
3. No hay treinta y tres computadoras en la clase. ***cierto***
4. Paulina usa una computadora con (*with*) la profesora. ***falso***
5. A Paulina no le gusta ir a la escuela. ***falso***
6. Paulina es una chica artística. ***cierto***
7. La persona enfrente de Paulina es la amiga de ella. ***falso***
8. Es fácil escuchar en la clase. ***falso***
9. A Paulina no le gusta trabajar. ***falso***
10. No hay tarea en la clase de la Sra. Chávez. ***falso***

C. Escribir *(__ /__ puntos)*

1. ¿ ____________________ ?
2. ¿ ____________________ ?
3. ¿ ____________________ ?
4. ¿ ____________________ ?
5. ¿ ____________________ ?

D. Hablar *(__ /__ puntos)*

E. Cultura *(__ /__ puntos)*

Full credit = Mentioning at least three of these elements: Students will often stand when the teacher enters; teachers may call students by their last names; students address their teachers as "maestro(a)" without using their last names; lots of lecturing by the teacher; students wear uniforms.

Prueba 3A-1

Reconocimiento de vocabulario

A. Empareja cada dibujo con el nombre que le corresponda en español. Escribe la letra de la respuesta correcta en los espacios en blanco.

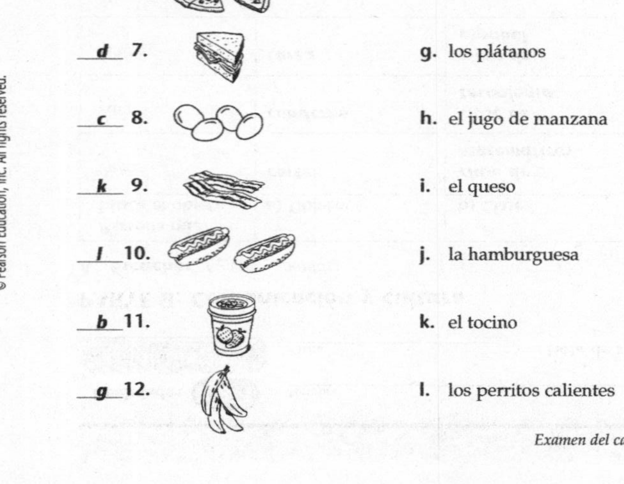

_i_ 1.
_e_ 2.
_h_ 3.
_j_ 4.
_a_ 5.
_f_ 6.
_d_ 7.
_c_ 8.
_k_ 9.
_l_ 10.
_b_ 11.
_g_ 12.

a. la ensalada de frutas
b. el yogur de fresas
c. los huevos
d. el sándwich de jamón y queso
e. el café
f. la pizza
g. los plátanos
h. el jugo de manzana
i. el queso
j. la hamburguesa
k. el tocino
l. los perritos calientes

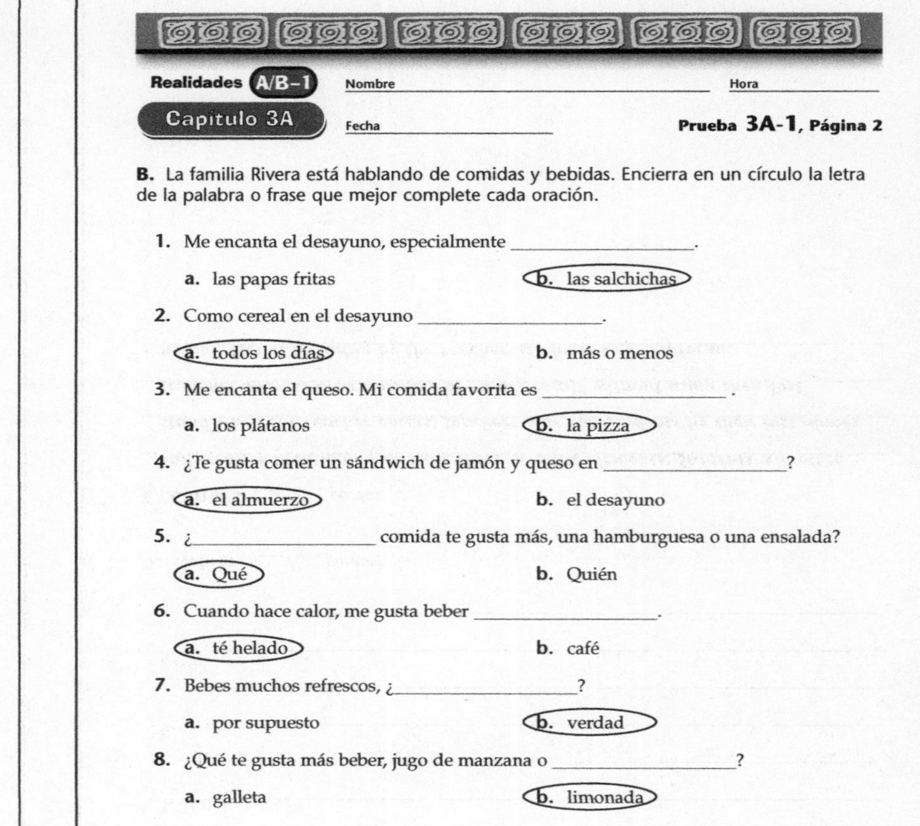

B. La familia Rivera está hablando de comidas y bebidas. Encierra en un círculo la letra de la palabra o frase que mejor complete cada oración.

1. Me encanta el desayuno, especialmente ______.
   a. las papas fritas — (b.) las salchichas
2. Como cereal en el desayuno ______.
   (a.) todos los días — b. más o menos
3. Me encanta el queso. Mi comida favorita es ______.
   a. los plátanos — (b.) la pizza
4. ¿Te gusta comer un sándwich de jamón y queso en ______?
   (a.) el almuerzo — b. el desayuno
5. ¿______ comida te gusta más, una hamburguesa o una ensalada?
   (a.) Qué — b. Quién
6. Cuando hace calor, me gusta beber ______.
   (a.) té helado — b. café
7. Bebes muchos refrescos, ¿______?
   a. por supuesto — (b.) verdad
8. ¿Qué te gusta más beber, jugo de manzana o ______?
   a. galleta — (b.) limonada

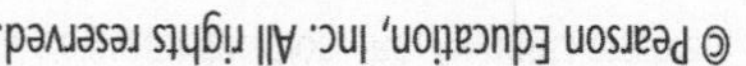

Prueba 3A-2

Uso del vocabulario

A. La familia Cruz está compartiendo un magnífico almuerzo. Observa el dibujo y escribe el nombre de cada alimento en el espacio en blanco que corresponda. La primera respuesta ya está dada.

1. *la ensalada de frutas*
2. ***la limonada***
3. ***los sándwiches (de jamón y queso)***
4. ***los perritos calientes***
5. ***el queso***
6. ***la leche***
7. ***la pizza***
8. ***las galletas***
9. ***el café***
10. ***el pan***

B. Ana quiere saber cuáles son los hábitos de Rafael en las comidas. Usando los dibujos como guía, escribe en oraciones completas las respuestas de Rafael a las preguntas de Ana.

1. ANA: ¿Qué comes en el desayuno?
   RAFAEL: ***Yo como cereal en el desayuno***.

2. ANA: ¿Qué bebes en el desayuno?
   RAFAEL: ***Yo bebo jugo de naranja en el desayuno***.

3. ANA: ¿Qué compartes con Sara?
   RAFAEL: ***Yo comparto la sopa de verduras con Sara***.

4. ANA: ¿Qué no bebes nunca en el almuerzo?
   RAFAEL: ***Yo no bebo nunca refrescos en el almuerzo***.

5. ANA: ¿Qué comes todos los días en el almuerzo?
   RAFAEL: ***Yo como yogur de fresa todos los días en el almuerzo***.

Prueba 3A-3

El presente de los verbos terminados en *-er* y en *-ir*

A. Usando los dibujos como guía, di qué come o bebe cada uno de los sujetos dados.

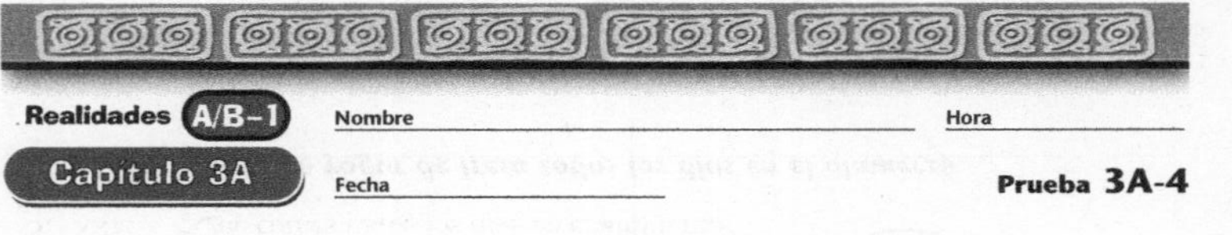

1. Raúl ***come salchichas***.
2. María y yo ***bebemos limonada***.
3. Los profesores ***comen plátanos***.
4. Tú y Raquel ***beben agua***.
5. Yo ***bebo té helado***.

B. Le estás escribiendo a una amiga un mensaje sobre la cafetería de tu escuela. Escoge el verbo más apropiado en cada caso, de los dos que se dan entre paréntesis, y escribe la forma correcta en los espacios en blanco.

Estimada Luisa:

Todos los días yo ***como*** (*correr / comer*) en la cafetería. Elena y yo ***comemos*** (*escribir / comer*) perritos calientes y ***bebemos*** (*beber / leer*) limonada. Carlos y Miguel ***comen*** (*beber / comer*) pizza o hamburguesas y ***comparten*** (*compartir / beber*) unas galletas. Los profesores no ***comen*** (*escribir / comer*) en la cafetería con los estudiantes. ¿Tú ***comes*** (*compartir / comer*) en la cafetería con los profesores? ¿Qué ***beben*** (*beber / comer*) ellos, agua o refrescos? Me encantan los jugos, pero nunca ***bebo*** (*beber / correr*) refrescos. ¿Qué comida te gusta más? Mi comida favorita es el queso.

Adiós,

______

Prueba 3A-4

Me gustan, me encantan

A. María y Cristina están hablando de las comidas que les gustan. Completa sus oraciones escribiendo la forma correcta del verbo **gustar** o **encantar**, según se indica entre paréntesis.

1. A mí me ***gusta*** mucho el queso. (gustar)
2. ¿Te ***gustan*** los huevos? (gustar)
3. A ti te ***encanta*** la ensalada de frutas, ¿no? (encantar)
4. A mí me ***encantan*** las hamburguesas. (encantar)
5. ¡Qué asco! No me ***gustan*** las salchichas. (gustar)
6. A mí tampoco me ***gusta*** el tocino. (gustar)
7. ¿Te ***gustan*** los perritos calientes? (gustar)
8. Me ***encanta*** el pan. (encantar)
9. A mí no me ***gustan*** las manzanas. (gustar)
10. A mí también me ***encanta*** el pan tostado. (encantar)

B. Ahora escribe tus opiniones sobre las siguientes comidas, usando los verbos **(no) gustar** y **(no) encantar**. Sigue el modelo.

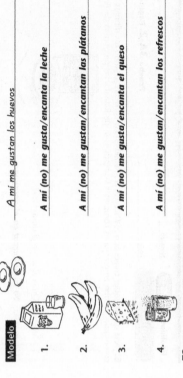

Modelo *A mí me gustan los huevos*.

1. ***A mí (no) me gusta/encanta la leche***.
2. ***A mí (no) me gustan/encantan las plátanos***.
3. ***A mí (no) me gusta/encanta el queso***.
4. ***A mí (no) me gustan/encantan los refrescos***.

HOJA DE RESPUESTAS

PARTE I: Vocabulario y gramática en uso

A. (___/___ puntos)

desayuno	almuerzo
el cereal	***las hamburguesas***
los huevos	***la sopa (de verduras)***
el tocino	***los sándwiches (de jamón y queso)***

B. (___/___ puntos)

1. ***Me gusta (la leche, el pan, la pizza, la ensalada, el tocino, el jugo de naranja, etc.)***.
2. ***No me gusta (la leche, el pan, la pizza, la ensalada, el tocino, el jugo de naranja, etc.)***.
3. ***(No) Me gustan (las frutas, los plátanos, las manzanas, las naranjas, los perritos calientes, los huevos, etc.)***.
4. ***(No) me encanta (la leche, el pan, la pizza, la ensalada, el tocino, el jugo de naranja, etc.)***.
5. ***(No) Me encantan (las frutas, los plátanos, las manzanas, las naranjas, los perritos calientes, los huevos, etc.)***.

C. (___/___ puntos)

1. ***Usted come dos plátanos***.
2. ***Ustedes comen una ensalada de frutas***.
3. ***Nosotras bebemos jugo de naranja***.
4. ***Yo bebo café***.
5. ***Él come pizza***.
6. ***Ellas comen papas fritas***.
7. ***Tú comes dos hamburguesas***.
8. ***Ella bebe jugo de manzana***.
9. ***Tú y yo bebemos té helado***.

PARTE II: Comunicación y cultura

A. Escuchar (___/___ puntos)

	Marta	Enrique	Kiki	Orlando
	✓			
		✓		
		✓		
				✓
			✓	
		✓		
				✓
	✓			
		✓		
			✓	
				✓
	✓			
				✓
		✓	✓	

B. Leer (___/___ *puntos)*

	Miguel	Paco	Nacho	Ernesto
Hamburguesa				✓
Hamburguesa con queso			✓	✓
Perrito caliente				✓
Sándwich de jamón				✓
Sándwich de jamón y queso			✓	✓
Pizza			✓	
Ensalada de frutas	✓			
Sopa de verduras		✓		
Yogur de fresas y plátanos	✓			
Limonada	✓			
Leche				
Jugo de naranja	✓			
Jugo de manzana	✓			
Refresco				
Té helado				
Agua				

C. Escribir (___/___ *puntos)*

D. Hablar (___/___ *puntos)*

E. Cultura (___/___ *puntos)*

Full credit = The traditional snack is "churros y chocolate." Churros are like our doughnuts but long and slender. The hot chocolate of Mexico is whipped with powdered chocolate, cinnamon, powdered almonds, and sugar. A special wooden whisk ("un molinillo") is used to whip it.

Prueba 3B-1

Comprensión del vocabulario

A. Empareja las oraciones sobre comidas que aparecen a la izquierda con los dibujos de la derecha. Escribe la letra que corresponda en los espacios en blanco.

i 1. Me gustan los guisantes. — a.

a 2. ¿Comes bistec? — b.

j 3. Yo también como uvas. — c.

e 4. ¿Te gusta el pan con mantequilla? — d.

g 5. Las zanahorias son buenas para los ojos. — e.

d 6. No debemos comer muchos pasteles. — f.

h 7. Me encanta la ensalada de lechuga y tomate. — g.

c 8. Necesito más arroz, por favor. — h.

f 9. ¿Te gustan las papas? — i.

b 10. ¿Uds. comen mucho pescado? — j.

B. Determina si las siguientes oraciones sobre comidas son ciertas o falsas. Escribe una **C** si la afirmación es **cierta** o una **F** si es **falsa**.

_F_ 1. El bistec, el pollo y las uvas son carnes.

_F_ 2. Comer mucha mantequilla es bueno para la salud.

_C_ 3. Los tomates, la lechuga y las zanahorias son ingredientes de una ensalada.

_F_ 4. Normalmente comemos pescado en el desayuno.

_C_ 5. Los espaguetis son comida italiana.

_C_ 6. El helado es frío.

_F_ 7. Las papas son pasteles.

_C_ 8. Las salchichas son carnes.

C. Completa la siguiente conversación usando las palabras de la lista.

prefiero	la salud	judías	hambre
mantener	hago ejercicio	pesas	de acuerdo

—¡Me encantan las zanahorias! Son muy buenas para _la salud_.

—Estoy _de acuerdo_. A mí también me gustan las _judías_ verdes.

—Bien, comes verduras. ¿Qué más haces para _mantener_ la salud?

—Pues, cada día yo _hago ejercicio_. Levanto _pesas_ y practico deportes. ¿Y tú?

—Yo _prefiero_ correr y caminar.

—¿Por qué no caminamos a la soda? Yo tengo _hambre_.

—Yo también.

Prueba 3B-2

Uso del vocabulario

A. Observa la pirámide nutritiva y escribe en los espacios en blanco el nombre de los alimentos que indican las flechas.

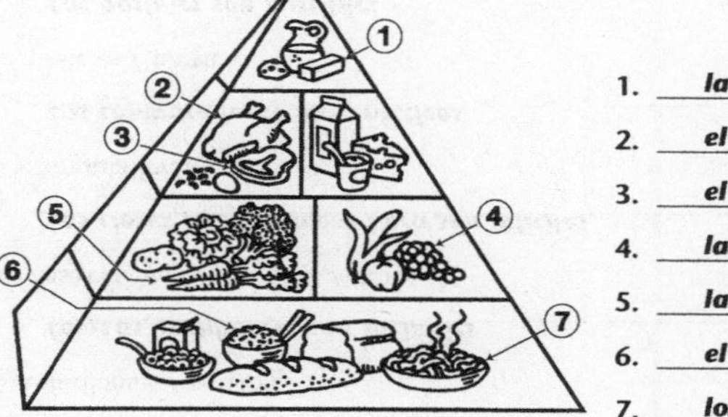

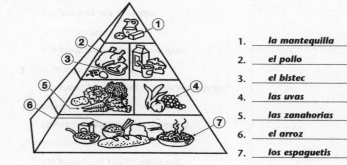

1. _la mantequilla_
2. _el pollo_
3. _el bistec_
4. _las uvas_
5. _las zanahorias_
6. _el arroz_
7. _los espaguetis_

B. Ahora, completa las siguientes oraciones sobre los buenos hábitos de alimentación.

1. Para mantener la salud d _e_ _b_ _e_ s comer frutas y verduras todos los días.
2. Es _h_ orr _i_ _b_ _l_ _e_ comer muchos pasteles y helado.
3. Es importante comer de _t_ _o_ d _o_ s los grupos de comidas cada día.
4. En una ensalada de _l_ _e_ chu _g_ _a_ y _t_ o _m_ _a_ t _e_ _s_ no hay muchas grasas.
5. El agua es una b _e_ _b_ i _d_ _a_ muy buena para la salud.
6. Cuando _t_ e _n_ _g_ _o_ _s_ e _d_, bebo agua.

C. Antonio y Carlos son amigos, pero sus actitudes con respecto a la salud son muy diferentes. Lee las afirmaciones de cada uno. Luego, ordena las letras que aparecen entre paréntesis, y escribe las palabras correctas en los espacios en blanco para completar lo que dice cada muchacho.

Antonio

Para mí, es importante mantener la salud.

1. Cada día prefiero comer verduras— ***guisantes*** (sstuenaig) o ***judías*** ***verdes*** (adfjsu ervsed).
2. ***Hago*** ***ejercicio*** (ogah eorjiceci) todos los días.
   Corro o ***camino*** (mancoi).
3. Cuando ***tengo*** ***hambre*** (gtoen rahbme) como una manzana o una naranja.

Carlos

Creo que mantener la salud es muy aburrido y difícil.

1. No estoy ***de*** ***acuerdo*** (ed ucrodea) con Antonio. No me gusta correr.
2. No me gusta nada ***levantar*** ***pesas*** (aarltven spaes).
3. Las papas fritas son malas para la salud pero me encantan ***porque*** (uperoq) son muy ***sabrosas*** (rasasobs).

Prueba 3B-3

El plural de los adjetivos

Estás hablando por teléfono con un amigo que vive en España y va a venir a estudiar en tu escuela. Para ayudarlo a saber qué esperar cuando llegue, describe las personas o cosas que se indican abajo usando los plurales correctos de los adjetivos dados. Sigue el modelo.

Modelo profesoras de ciencias / divertido
Las profesoras de ciencias son divertidas.

1. tareas de inglés / fácil
   Las tareas de inglés son fáciles.
2. profesores / trabajador
   Los profesores son trabajadores.
3. estudiantes / sociable
   Los/Las estudiantes son sociables.
4. clases en la primera hora / difícil
   Las clases en la primera hora son difíciles.
5. computadoras / práctico
   Las computadoras son prácticas.
6. pasteles / horrible
   Los pasteles son horribles.
7. carteles / artístico
   Los carteles son artísticos.
8. papas fritas / sabroso
   Las papas fritas son sabrosas.

Prueba 3B-4

El verbo *ser*

Dos estudiantes están comentando cómo son las personas de su escuela. Completa la conversación con las formas correctas del verbo **ser**.

JULIA: —Juan ***es*** muy artístico, ¿no?

PACO: —Sí, dibuja muy bien. Pero no ***es*** deportista.

JULIA: —Verdad. Pero Marta y Vanesa ***son*** muy deportistas. Y también ***son*** trabajadoras; estudian por muchas horas todos los días.

PACO: —Qué bien. Nosotros no estudiamos mucho, pero no ***somos*** muy perezosos, ¿verdad?

JULIA: —Sí. ¿Cómo ***es*** el profesor de español?

PACO: —¿El profesor Domínguez? ***Es*** muy inteligente y la clase ***es*** un poco difícil.

JULIA: —¿***Eres*** (tú) estudiante de español este año?

PACO: —Sí, ¡***soy*** uno de los estudiantes más inteligentes de la clase!

JULIA: —¡Ja! Y, ¿qué más?

PACO: —Hay unos chicos divertidos en mi clase de matemáticas.

JULIA: —¿Sí? ¿Cómo ***son***?

PACO: —Se llaman Tulio y Laura, y ***son*** muy interesantes. Tulio ***es*** de Nicaragua y Laura ***es*** de Puerto Rico.

JULIA: —¿Ellos ***son*** amigos de Antonio?

PACO: —Sí, pero nosotros ***somos*** amigos también.

HOJA DE RESPUESTAS

PARTE I: Vocabulario y gramática en uso

A. (___/___ *puntos*)

las grasas	la carne	las verduras	las frutas	el pan/los cereales
la mantequilla	*el pollo*	***los guisantes***	***las uvas***	***los espaguetis***
los pasteles		***la cebolla***		

B. (___/___ *puntos*)

1. ***somos***
2. ***es***
3. ***son***
4. ***Eres***
5. ***es***
6. ***es***

C. (___/___ *puntos*) ***Answers will vary but should agree in number and gender with the suggested responses.***

1. ***No me gustan las judías verdes. Son horribles.***
2. ***No me gusta la carne. Es mala.***
3. ***Me gusta el pollo. Es sabroso.***
4. ***Me gusta el arroz. Es bueno.***
5. ***Me gustan las papas. Son buenas.***
6. ***Me gustan las zanahorias. Son sabrosas.***
7. ***No me gustan los tomates. Son horribles.***
8. ***Me gusta la lechuga. Es buena.***

PARTE II: Comunicación y cultura

A. Escuchar (__ /__ *puntos)*

	(dancing)	(watching TV)	(eating)	(exercising)	(reading)
Alejandra	***Sí***	***Sí***		***No***	***No***
Chachis		***No***		***Sí***	***Sí***
Catrina			***No***	***Sí***	***Sí***
Nicolás		***Sí***	***Sí***	***No***	
Lorenzo			***No***	***Sí***	

B. Leer (__ /__ *puntos)*

	BUENO para la salud…	MALO para la salud…
1. Chico gracioso	✓	
2. Chica sociable		✓
3. Chica estudiosa		✓
4. Chico atrevido	✓	
5. Chica reservada		✓

C. Escribir (__ /__ *puntos)*

D. Hablar (__ /__ *puntos)*

E. Cultura (__ /__ *puntos)*

Full credit = "Yerbabuena" comes from the mint plant and is used to treat stomachaches. Modern drugs are being developed from plants found in the Amazon rain forest in South America.

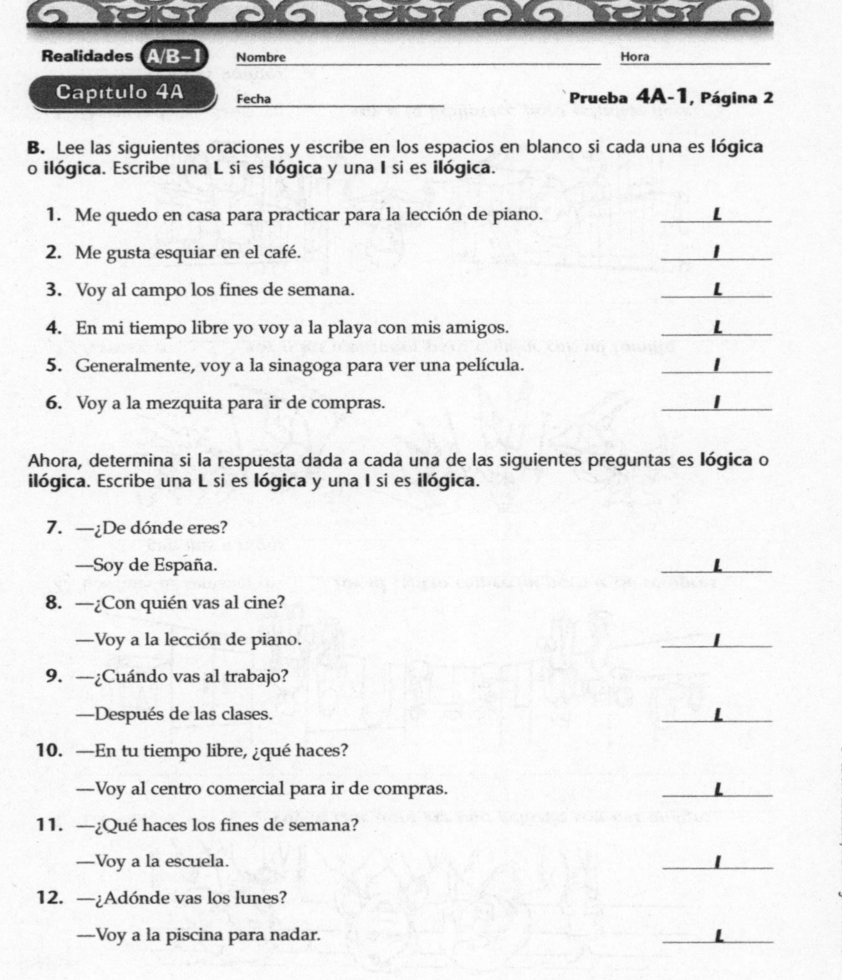

Prueba 4A-1

Comprensión del vocabulario

A. En los espacios en blanco, escribe el nombre del lugar que asocias con cada frase. Usa las palabras de la lista sólo una vez.

la biblioteca	el gimnasio	la piscina
el campo	la iglesia	el restaurante
el centro comercial	las montañas	el trabajo
el cine	el parque	

1. Me gusta ir de compras. ***el centro comercial***
2. Necesito trabajar a las ocho. ***el trabajo***
3. Me gusta levantar pesas. ***el gimnasio***
4. Estudio para mi examen de inglés. ***la biblioteca***
5. Me encanta comer espaguetis. ***el restaurante***
6. Es domingo y soy religioso. ***la iglesia***
7. Te encanta nadar. ***la piscina***
8. Me gusta caminar. ***el parque***
9. ¿Te gusta esquiar? ***las montañas***
10. ¿Adónde vas para ver una película? ***el cine***

B. Lee las siguientes oraciones y escribe en los espacios en blanco si cada una es **lógica** o **ilógica**. Escribe una **L** si es **lógica** y una **I** si es **ilógica**.

1. Me quedo en casa para practicar para la lección de piano. ***L***
2. Me gusta esquiar en el café. ***I***
3. Voy al campo los fines de semana. ***L***
4. En mi tiempo libre yo voy a la playa con mis amigos. ***L***
5. Generalmente, voy a la sinagoga para ver una película. ***I***
6. Voy a la mezquita para ir de compras. ***I***

Ahora, determina si la respuesta dada a cada una de las siguientes preguntas es **lógica** o **ilógica**. Escribe una **L** si es **lógica** y una **I** si es **ilógica**.

7. —¿De dónde eres?
   —Soy de España. ***L***
8. —¿Con quién vas al cine?
   —Voy a la lección de piano. ***I***
9. —¿Cuándo vas al trabajo?
   —Después de las clases. ***L***
10. —En tu tiempo libre, ¿qué haces?
    —Voy al centro comercial para ir de compras. ***L***
11. —¿Qué haces los fines de semana?
    —Voy a la escuela. ***I***
12. —¿Adónde vas los lunes?
    —Voy a la piscina para nadar. ***L***

Prueba 4A-2

Uso del vocabulario

A. Completa las siguientes oraciones con la palabra más apropiada en cada caso. No uses ninguna respuesta más de una vez.

1. Para hacer ejercicio, me gusta esquiar en ***las montañas***.
2. En el invierno yo nado en ***la piscina*** de la escuela.
3. Mis amigos y yo vamos de compras en ***el centro comercial***.
4. Al profesor de educación física le gusta levantar pesas en ***el gimnasio***.
5. Cuando no voy ni a la escuela ni a casa voy a ***la biblioteca*** para hacer la tarea.
6. Para ver una película, me gusta ir al ***cine***.
7. Los fines de semana me quedo en ***casa*** para leer, ver la tele, jugar videojuegos y usar la computadora.
8. En el verano me gusta nadar y hacer surf en ***la playa***.
9. Cuando no comemos en casa *(at home)*, comemos en ***un restaurante***.
10. Los lunes mi hermana y yo corremos en ***el parque***.

B. A ti te encanta hablar de las cosas que haces en tu tiempo libre. Observa los dibujos, y luego completa las oraciones diciendo adónde vas, con quién o quiénes vas, y qué actividad haces. Sigue el modelo.

Modelo Los lunes, yo *voy al gimnasio para practicar deportes con mis amigos*.

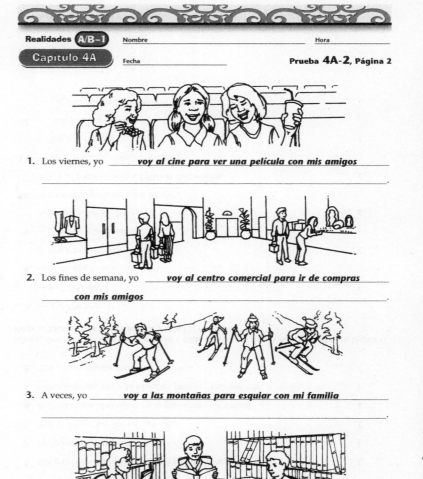

1. Los viernes, yo ***voy al cine para ver una película con mis amigos***.

2. Los fines de semana, yo ***voy al centro comercial para ir de compras con mis amigos***.

3. A veces, yo ***voy a las montañas para esquiar con mi familia***.

4. Después de las clases, yo ***voy a la biblioteca para estudiar (leer) con mis amigos***.

Realidades A/B-1 | Nombre ____ Hora ____

Capítulo 4A | Fecha ____ | Prueba **4A-3**

Prueba 4A-3

El verbo *ir*

A. Algunos de tus amigos están hablando sobre sus planes para las vacaciones. Completa lo que dicen con las formas correctas del verbo **ir**.

1. Mis amigos ***van*** a la playa.
2. (Nosotros) ***Vamos*** al gimnasio todos los días.
3. Los fines de semana el profesor de español ***va*** a la biblioteca.
4. ¿Tú ***vas*** al cine?
5. Mi familia y yo ***vamos*** a la piscina.
6. Sandra y Alisa ***van*** al parque Central.
7. Marta, ¿ ***vas*** al campo?
8. ¿Ud. ***va*** a la escuela los fines de semana?
9. Yo ***voy*** a la sinagoga.
10. ¿Uds. no ***van*** al restaurante con nosotros el domingo?

B. Completa cada una de las siguientes oraciones con una forma del verbo **ir** y el nombre del lugar más apropiado, de los que estudiaste en este capítulo. Usa **al** y **a la** correctamente. Sigue el modelo.

Modelo Cuando mi madre decide ir de compras, *va al centro comercial*.

1. Cuando yo necesito estudiar, ***voy a la biblioteca***. No me quedo en casa.
2. Cuando estoy en la escuela mis padres ***van al trabajo*** para trabajar.
3. Después de la escuela, nosotros ***vamos al gimnasio*** para levantar pesas.
4. Para nadar, tú ***vas a la piscina***, no a la playa.
5. Cuando nieva, Alberto ***va a las montañas*** para esquiar.

Realidades A/B-1 | Nombre ____ Hora ____

Capítulo 4A | Fecha ____ | Prueba **4A-4**

Prueba 4A-4

Hacer preguntas

Completa las siguientes conversaciones escribiendo la palabra interrogativa de la lista que corresponda en cada caso.

Cuándo	Cuál	Cuántas	Cómo	Quién
Adónde	De dónde	Dónde	Qué	Por qué

1. —¿ ***Adónde*** vas?
   —Voy al parque.
2. —Voy a la biblioteca.
   —¿ ***Por qué*** ?
   —Porque necesito estudiar.
3. —¿ ***Cuántas*** clases tienes este año?
   —Tengo cinco.
4. —¿ ***Dónde*** estudias?
   —En la biblioteca.
5. —¿ ***Cómo*** es tu profesora de inglés?
   —Es inteligente y paciente.
6. —Mi familia y yo vamos a la playa.
   —¿ ***Cuándo*** ?
   —Mañana.
7. —¿ ***Quién*** es ella?
   —Es mi amiga Graciela.
8. —Necesito mi libro.
   —¿ ***Cuál*** ?
   —Mi libro de matemáticas.
9. —¿ ***De dónde*** eres?
   —Soy de Bogotá, Colombia.
10. —¿ ***Qué*** es esto?
    —Es un ratón.

Realidades A/B-1 Nombre ____ Hora ____

Capítulo 4A Fecha ____ Hoja de respuestas 4A, Página 1

HOJA DE RESPUESTAS

PARTE I: Vocabulario y gramática en uso

A. (___/___ puntos)

1. ***El lunes Juan y tú van a la biblioteca***.
2. ***El martes Pedro va al restaurante***.
3. ***El miércoles mi familia y yo vamos al centro comercial***.
4. ***El jueves tú vas a la lección de piano***.
5. ***El viernes Geraldo y Claudia van al café***.
6. ***El sábado Mariana va a la piscina***.
7. ***El domingo Anita y Lucita van al parque***.

B. (___/___ puntos)

1. ***Cómo***
2. ***Qué***
3. ***Por qué***
4. ***Adónde***
5. ***Con quién (quiénes)***
6. ***Cuándo***

C. (___/___ puntos)

1. ***va***
2. ***vas***
3. ***van***
4. ***van***
5. ***voy***
6. ***vamos***
7. ***va***

Realidades A/B-1 Nombre ____ Hora ____

Capítulo 4A Fecha ____ Hoja de respuestas 4A, Página 2

PARTE II: Comunicación y cultura

A. Escuchar (___/___ puntos)
Answers may vary, but the following refer to the basic reasons.

	Quién	Cuándo	Dónde	Por qué
Gabriel	✓			
Susi		✓		
Javier	✓			
Ana				✓
Nacho			✓	

B. Leer (___/___ puntos)

1. ***c***
2. ***a***
3. ***b***
4. ***a***
5. ***b***
6. ***b***

C. Escribir (___/___ puntos)

D. Hablar (___/___ puntos)

E. Cultura (___/___ puntos)

Full credit = Answers will vary, but students should mention the similarities of jumping rope and choosing sides with a chant or song. Differences may include the wording of the chants.

Prueba 4B-1

Comprensión del vocabulario

A. Escribe la letra que corresponda al deporte que representa el dibujo.

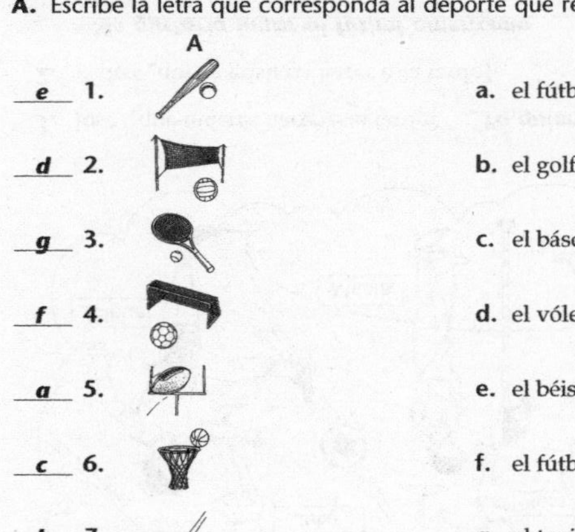

A	B
e 1.	**a.** el fútbol americano
d 2.	**b.** el golf
g 3.	**c.** el básquetbol
f 4.	**d.** el vóleibol
a 5.	**e.** el béisbol
c 6.	**f.** el fútbol
b 7.	**g.** el tenis

B. Lee las siguientes descripciones y escribe la palabra de la lista que mejor complete cada una.

película	concierto
fiesta	lección de piano
partido	baile

1. A Juan le gusta escuchar música. Va a un ***concierto***.
2. Pablo está en el gimnasio para ver un ***partido*** de básquetbol.
3. El 31 de diciembre, muchas personas van a una ***fiesta*** para celebrar el Año Nuevo.
4. María va a un ***baile*** para escuchar música, bailar y hablar con sus amigos.

C. Lee las siguientes invitaciones y di si las respuestas son **lógicas** o **ilógicas**. Escribe una L si la respuesta es **lógica**, y una **I** si es **ilógica**.

1. —¿Quieres ir de cámping conmigo esta noche?
   —No, no quiero ir de cámping porque estoy enfermo. ***L***
2. —¡Oye! ¿Puedes jugar al golf hoy?
   —No, no sé jugar al béisbol. ***I***
3. —¿Te gustaría ir al concierto de rock con nosotros?
   —¡Genial! No me gusta nada escuchar música. ***I***
4. —¿Te gustaría jugar al béisbol con nosotros esta tarde?
   —¡Qué pena! Tengo que ir a una lección de piano. ***L***
5. —¿Puedes ir de pesca con nosotros a las ocho de la mañana?
   —No, no puedo ir contigo porque voy de cámping. ***L***
6. —¿Quieres ir al café conmigo?
   —Lo siento, estoy demasiado cansada para ir al café. ***L***
7. —¿Te gustaría ir al gimnasio esta tarde?
   —Sí, porque no me gusta levantar pesas. ***I***
8. —¿Te gustaría estudiar conmigo en la biblioteca?
   —No, porque voy a estudiar con Elena en casa. ***L***
9. —¿Quieres ir a la playa con nosotros?
   —No, estoy demasiado ocupado para ir al gimnasio. ***I***
10. —¿A qué hora puedes jugar?
    —Puedo jugar a las tres de la tarde. ***L***

Prueba 4B-2

Uso del vocabulario

A. Tus amigos están en la escuela, pero todos están pensando en lo que quieren hacer esta tarde. Basándote en el dibujo, escribe la respuesta de cada persona a las preguntas que aparecen abajo. Sigue el modelo.

Modelo Ana, ¿qué quieres hacer esta tarde? *Yo quiero jugar al golf*.

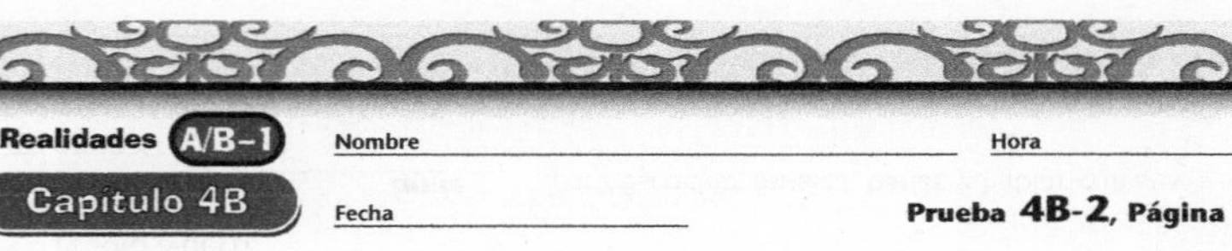

1. José, ¿qué quieres hacer esta tarde? ***Yo quiero jugar al fútbol americano***.
2. Pedro, ¿qué te gustaría hacer esta tarde?
   Me gustaría jugar al fútbol americano.
3. Miguel, ¿qué te gustaría hacer esta tarde? ***Me gustaría jugar al fútbol***.
4. Julia, ¿qué quieres hacer esta tarde? ***Yo quiero jugar al tenis esta tarde***.
5. Bernardo, ¿qué te gustaría hacer esta tarde? ***Me gustaría jugar al básquetbol***.
6. Marta, ¿qué te gustaría hacer esta tarde? ***Me gustaría jugar al golf***.
7. Nora, ¿qué quieres hacer esta tarde? ***Yo quiero jugar al vóleibol***.

B. Completa cada pregunta con una actividad lógica. Luego, escribe la respuesta basándote en la hora que se indica entre paréntesis.

Modelo ¿A qué hora es la *película* *Una noche triste* este jueves? (7 p.m.)
A las siete de la noche.

1. ¿A qué hora es el ***partido*** de basquétbol este sábado? (10 a.m.)
   A las diez de la mañana
2. ¿A qué hora es la ***fiesta*** de aniversario de los señores Ochoa este domingo? (2 p.m.)
   A las dos de la tarde
3. ¿A qué hora es el ***concierto*** de rock este sábado? (8 p.m.)
   A las ocho de la noche
4. ¿A qué hora es el ***baile*** formal en el club este viernes? (8 p.m.)
   A las ocho de la noche

C. Lee las descripciones de cada persona, y completa sus oraciones. Asegúrate de que la forma del adjetivo concuerde con la persona que habla en cada caso.

1. SANDRA: Tengo que ir a la escuela, hacer la tarea y comer esta tarde. Esta noche, tengo que ir al trabajo. Entonces no puedo ir al cine contigo, estoy demasiado ***ocupada***.
2. CONCHITA: ¡Mis amigos y yo vamos a un concierto esta noche y mañana es sábado! ¡Me encantan los fines de semana! Estoy muy ***contenta***.
3. GUILLERMO: Yo trabajo todas las noches después de las clases. Ahora estoy demasiado ***cansado*** para ir a la fiesta.
4. FEDERICO: Todos mis amigos van a la fiesta, pero yo no puedo. ¡Quiero ir! Estoy muy ***triste***.
5. DIANA: Me duele el estómago. Me duele la cabeza. Estoy muy ***enferma***.

Prueba 4B-3

Ir + a + infinitivo

Javier y sus amigos tienen grandes planes para este verano. Observa los dibujos para completar su conversación con su amiga Olivia. Sigue el modelo.

Modelo En julio, Felipe *va a ir de cámping*.

1. Todos los días, tú y yo ***vamos a jugar al tenis***.
2. Los viernes, tú ***vas a ir de compras*** conmigo.
3. Los sábados, Mariana y Carlos ***van a escuchar música*** con nosotros.
4. Los fines de semana, yo ***voy a jugar al golf***.
5. Por la noche, Marta ***va a tocar la guitarra*** con nosotros.
6. A veces tú y mis amigos ***van a jugar al fútbol***.
7. El domingo, Vicente y Víctor ***van a ir de pesca*** con nosotros.
8. Los lunes, Pepe ***va a bailar*** contigo.
9. Todos los días, mis amigos ***van a hablar por teléfono***.

Prueba 4B-4

El verbo *jugar*

A. Completa la siguiente conversación con las formas apropiadas del verbo **jugar**.

ALONSO: Teresa, ¿puedes jugar al tenis conmigo esta tarde?
TERESA: No, siempre ***juego*** al fútbol después de las clases.
ALONSO: ¿No ***juegas*** al vóleibol con Carolina los lunes?
TERESA: No, Carolina y yo ***jugamos*** al vóleibol los domingos.
ALONSO: Ah, entonces puedo ***jugar*** al tenis con ella esta tarde.
TERESA: No, ella ***juega*** al fútbol conmigo lunes a viernes.
ALONSO: Entonces... nosotros ***jugamos*** este sábado y mi amigo Alejandro puede jugar también.
TERESA: Bien. ¡Hasta el sábado!

B. Escribe una oración completa usando la forma correcta del verbo **jugar** para cada uno de los siguientes sujetos. En las oraciones, di cómo o cuándo juega cada persona.

Modelo [un(a) profesor(a)] *La profesora Ramírez juega al tenis cada día*.

1. yo ***Juego ...***
2. [dos amigos] ***... juegan ...***
3. [un(a) amigo(a)] ***... juega ...***
4. [un(a) amigo(a) y yo] ***Nosotros(as) jugamos ...***
5. tú ***Juegas ...***
6. Uds. ***Juegan ...***

Realidades A/B-1 Nombre ______ Hora ______

Capítulo 4B Fecha ______ **Hoja de respuestas 4B, Página 1**

HOJA DE RESPUESTAS

PARTE I: Vocabulario y gramática en uso

A. (___ /___ *puntos*) ***Answers may vary.***

1. ***Muchos estudiantes van a la piscina a las nueve de la mañana***.
2. ***Mis amigos y yo vamos a comer el almuerzo a las once y media de la mañana***.
3. ***Mi amigo Felipe va al gimnasio a las dos y media de la tarde***.

B. (___ /___ *puntos*) ***Answers may vary.***

1. ***¿Quieres ir conmigo al restaurante esta tarde?***
2. ***¿Quieres ir conmigo a la biblioteca esta noche?***
3. ***¿Quieres ir conmigo al cine esta noche?***

C. (___ /___ *puntos*)

1. ***pena***
2. ***tengo que***
3. ***siento***
4. ***ocupada***
5. ***contigo***
6. ***puedo***
7. ***enferma***
8. ***qué hora es***

D. (___ /___ *puntos*)

1. ***Tú y yo jugamos al tenis***.
2. ***Ustedes juegan al básquetbol***.
3. ***Yo juego al golf***.
4. ***Mis amigos juegan al fútbol americano***.
5. ***Él juega al béisbol***.
6. ***Ellas juegan al fútbol***.

Realidades A/B-1 Nombre ______ Hora ______

Capítulo 4B Fecha ______ **Hoja de respuestas 4B, Página 2**

PARTE II: Comunicación y cultura

A. Escuchar (___ /___ *puntos*)

	Centro comercial	Café Caliente	Jugar al tenis	Cine	Concierto de Toni Tela
Esteban		✓ **7:00 P.M.**			
Angélica				✓ **5:30 P.M.**	
Pablo	✓ **3:00 P.M.**				
Mónica					✓ **7:30 P.M.**
Lorena			✓ **10:00 A.M.**		

B. Leer (___ /___ *puntos*)

Responde las preguntas encerrando en un círculo la letra de la mejor respuesta.

1. ¿Cuántos NO van a la fiesta del club en total? ¿Victoria? ¿Marco? ¿Sara? ¿Guillermo? ¿Todos?
   a. cuatro **b.** diez (**c.**) dos **d.** tres
2. ¿A quién le gusta hablar español con la profesora y con los estudiantes de la clase?
   a. a Victoria **b.** a Marco **c.** a Sara (**d.**) a Guillermo
3. ¿Quiénes tienen que hacer algo para una clase mañana?
   a. Victoria y Guillermo **b.** Sara y Marco (**c.**) Sara y Victoria **d.** Todos
4. ¿A quién le gusta comer mucho?
   a. a Guillermo **b.** a Victoria **c.** a Sara (**d.**) a Marco
5. ¿Quién va a estudiar después de trabajar?
   a. Guillermo (**b.**) Victoria **c.** Sara **d.** Marco

C. Escribir (___/___ *puntos*)

D. Hablar (___/___ *puntos*)

E. Cultura (___/___ *puntos*)

Full credit = Students in Spanish-speaking countries would not have as many activities tied directly to school. If students are interested in athletics, they would probably join a club since there are few athletic teams at schools. They might also take after-school lessons. They would probably not have after-school jobs. Personal reactions to these activities would vary with each student in terms of differences between what he or she might do at home in the U.S.

Prueba 5A-1

Comprensión del vocabulario

A. Empareja los verbos de la Columna A con las palabras que mejor completen cada frase. Usa cada palabra o expresión de la Columna B sólo una vez.

	A		B
1. hacer	***C***	**a.**	la piñata
2. sacar	***D***	**b.**	15 años
3. decorar	***F***	**c.**	un video
4. abrir	***E***	**d.**	las fotos
5. romper	***A***	**e.**	los regalos
6. celebrar	***G***	**f.**	con papel picado
7. tener	***B***	**g.**	el cumpleaños

B. Encierra en un círculo la palabra que mejor complete cada oración.

1. Mi padre es el (esposo / abuelo) de mi madre. [esposo circled]
2. Tu madrastra es la esposa de (tu tío / tu padre). [tu padre circled]
3. Mis abuelos son los padres de (mis tíos / mis hermanos). [mis tíos circled]
4. La hija de mi padre es mi (prima / hermana). [hermana circled]
5. El hijo de mi tía es mi (primo / hermano). [primo circled]
6. Hay (dulces / luces) en la piñata. [dulces circled]
7. En la fiesta me gusta comer (pastel / papel picado). [pastel circled]
8. Mi hermano (rompe / saca) fotos con la cámara. [saca circled]

C. Junto a cada una de las siguientes oraciones, escribe una **C** si la afirmación es **cierta** o una **F** si es **falsa**.

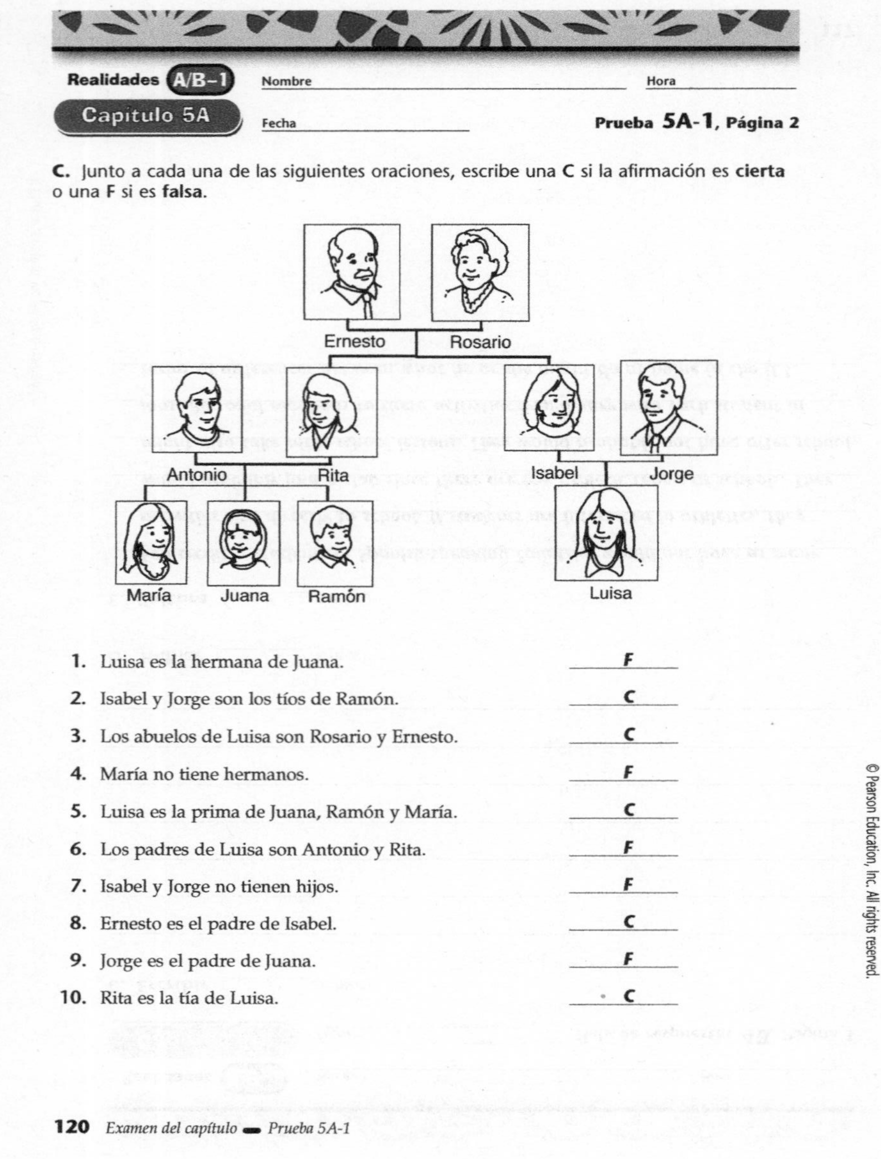

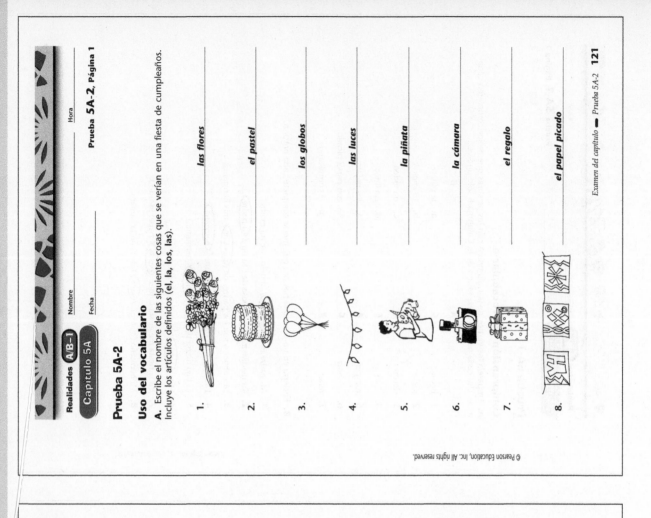

1. Luisa es la hermana de Juana. ___*F*___
2. Isabel y Jorge son los tíos de Ramón. ___*C*___
3. Los abuelos de Luisa son Rosario y Ernesto. ___*C*___
4. María no tiene hermanos. ___*F*___
5. Luisa es la prima de Juana, Ramón y María. ___*C*___
6. Los padres de Luisa son Antonio y Rita. ___*F*___
7. Isabel y Jorge no tienen hijos. ___*F*___
8. Ernesto es el padre de Isabel. ___*C*___
9. Jorge es el padre de Juana. ___*F*___
10. Rita es la tía de Luisa. ___*C*___

Prueba 5A-2

Uso del vocabulario

A. Escribe el nombre de las siguientes cosas que se verían en una fiesta de cumpleaños. Incluye los artículos definidos (**el, la, los, las**).

1.  ___***las flores***___
2.  ___***el pastel***___
3.  ___***los globos***___
4. 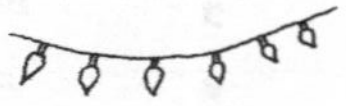 ___***las luces***___
5.  ___***la piñata***___
6.  ___***la cámara***___
7.  ___***el regalo***___
8.  ___***el papel picado***___

B. Nombra a cada miembro de la familia basándote en las definiciones dadas. Sigue el modelo.

Modelo El hermano de mi papá *el tío*

1. La madre de mi mamá ***la abuela***
2. La hija de mis padres ***la hermana***
3. Los hijos del hermano de mi mamá ***los primos***
4. El esposo de mi madre ***el padre***
5. La esposa de mi padre (no es mi madre) ***la madrastra***
6. La hermana de mi padre ***la tía***
7. Los padres de mis padres ***los abuelos***
8. La hermana de mi mamá ***la tía***

C. Escribe en los espacios en blanco la forma correcta del verbo que corresponda. Usa cada verbo de la lista sólo una vez.

abrir	celebrar	decorar	hacer
preparar	sacar	romper	

1. Mi madre va a ***preparar*** el pastel con mi hermana mayor.
2. El Sr. Manzo va a ***sacar*** fotos de nuestra familia.
3. Me gustaría ***abrir*** mis regalos hoy y no mañana.
4. Roberto y Patricia pueden ***decorar*** con papel picado.
5. La fiesta es para Catalina, así que ella va a ***romper*** la piñata.
6. Miguel tiene cámara. Él puede ***hacer*** el video.
7. ¿Vamos a ***celebrar*** el cumpleaños con tus amigos o con tu familia?

Prueba 5A-3

El verbo *tener*

A. Escribe la forma del verbo **tener** que corresponda a cada sujeto.

1. Yo ***tengo*** dieciséis años.
2. María ***tiene*** que trabajar los fines de semana.
3. Héctor y Óscar ***tienen*** hambre y van a comer con nosotros.
4. ¿Cuántos años ***tienes*** tú?
5. ¿***Tiene*** Ud. los dulces para la piñata?
6. Mis amigos y yo ***tenemos*** que ir a la escuela para las siete.
7. Tú y Catrina ***tienen*** los regalos, ¿verdad?

B. Responde las siguientes preguntas con oraciones completas usando las formas correctas del verbo **tener**.

1. ¿Cuántos años tienes? ***Tengo ... años***
2. ¿Cuántos años tiene tu mejor amigo(a)? ***Mi mejor amigo(a) tiene ... años***
3. ¿Qué tienen que hacer ustedes en la clase de español? ***Nosotros tenemos que ... en la clase de español***
4. ¿Qué tienen que hacer tus padres cuando hay una fiesta de cumpleaños? ***Mis padres tienen que ... cuando hay una fiesta de cumpleaños***

Prueba 5A-4

Adjetivos posesivos

A. Tú y tu nueva amiga Sara están empezando a conocerse. Completa sus oraciones encerrando en un círculo el adjetivo posesivo que corresponda en cada caso.

1. Tenemos muchos tíos. ((Nuestros) / Nuestras) tíos son de California.
2. ((Mi) / Nuestra) padre es de México, pero ahora estamos en Nueva York.
3. (Sus / (Su)) hermano es doctor.
4. ((Nuestra) / Nuestras) madre es muy trabajadora y sociable.
5. ¿Cómo es ((tu) / tus) familia?
6. Yo tengo todos (mi / (mis)) libros y ((mi) / mis) papel para la escuela.

B. En la escuela, algunos estudiantes están conversando sobre la fiesta de cumpleaños a la que van a ir el sábado. Completa la conversación con los adjetivos posesivos que correspondan.

1. —¿Vas a la fiesta de Susana Ramos?

   —Sí. ¡ ***Sus*** fiestas siempre son fantásticas!
2. —¿Cómo vas a la fiesta?

   —Mi hermana y yo vamos con ***nuestra*** madre. ¿Quieres ir con nosotras?
3. —Susana, ¿quién va a tu fiesta?

   —Pues, mi madre, ***mi*** padre y todos ***mis*** amigos, abuelos y primos van.
4. —Ramón, ¿vas al centro comercial con ***tus*** padres para comprar un regalo?

   —Sí, vamos hoy.
5. —Sra. Ramos, ***su*** casa es muy interesante.

   —¡Muchas gracias!
6. —¿Carlos y Manuel van a comer ***su*** pastel?

   —No, sólo van a comer ***sus*** dulces.

HOJA DE RESPUESTAS

PARTE I: Vocabulario y gramática en uso

A. (__/__ *puntos)*

1. ***Ana María es la madre de Ernestina***.
2. ***Santiago, Ignacio y Ernestina son los primos de Luisa***.
3. ***Roberto y Lourdes son los tíos de Santiago***.
4. ***Adela es la madre de Ana María***.
5. ***Luis es el abuelo de Patricia***.
6. ***Ignacio y Ernestina son los hermanos de Santiago***.
7. ***Roberto es el esposo de Lourdes***.
8. ***Santiago, Ignacio y Ernestina son los hijos de Javier***.

B. (__/__ *puntos)*

1. ***La abuela de Renata tiene sesenta años***.
2. ***El abuelo de Renata tiene sesenta y tres años***.
3. ***La madre de Renata tiene treinta y dos años***.
4. ***El padre de Renata tiene treinta y cuatro años***.
5. ***Renata tiene doce años***.
6. ***La hermana de Renata tiene seis años***.

C. (__/__ *puntos)*

1. ***Son nuestras luces (decoraciones)***.
2. ***Es su piñata***.
3. ***Es mi regalo***.
4. ***Es tu cámara***.
5. ***Son sus globos***.
6. ***Son sus dulces***.

Realidades A/B-1 Nombre ____ Hora ____

Capítulo 5A Fecha ____ **Hoja de respuestas 5A, Página 2**

PARTE II: Comunicación y cultura

A. Escuchar (___/___ *puntos)*

1	2	3	4	5	6	7	8
H	*C*	*A*	*E*	*D*	*I*	*F*	*G*

Ahora, responde las siguientes preguntas.

9. ¿Quién celebra su cumpleaños? ***Kiki***
10. ¿Cómo se llama el perro? ***Chachis***

B. Leer (___/___ *puntos)*

	Problema	Solución
1. A Loli le gusta estar con su hermana siempre.	✓	
2. Diana debe pasar más tiempo con su hermana menor.		✓
3. A Loli le gusta escuchar las conversaciones de las chicas mayores.	✓	
4. Diana debe ser paciente.		✓
5. Diana debe hablar de las ciencias delante de Loli.		✓

Realidades A/B-1 Nombre ____ Hora ____

Capítulo 5A Fecha ____ **Hoja de respuestas 5A, Página 3**

C. Escribir (___/___ *puntos)*

D. Hablar (___/___ *puntos)*

E. Cultura (___/___ *puntos)*

Full credit = Students provide at least three of the following predictions:

(1) the 15th birthday for a Mexican girl would be similar to a "Sweet 16" birthday for a girl in the U.S.; (2) it would be a family celebration and not just for friends; (3) it would be a significant event with a traditional Mass at church; (4) it would have rituals, such as dancing the first dance with the father; (5) there would probably be a formal dinner and dance.

Prueba 5B-1

A. Comprensión del vocabulario

Encierra en un círculo la respuesta que mejor complete cada oración.

1. Lucille Ball y Little Orphan Annie no son rubias. Son
   (a. pelirrojas.) b. camareras.
2. Las personas con el pelo canoso generalmente no son
   (a. jóvenes.) b. viejas.
3. En general, los hombres tienen
   a. el pelo largo. (b. el pelo corto.)
4. Mi abuelo tiene 85 años. Es
   a. rubio. (b. viejo.)
5. Muchas mujeres prefieren tener
   (a. el pelo largo.) b. el pelo canoso.
6. Mis tías Elisa y Margarita son
   a. hombres. (b. mujeres.)
7. Mi pelo es rubio pero yo quiero un color diferente, como
   (a. negro.) b. corto.
8. ¿Tu primo es modelo? Es muy
   a. castaño. (b. guapo.)
9. El postre es delicioso.
   (a. ¡Qué rico!) b. ¿Qué desean Uds.?
10. Camarero, la ___, por favor.
   (a. cuenta) b. azúcar

B. Empareja las cosas que aparecen en el dibujo con sus nombres, escribiendo en los espacios en blanco la letra que corresponda en cada caso.

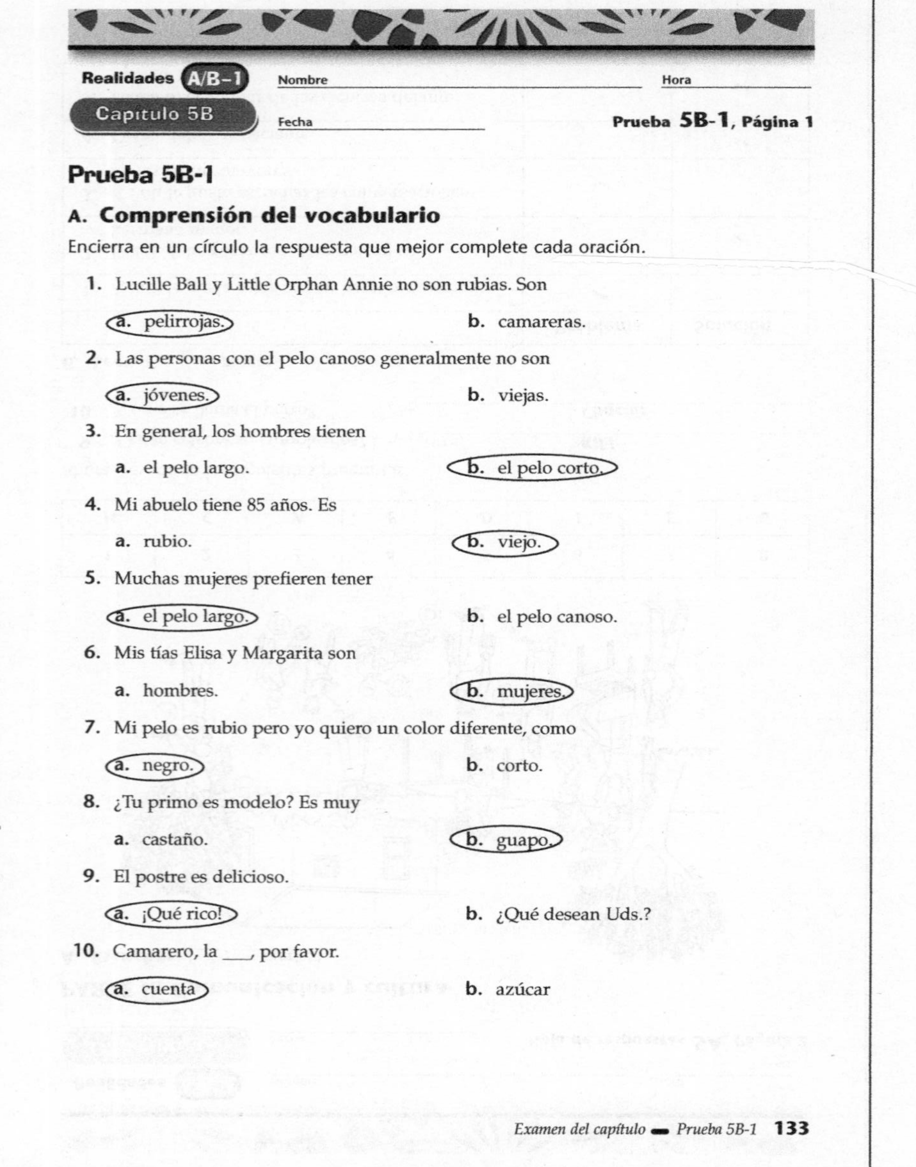

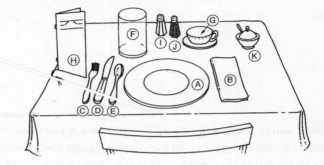

1. el azúcar ___K___
2. el plato ___A___
3. la sal ___I___
4. el tenedor ___C___
5. el vaso ___F___
6. el menú ___H___
7. la cuchara ___E___
8. el cuchillo ___D___
9. la taza ___G___
10. la servilleta ___B___
11. la pimienta ___J___

Prueba 5B-2

Uso del vocabulario

A. Lee las siguientes conversaciones y completa las palabras de las preguntas y las respuestas.

1. —¡Oye, camarero! Me <u>fa l t</u> a un tenedor.

   —¡Ah, sí! En un momento le <u>t r a i g</u> o un tenedor.

2. —¿Qué va a p<u>e d i r</u> usted de plato principal?

   —Quiero el arroz con pollo.

3. —¿Y qué quiere usted de bebida?

   —Tengo <u>c a</u> lo<u>r</u>. Para mí, un té helado.

4. —¿Necesita usted <u>al g o</u> <u>má s</u>?

   —Sí, la <u>cu e n t a</u>, por favor.

5. —Yo quiero un café.

   —¿Por qué? ¿T<u>i e</u> n<u>e</u> usted frío?

   —Sí, hace frío hoy.

6. —Y ahora, ¿qué <u>d e s e</u> a usted de postre?

   —¿Me <u>t r a e</u> un helado, por favor?

7. —¿Usted quiere otra taza de café?

   —No, gracias, no tengo <u>f r í o</u>.

8. —¡Muchas gracias!

   —<u>De n a d a</u>.

B. En una fiesta de cumpleaños, los invitados juegan a una "cacería de objetos". Basándote en los dibujos, escribe oraciones completas diciendo qué encontró cada invitado. Sigue el modelo.

Modelo

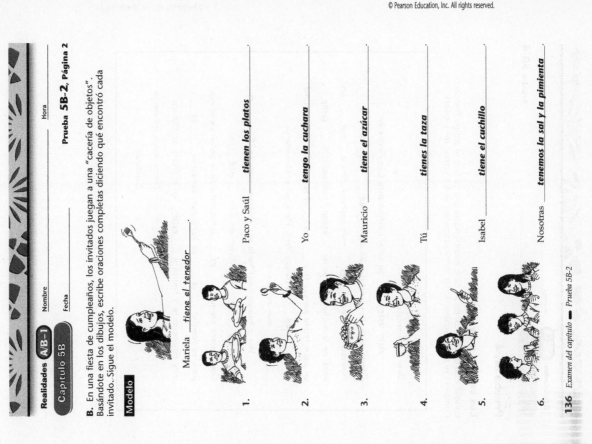

Mariela <u>tiene el tenedor</u>.

1. Paco y Saúl <u>***tienen los platos***</u>.
2. Yo <u>***tengo la cuchara***</u>.
3. Mauricio <u>***tiene el azúcar***</u>.
4. Tú <u>***tienes la taza***</u>.
5. Isabel <u>***tiene el cuchillo***</u>.
6. Nosotras <u>***tenemos la sal y la pimienta***</u>.

Realidades A/B-1 Nombre ____________ Hora ______

Capítulo 5B Fecha ______ Prueba 5B-3

Prueba 5B-3

El verbo *venir*

Los Borges han organizado una gran reunión familiar. Observa el horario de llegadas que aparece abajo y completa las oraciones diciendo a qué hora va a llegar a la reunión cada miembro de la familia. Usa las formas correctas del verbo **venir** y sigue el modelo.

¿Quién?	¿De dónde?	¿A qué hora?
los abuelos	Cincinnati	12:00
Ud.	San Antonio	5:00
nosotros	Nueva York	10:00
Rodolfo y Susana	Chicago	2:30
tú	México, D.F.	4:15
el primo Ramón	San Francisco	7:00
yo	Boston	9:30
Uds.	Los Ángeles	1:00
tía Micaela	San Juan, PR	3:30
la prima Carmela	Boise	2:00

Modelo A las doce *los abuelos vienen de Cincinnati*.

1. A las tres y media ***la tía Micaela viene de San Juan, Puerto Rico***.
2. A las diez ***nosotros venimos de Nueva York***.
3. A las dos y media ***Rodolfo y Susana vienen de Chicago***.
4. A las cuatro y cuarto ***tú vienes de México, D.F.***.
5. A las siete ***el primo Ramón viene de San Francisco***.
6. A las nueve y media ***yo vengo de Boston***.
7. A las cinco ***Ud. viene de San Antonio***.
8. A la una ***Uds. vienen de Los Ángeles***.
9. A las dos ***la prima Carmela viene de Boise***.

Realidades A/B-1 Nombre ____________ Hora ______

Capítulo 5B Fecha ______ Prueba 5B-4

Prueba 5B-4

Los verbos *ser* y *estar*

Enrique está en México, en un café, escribiéndole una carta a su amigo Francisco. Completa su carta escribiendo las formas correctas de los verbos **ser** y **estar**.

Querido Francisco:

Aquí ***estoy*** *yo en el restaurante Los Arcos, en Cuernavaca. Los pasteles de aquí* ***son*** *muy ricos y la limonada siempre* ***es*** *muy sabrosa. Ahora* ***son*** *las once de la noche pero yo no* ***estoy*** *cansado. Yo* ***estoy*** *un poco triste porque hoy* ***es*** *el cumpleaños de mi mamá y ella* ***está*** *en Nueva York. Pero, generalmente yo* ***estoy*** *muy contento.*

Voy a hablar con María por teléfono mañana. Ella ***es*** *mi prima y* ***es*** *muy divertida. Ella* ***está*** *en Cuernavaca porque* ***es*** *estudiante de la universidad aquí, pero su familia* ***es*** *de Veracruz. Veracruz* ***es*** *muy interesante y bonita y* ***está*** *en el Golfo de México.*

Hasta luego, mi amigo.

Enrique

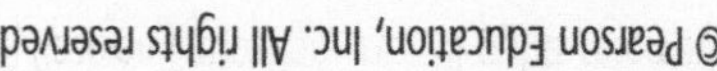

HOJA DE RESPUESTAS

PARTE I: Vocabulario y gramática en uso

A. (___ /___ *puntos*)

1. ***Las mujeres son viejas***
2. ***Los jóvenes están contentos***
3. ***Los estudiantes están tristes***
4. ***El hombre está ocupado***
5. ***Los primos son jóvenes***
6. ***El joven es alto***
7. ***La mujer es baja***
8. ***La chica está enferma***

B. (___ /___ *puntos*)

1. ***Me falta un tenedor***
2. ***Te falta el azúcar***
3. ***Te falta una servilleta***
4. ***Me faltan la sal y la pimienta***
5. ***Te faltan un cuchillo y una cuchara***

C. (___ /___ *puntos*)

1. ***vienen***
2. ***Vienes***
3. ***vengo***
4. ***Traigo***
5. ***traes***
6. ***vienen***
7. ***trae***

PARTE II: Comunicación y cultura

A. Escuchar (___ /___ *puntos*)

Name	Problem
1. el Sr. Robles	***D***
2. la Sra. Martín	***A and C***
3. la Srta. Muñoz	***B and C***
4. el señor	***A and B***
5. el Sr. Lenis	***A***

B. Leer (___ /___ *puntos*)

Encierra en un círculo la letra de la palabra o palabras que mejor complete cada oración.

1. Cuando está en Santa Fe, Alicia quiere
   a. comer comida mexicana (b.) hablar inglés c. dibujar
2. Los abuelos de Rosario hablan
   a. inglés (b.) español c. inglés y español
3. La artista americana dibuja
   a. familias b. casas (c.) flores
4. Cuando Alicia está en Santa Fe, quiere comer
   (a.) chile con carne y queso b. pollo c. garbanzos con chile
5. Alicia va a Santa Fe
   a. mañana (b.) en una semana c. en un mes

C. **Escribir** (___/___ *puntos*)

D. **Hablar** (___/___ *puntos*)

E. **Cultura** (___/___ *puntos*)

Full credit = Mealtimes would be much longer than the typical American "fast meal." There is a lot more conversation at the table ("sobremesa"). You wouldn't suggest a quick meal on the way to the movie, since the culture of your guest would not want to grab food on the go.

Prueba 6A-1

Comprensión del vocabulario

A. Escribe en los espacios en blanco el nombre del objeto que se describe en cada caso. Usa cada palabra de la lista sólo una vez.

la alfombra	las cortinas	el espejo
el armario	el cuadro	la lámpara
el baño	el despertador	la mesita
la cama	el dormitorio	la pared

1. La cosa que uso para ver cómo tengo el pelo. ***el espejo***
2. Cosas que uso para decorar las ventanas. ***las cortinas***
3. Obra (*Work*) de arte, como un dibujo, que usas para decorar la pared. ***el cuadro***
4. Adónde vas para dormir. ***el dormitorio***
5. Una luz. ***la lámpara***
6. La mesa donde hay cosas como el despertador y un vaso de agua. ***la mesita***
7. Donde hay mucha ropa. ***el armario***
8. Un reloj que uso en la mañana. ***el despertador***
9. Hay cuadros, relojes y carteles aquí. En ***la pared***
10. Donde duermes (la cosa). ***la cama***

B. Encierra en un círculo la letra de la respuesta que mejor complete cada oración.

1. Escucho música en mi (**a.**) equipo de sonido. **b.** estante.
2. Veo videos con el **a.** disco compacto. (**b.**) lector DVD.
3. Mis libros están en **a.** el video. (**b.**) el estante.
4. Veo mis programas favoritos en (**a.**) el televisor. **b.** el equipo de sonido.
5. Tengo mis películas favoritas en (**a.**) unos videos. **b.** un disco compacto.

C. Lee las siguientes oraciones sobre colores. Escribe una **C** si la afirmación es **cierta** o una **F** si es **falsa**.

C 1. La bandera de los Estados Unidos es roja, blanca y azul.

F 2. El pelo canoso es azul.

F 3. Anaranjado es el color de los guisantes.

C 4. Muchos zapatos (*shoes*) son marrones.

C 5. Los tomates son rojos.

C 6. El jugo de manzana es amarillo.

F 7. Las fresas son moradas.

C 8. La ciudad es gris; el campo es verde.

F 9. Muchas plantas son negras.

F 10. El jamón es blanco.

F 11. Las manzanas son rosadas.

Prueba 6A-2

Uso del vocabulario

A. La familia Bolívar se está preparando para mudarse a una casa nueva y están tomando nota de todo lo que tienen que llevar. Observa los dibujos y escribe en los espacios en blanco el nombre de las cosas que van apuntando. Sigue el modelo.

Modelo Tienen dos *equipos de sonido*.

1. Tienen tres *camas*.
2. Tienen un *televisor*.
3. Tienen cuatro *alfombras*.
4. Tienen nueve *discos compactos*.
5. Tienen un *armario*.
6. Tienen tres *despertadores*.
7. Tienen cinco *espejos*.

B. Escribe el opuesto de cada una de las siguientes palabras.

1. feo *bonito*
2. grande *bonito*
3. mejor *peor*
4. negra *blanca*
5. la derecha *la izquierda*

Realidades A/B-1 Nombre ____ Hora ____

Capítulo 6A Fecha ____ **Prueba 6A-2, Página 2**

C. Completa las siguientes oraciones para describir las posesiones más importantes de cada estudiante, y en qué lugar de su cuarto están.

1. Necesito ir al trabajo a las seis de la mañana todos los días de la semana, pero me gusta dormir. Para mí la posesión más importante es mi ***despertador***. Está encima de una ***mesita*** que está al lado de mi cama. También hay una ***lámpara*** allí que uso en la noche cuando leo.
2. Para mí, es muy importante tener un dormitorio atractivo. Tengo ***cortinas*** bonitas en las ventanas y un cuadro fantástico en la ***pared*** al lado de la ventana.
3. Tengo muchos libros y mucha ropa *(clothes)*, y soy muy ordenado. Para mí las cosas más importantes son mi ***estante*** para los libros y mi ***armario/cómoda*** para mi ropa.
4. Me encanta ver las películas. Tengo los discos de todas mis películas favoritas en mi dormitorio. Para mí las cosas más importantes son mi ***lector DVD*** y mis ***DVDs***.
5. Me encanta ver programas y películas en casa. Paso ocho horas todos los días enfrente de mi posesión favorita, que es el ***televisor***.

D. Completa cada oración con el color más lógico. ¡OJO! Recuerda que los colores son adjetivos y que, por lo tanto, deben concordar en género y número con los sustantivos que modifican.

1. El sol es ***amarillo***.
2. El agua del océano es ***azul***.
3. La lechuga y los guisantes son ***verdes***.
4. Las uvas generalmente son ***rojas*** o ***verdes***.
5. La naranja es ***anaranjada***.
6. La flor es ***rosada*** (una combinación de blanco y rojo).
7. El escritorio es ***gris*** (una combinación de blanco y negro).

Realidades A/B-1 Nombre ____ Hora ____

Capítulo 6A Fecha ____ **Prueba 6A-3**

Prueba 6A-3

Hacer comparaciones

Marta y su padre son muy diferentes. Observa los dibujos y compáralos. Sigue el modelo.

Marta

El Sr. Camacho

Modelo Sr. Camacho / alto *El Sr. Camacho es más alto que Marta*.

1. Marta / bajo ***Marta es más baja que el Sr. Camacho***.
2. Sr. Camacho / mayor ***El Sr. Camacho es mayor que Marta***.
3. Marta / deportista ***Marta es más deportista que el Sr. Camacho***.
4. Marta / alto ***Marta es menos alta que el Sr. Camacho***.
5. Sr. Camacho / artístico ***El Sr. Camacho es más artístico que Marta***.
6. Sr. Camacho / deportista ***El Sr. Camacho es menos deportista que Marta***.
7. Marta / atrevido ***Marta es más atrevida que el Sr. Camacho***.
8. Marta / menor ***Marta es menor que el Sr. Camacho***.
9. Marta / artístico ***Marta es menos artística que el Sr. Camacho***.

Realidades A/B-1 Nombre ______ Hora ______

Capítulo 6A Fecha ______ Prueba 6A-4

Prueba 6A-4

El superlativo

A. En este cuadro, se clasifican libros según cinco criterios diferentes, en una escala de 1 a 5 (1 es el puntaje más alto; 5, el más bajo). Observa el cuadro con los títulos de los libros y responde las preguntas que aparecen abajo. Sigue el modelo.

	Interesante	Divertido	Artístico	Práctico	Largo
1	*Geraldo Potter*	*Huevos verdes con jamón*	*El arte de Picasso*	*La cocina española*	*Guerra y paz*
2	*Guerra y paz*	*Geraldo Potter*	*Huevos verdes con jamón*	*El arte de Picasso*	*Geraldo Potter*
3	*Huevos verdes con jamón*	*La cocina española*	*La cocina española*	*Huevos verdes con jamón*	*El arte de Picasso*
4	*El arte de Picasso*	*El arte de Picasso*	*Guerra y paz*	*Geraldo Potter*	*La cocina española*
5	*La cocina española*	*Guerra y paz*	*Geraldo Potter*	*Guerra y paz*	*Huevos verdes con jamón*

Modelo (práctico) *Guerra y paz* *es el libro menos práctico*.

1. (interesante) *Geraldo Potter* ***es el libro más interesante***.
2. (interesante) *La cocina española* ***es el libro menos interesante***.
3. (largo) *Huevos verdes con jamón* ***es el libro menos largo***.
4. (largo) *Guerra y paz* ***es el libro más largo***.
5. (divertido) *Guerra y paz* ***es el libro menos divertido***.
6. (divertido) *Huevos verdes con jamón* ***es el libro más divertido***.
7. (artístico) *El arte de Picasso* ***es el libro más artístico***.
8. (artístico) *Geraldo Potter* ***es el libro menos artístico***.
9. (práctico) *La cocina española* ***es el libro más práctico***.

B. Ahora, escribe una oración completa diciendo qué libro te parece el mejor (o el peor) de la colección.

Answers will vary.

Realidades A/B-1 Nombre ______ Hora ______

Capítulo 6A Fecha ______ Prueba 6A-5

Prueba 6A-5

Verbos con cambio de raíz: *poder* y *dormir*

A. Tu escuela ha organizado una colecta de dinero y tú y tus amigos están viendo cómo pueden contribuir. Lee la conversación y escribe en los espacios en blanco la forma del verbo **poder** que corresponda en cada caso.

ELENA: María ***puede*** cantar en el concierto. Ella canta muy bien.

RAMÓN: ¿Sí? Y yo ***puedo*** tocar el piano. Nosotros ***podemos*** invitar a nuestro amigo David a venir también.

ELENA: Buena idea. Él ***puede*** traer sus famosas galletas de chocolate. Mmmmm.

RAMÓN: ¿Quién ***puede*** traer los refrescos?

ELENA: Mis padres ***pueden*** preparar su limonada favorita.

RAMÓN: ¿Y tú, Jorge? ¿***Puedes*** traer a todos tus amigos al concierto?

JORGE: ¡Claro que sí! Todos ***pueden*** venir.

B. En una clase sobre la salud, los estudiantes deben informar cuántas horas duermen por lo general cada noche. Observa los relojes y escribe oraciones completas diciendo cuánto duerme cada persona. Sigue el modelo.

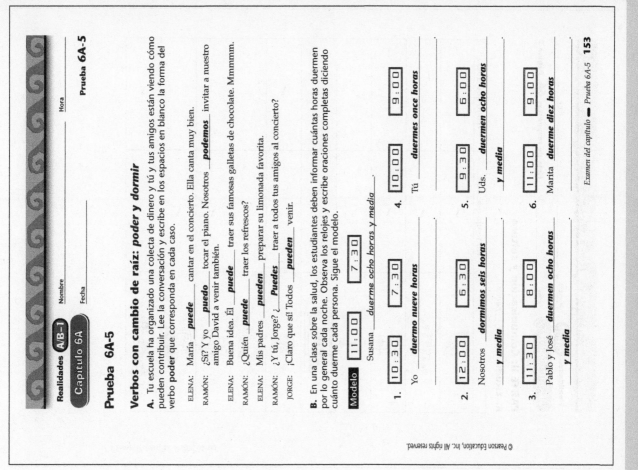

Modelo 11:00 7:30
Susana *duerme ocho horas y media*.

1. 10:30 7:30
Yo ***duermo nueve horas***.

2. 12:00 6:30
Nosotros ***dormimos seis horas y media***.

3. 11:30 8:00
Pablo y José ***duermen ocho horas y media***.

4. 10:00 9:00
Tú ***duermes once horas***.

5. 9:30 6:00
Uds. ***duermen ocho horas y media***.

6. 11:00 9:00
Marita ***duerme diez horas***.

Realidades A/B-1 Nombre ____ Hora ____

Capítulo 6A Fecha ____ Hoja de respuestas 6A, Página 1

HOJA DE RESPUESTAS

PARTE I: Vocabulario y gramática en uso

A. (___/___ *puntos*)

1. ***La cómoda es más grande que el espejo***.
2. ***El cuadro es menos grande que el armario***.
3. ***El despertador es menos grande que la mesita***.
4. ***Las cortinas son menos grandes que la cama***.

B. (___/___ *puntos*) ***Answers may vary.***

1. ***La cama es la cosa más práctica***.
2. ***El cuadro es la cosa más bonita***.
3. ***El despertador es la posesión más importante***.
4. ***El disco compacto es la posesión más interesante***.

C. (___/___ *puntos*)

1. ***duermen***
2. ***duerme***
3. ***dormimos***
4. ***Duermes***
5. ***puedo***
6. ***puede***
7. ***podemos***

Realidades A/B-1 Nombre ____ Hora ____

Capítulo 6A Fecha ____ Hoja de respuestas 6A, Página 2

PARTE II: Comunicación y cultura

A. Escuchar (___/___ *puntos*)

	No tengo que traer...	Tengo que traer...
	✓	
	✓	
	✓	
	✓	
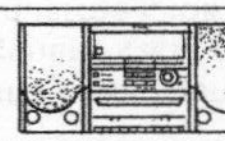		✓
		✓
	✓	
	✓	
	✓	
 BARCELONA		✓

Realidades A/B-1 Nombre ______ Hora ______

Capítulo 6A Fecha ______ **Hoja de respuestas 6A, Página 3**

B. Leer (___/___ *puntos*)

¿Cuál es el color perfecto para...

1. una joven a quien le gusta practicar muchos deportes? ***marrón***
2. una mujer a quien le gusta conversar y que tiene muchas amigas? ***amarillo***
3. un hombre que no puede dormir bien y que tiene muchos problemas en la oficina? ***azul***
4. una joven que cree que el Día de San Valentín es el mejor día del año? ***rosado***
5. un joven que puede ser gracioso y serio al mismo tiempo? ***morado***
6. una joven a quien le gusta estudiar en su dormitorio? ***anaranjado***

C. Escribir (___/___ *puntos*)

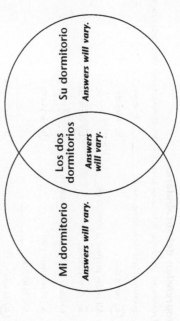

Mi dormitorio — ***Answers will vary.***

Los dos dormitorios — ***Answers will vary.***

Su dormitorio — ***Answers will vary.***

Realidades A/B-1 Nombre ______ Hora ______

Capítulo 6A Fecha ______ **Hoja de respuestas 6A, Página 4**

D. Hablar (___/___ *puntos*)

E. Cultura (___/___ *puntos*)

Full credit = This tradition dates back 300 years to when the villagers along the Rio Grande built bonfires to light and warm their way to church on Christmas Eve. The use of paper bags goes back to the 1820s when traders filled them with sand and set candles inside them.

Prueba 6B-1

Comprensión del vocabulario

A. Encierra en un círculo la letra de la respuesta que mejor complete cada oración.

1. Si estoy al lado de la mesa, estoy ______ la mesa.
   (a.) cerca de b. lejos de
2. Mi padre prepara la comida en ______
   a. el dormitorio. (b.) la cocina.
3. Cuando entras en la casa, estás en ______
   a. el segundo piso. (b.) la planta baja.
4. Veo la tele en ______
   (a.) la sala. b. la escalera.
5. La computadora y el fax están en ______
   (a.) el despacho. b. el garaje.
6. La familia almuerza en ______
   (a.) el comedor. b. el sótano.
7. El coche está en ______
   a. el baño. (b.) el garaje.
8. La casa de Felipe es grande; tiene muchos ______
   a. sótanos. (b.) pisos.
9. Para ir al primer piso, tienes que usar ______
   (a.) la escalera. b. la sala.
10. Para mí, una hora de quehaceres es ______
   (a.) bastante. b. lejos.

B. Completa las siguientes oraciones con el quehacer de la lista que corresponda.

lavar el coche	lavar los platos sucios	dar de comer
limpiar el baño	hacer la cama	poner la mesa
arreglar el cuarto	pasar la aspiradora	

1. Para comer la cena, tienes que ***poner la mesa*** en el comedor.
2. Si las cosas en tu dormitorio están desordenadas, tienes que ***arreglar el cuarto***.
3. Si la alfombra está sucia, es necesario ***pasar la aspiradora***.
4. Después de comer, es importante ***lavar los platos sucios***.
5. Si tienes un coche sucio, tienes que ***lavar el coche***.
6. Todos los días debes ***dar de comer*** al perro.

C. Completa cada conversación encerrando en un círculo la mejor opción.

1. —¿Vives cerca de la escuela?
   —No, vivo (al lado de / (lejos de)) la escuela.
2. —¿Vives en una casa?
   —No, vivo en ((un apartamento) / una escalera).
3. —¿Cuáles son ((los quehaceres) / los cuartos) que necesito hacer?
   —Necesitas poner la mesa, lavar los platos sucios y quitar el polvo de la sala.
4. —¿Cuándo (doy / (recibo)) mi dinero?
   —Después de limpiar tu dormitorio.
5. —¿Generalmente tú das de comer al perro?
   —Sí, (da / (doy)) de comer al perro todos los días.
6. —¿Cómo ayudas en la casa?
   —Pues, ((hago) / pongo) la cama y (hago / (pongo)) la mesa.
7. —¿Qué haces cuando el césped está largo?
   —(Lavo / (Corto)) el césped cuando está largo.
8. —Yo tengo hambre. ¿Quién va a (limpiar / (cocinar))?
   —Tu padre.

Prueba 6B-2

Uso del vocabulario

A. Mañana tus padres vuelven de viaje, y tú y tus hermanos tienen varios quehaceres que terminar. Tu hermana mayor te está diciendo a ti y a tu hermano menor cómo van a hacer sus quehaceres para terminarlos antes de que lleguen sus padres. Completa cada oración con la expresión apropiada. Asegúrate de usar las formas correctas de los verbos.

¡Marta! ¡Carlitos! Hay muchos ***quehaceres*** que tenemos que hacer hoy. Voy a ***lavar*** la ropa y también el coche. Tengo que lavar los platos ***sucios*** y después yo ***pongo*** la mesa para la cena. Marta, tú pasas la ***aspiradora*** y ***arreglas*** el cuarto. También tienes que ***hacer*** las camas. Carlitos, tú ***das de comer*** al perro y sacas la ***basura***. Después debes ***quitar*** el polvo en la ***sala***. Marta, ¿tú vas a ***limpiar*** los baños? Carlitos, tú puedes ***ayudar*** porque hay tres baños. Si la casa está muy limpia cuando regresen *(return)* papá y mamá, todos vamos a ***recibir*** dinero.

B. Responde las siguientes preguntas acerca del dibujo.

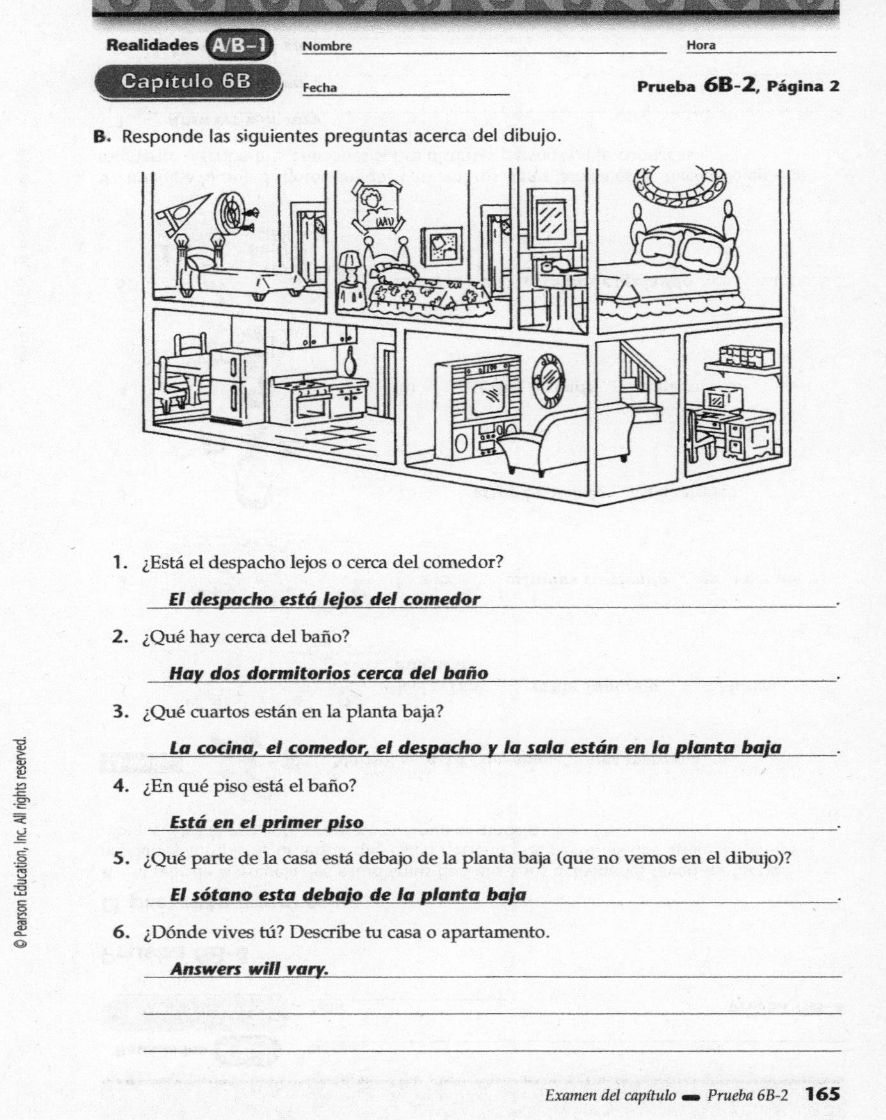

1. ¿Está el despacho lejos o cerca del comedor?
   El despacho está lejos del comedor.
2. ¿Qué hay cerca del baño?
   Hay dos dormitorios cerca del baño.
3. ¿Qué cuartos están en la planta baja?
   La cocina, el comedor, el despacho y la sala están en la planta baja.
4. ¿En qué piso está el baño?
   Está en el primer piso.
5. ¿Qué parte de la casa está debajo de la planta baja (que no vemos en el dibujo)?
   El sótano esta debajo de la planta baja.
6. ¿Dónde vives tú? Describe tu casa o apartamento.
   Answers will vary.

Prueba 6B-3

Mandatos afirmativos con *tú*

A. Escribe los mandatos afirmativos para la segunda persona informal (**tú**) de cada uno de los siguientes verbos.

1. comer	***come***	6. hacer	***haz***
2. montar	***monta***	7. leer	***lee***
3. escribir	***escribe***	8. poner	***pon***
4. jugar	***juega***	9. escuchar	***escucha***
5. hablar	***habla***	10. compartir	***comparte***

B. Escribe el mandato del quehacer que corresponda, según las oraciones. Sigue el modelo.

Modelo Vamos a comer. *Pon la mesa* .

1. Los platos no están limpios. ***Lava los platos*** .
2. El baño está sucio. ***Limpia el baño*** .
3. Hay mucha basura. ***Saca la basura*** .
4. El perro tiene hambre. ***Da de comer al perro*** .
5. Hay mucho polvo en la sala. ***Quita el polvo*** .
6. El dormitorio está desordenado. ***Arregla el dormitorio*** .
7. Las alfombras no están limpias. ***Pasa la aspiradora*** .
8. La cama está desordenada. ***Haz la cama*** .
9. El césped está largo. ***Corta el césped*** .
10. Quiero comer la cena. ***Cocina la cena (Pon la mesa)*** .

Prueba 6B-4

El presente progresivo

A. Al salir de la escuela, los estudiantes han ido a sus actividades favoritas. Escribe oraciones completas diciendo qué están haciendo las personas que aparecen en los dibujos. Usa el presente progresivo. Sigue el modelo.

Modelo Marisol *está comiendo* una manzana.

1. Joel y Tito ***están jugando*** al fútbol americano.
2. Nosotras ***estamos corriendo*** en el parque.
3. Yo ***estoy bebiendo*** un refresco.
4. Tú ***estás leyendo*** una revista.
5. Enrique y yo ***estamos esquiando*** en el campo.

B. Imagina lo que distintos amigos y miembros de tu familia están haciendo en este momento. Escribe tres oraciones sobre distintas personas que conozcas.

1. ***Answers will vary*** .
2. ***Answers will vary*** .
3. ***Answers will vary*** .

Realidades A/B-1 Nombre ______ Hora ______

Capítulo 6B Fecha ______ Hoja de respuestas 6B, Página 1

HOJA DE RESPUESTAS

PARTE I: Vocabulario y gramática en uso

A. (___ /___ *puntos)*

1. ***En la planta baja hay un garaje***.
2. ***En la planta baja hay una cocina***.
3. ***En la planta baja hay un comedor***.
4. ***En el primer piso hay dos dormitorios***.
5. ***En el primer piso hay un baño***.

B. (___ /___ *puntos)*

1. ***Nosotros estamos sacando la basura***.
2. ***Tú estás lavando los platos (sucios)***.
3. ***Uds. están limpiando el baño***.
4. ***Uds. están lavando el coche***.

C. (___ /___ *puntos)*

1. ***(Alberto,) Corta el césped***.
2. ***(Alberto,) Cocina el almuerzo***.
3. ***(Enrique,) Haz las camas***.
4. ***(Enrique,) Pasa la aspiradora en la sala***.
5. ***(Marta,) Pon la mesa***.
6. ***(Marta,) Quita el polvo***.

Realidades A/B-1 Nombre ______ Hora ______

Capítulo 6B Fecha ______ Hoja de respuestas 6B, Página 2

PARTE II: Comunicación y cultura

A. Escuchar (___ /___ *puntos)*

Los quehaceres						
Jorge					✓	
Susi			✓			
Paco		✓				
Clara	✓					
Miguel						✓
José				✓		
Las excusas						
Jorge			✓			
Susi	✓					
Paco					✓	
Clara		✓				
Miguel						✓
José				✓		

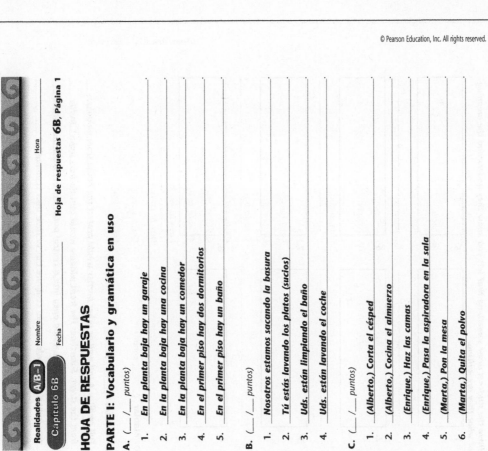

Ahora, nombra tres quehaceres que se les pidió que hicieran a los jóvenes de esta actividad.

Answers will vary.

B. Leer (___ /___ *puntos)*

1. ***C*** 2. ***A*** 3. ***B***

C. Escribir *(___/___ puntos)*

Have the students draw something that lets you know they understand the meaning of what they are writing.

1. ______
2. ______
3. ______
4. ______
5. ______
6. ______
7. ______
8. ______

D. Hablar *(___/___ puntos)*

E. Cultura *(___/___ puntos)*

Full credit = A tall wall or other barrier would protect the house from onlookers from the street. Sometimes the front window would contain bars (rejas). Inside the house, the rooms would open into a central patio. Privacy from the outside is very important. (Students then compare this to their own community.)

Prueba 7A-1

Comprensión del vocabulario

A. Escribe el número que corresponda en cada caso. Sigue el modelo.

Modelo trescientos treinta y tres 333

1. ciento uno ***101***
2. trescientos sesenta y siete ***367***
3. quinientos setenta y seis ***576***
4. novecientos tres ***903***
5. setecientos quince ***715***
6. doscientos noventa y cuatro ***294***
7. cuatrocientos ochenta y ocho ***488***
8. seiscientos catorce ***614***
9. ochocientos cuarenta y nueve ***849***
10. ciento cincuenta y dos ***152***

B. Cristina y Susi están haciendo compras. Completa con las palabras de la lista la conversación que tienen mientras van de una tienda a otra.

estoy buscando	llevar	piensas	queda	ropa	servirle

CRISTINA: Vamos a esta tienda de ropa. Aquí tienen ***ropa*** elegante.

SUSI: Bien. ¿Qué ***piensas*** comprar?

CRISTINA: Necesito un vestido para la fiesta de mi prima.

DEPENDIENTA: ¿En qué puedo ***servirle***, señorita?

CRISTINA: ***Estoy buscando*** un vestido elegante.

DEPENDIENTA: ¿Va Ud. a ***llevar*** el vestido a una fiesta o un baile formal?

CRISTINA: A una fiesta. Me gusta este vestido.

SUSI: ¿Cómo te ***queda***?

CRISTINA: ¡Fantástico! Quiero comprarlo.

C. Observa los siguientes dibujos y escribe la palabra de la lista que mejor describa cada prenda de vestir numerada en el dibujo.

la falda	los zapatos	los calcetines
el vestido	la camiseta	la sudadera
los pantalones cortos	las botas	el abrigo
la blusa	el suéter	la gorra

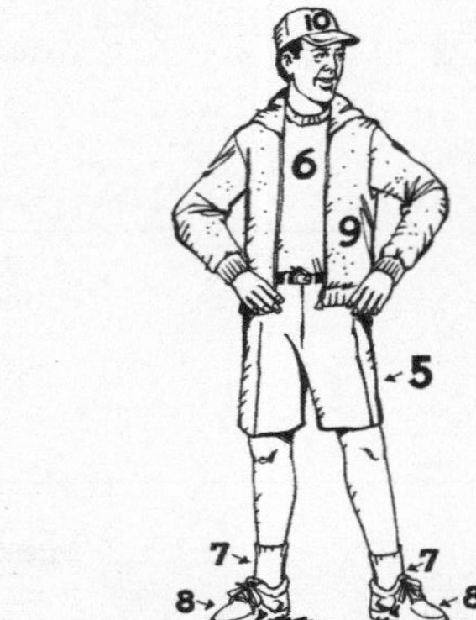

1. *la falda*
2. *la blusa*
3. *el suéter*
4. *las botas*
5. *los pantalones cortos*
6. *la camiseta*
7. *los calcetines*
8. *los zapatos*
9. *la sudadera*
10. *la gorra*

Prueba 7A-2

Uso del vocabulario

A. Escribe el nombre de la prenda de vestir que asocias con cada una de las siguientes oraciones.

1. Pedro juega al béisbol. En su cabeza, tiene una ***gorra***.
2. La camisa formal que Julia lleva con una falda es una ***blusa***.
3. Los pantalones que Juan lleva cuando trabaja en el campo son ***los jeans***.
4. Con su traje y camisa, mi papá lleva una ***corbata***.
5. Cuando nieva mucho, Fernanda lleva ***botas*** altas en los pies.
6. Hace frío pero quiero correr. Voy a llevar una ***sudadera*** sobre *(over)* mi camiseta.
7. Cuando nado, llevo un ***traje de baño***.
8. En el verano no llevo pantalones largos. Prefiero llevar ***pantalones cortos***.
9. Cuando practico deportes siempre llevo ***calcetines*** blancos con mis zapatos deportivos.
10. Hace mucho frío hoy. Debes llevar un ***abrigo*** sobre tu suéter.

B. Marisol está haciendo compras con su amiga Carmen. Completa sus preguntas con las palabras apropiadas.

1. —Me gusta la ropa en esta tienda. ¿Quieres ***entrar*** para ver qué ropa nueva tienen?
   —Sí, vamos.
2. —¿En qué ***puedo servirle***?
   —Estoy buscando algo para llevar a una fiesta.
3. —¿***Cuánto cuestan*** los suéteres?
   —Veinte dólares.
4. —Marisol, ¿***me queda*** bien la falda?
   —Sí, está perfecta. Debes comprarla.
5. —***Perdón***, señorita, ¿cuál es el ***precio*** de esta falda?
   —Veinticinco dólares.

C. Las Grandes Tiendas Márquez está haciendo el inventario de la ropa que tiene en venta. Observa los dibujos y lee los números que aparecen al lado. Luego, escribe oraciones completas diciendo cuántas unidades de cada prenda hay en la tienda. Sigue el modelo.

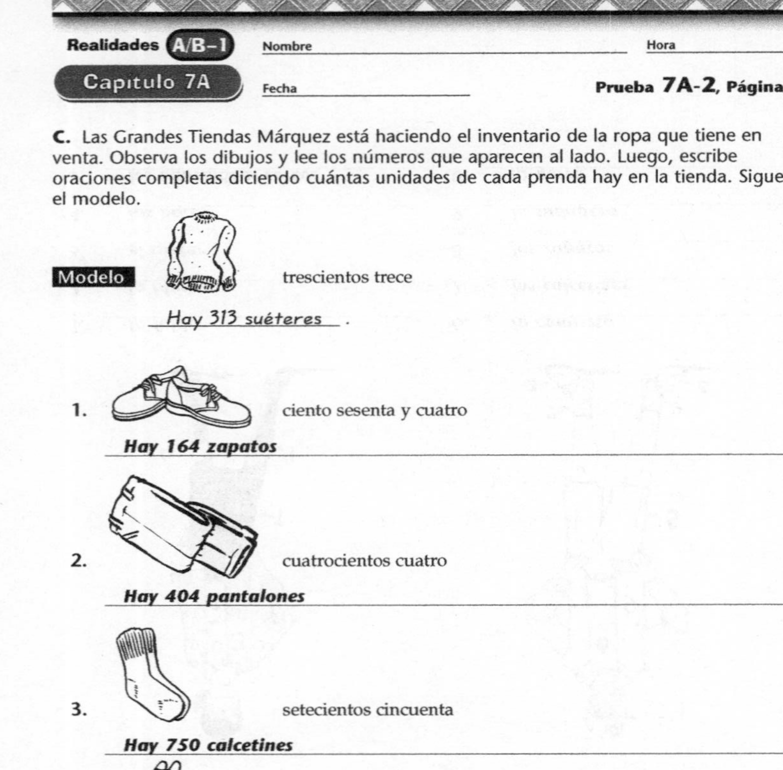

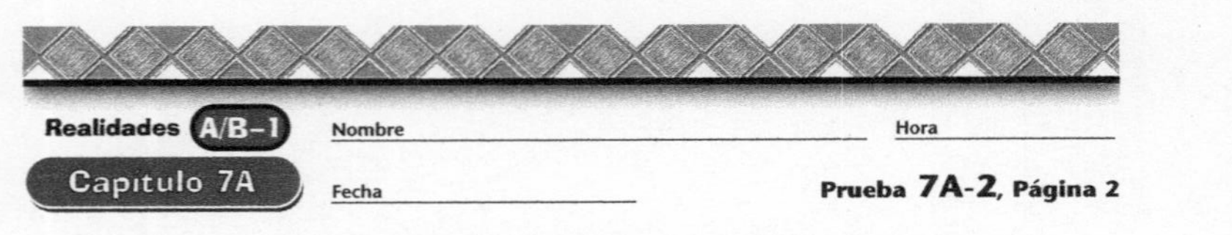

Modelo trescientos trece

Hay 313 suéteres .

1. ciento sesenta y cuatro

   Hay 164 zapatos .

2. cuatrocientos cuatro

   Hay 404 pantalones .

3. setecientos cincuenta

   Hay 750 calcetines .

4. doscientos ochenta y tres

   Hay 283 vestidos .

5. quinientas quince

   Hay 515 camisetas .

Prueba 7A-3

Verbos con cambio de raíz: *pensar, querer y preferir*

Un grupo de amigos está conversando sobre sus planes para el fin de semana. Lee la conversación y escribe en los espacios en blanco las formas correctas de los verbos que se indican a la izquierda.

A. pensar: —Yo ***pienso*** ir al cine. ¿Qué ***piensan*** hacer Uds. este fin de semana?

—Nosotros ***pensamos*** ir a las montañas.

—Ignacio y Julio ***piensan*** jugar al golf con sus amigos el viernes.

—¿Qué ***piensas*** hacer tú?

B. querer: —Nosotros ***queremos*** ir a la fiesta de Rolando.

—Tú y Alejandro ***quieren*** ver una película nueva.

—¡Yo ***quiero*** ir de compras!

—¿Qué ***quieres*** hacer hoy, Mauricio?

—Jorge ***quiere*** estudiar con Isabel.

C. preferir: —¿ ***Prefieres*** (tú) ir a la piscina o a la playa?

—Yo ***prefiero*** ir de compras este fin de semana.

—Gabriel y yo ***preferimos*** ir de pesca el sábado.

—¿Qué ***prefieren*** hacer Uds., ir al cine o al teatro?

—Pancho ***prefiere*** ir al restaurante Hidalgo.

Prueba 7A-4

Adjetivos demostrativos

Basándote en los dibujos, escribe en los espacios en blanco el adjetivo demostrativo que corresponda en cada caso. Recuerda que los demostrativos, como la mayoría de los adjetivos, concuerdan en género y número con los sustantivos a los que modifican. Sigue el modelo.

Modelo —¿Cuánto cuestan _*estas*_ botas negras?
—Cincuenta dólares.

1. —¿Qué hacen _***esos***_ hombres?
—Ellos trabajan.

2. —_***Estas***_ bicicletas son fantásticas.
—Tienes razón. ¿Adónde quieres ir ahora?

3. —_***Ese***_ hombre es el nuevo profesor de inglés.
—¿Sí? ¿Es el profesor Vargas?

4. —Hijo, tienes que estudiar. ¿Por qué no lees _***ese***_ libro?
—Porque _***este***_ libro es más interesante.

5. —¿Quieres ir a _***esta***_ tienda aquí?
—No, quiero ir a _***esa***_ tienda allí.
—¿Por qué?
—Porque en _***esa***_ tienda tienen ropa más interesante.

HOJA DE RESPUESTAS

PARTE I: Vocabulario y gramática en uso

A. (___ /___ *puntos*)

1. ***Esos pantalones cuestan treinta y cinco dólares***
2. ***Ese traje cuesta doscientos dólares***
3. ***Esas botas cuestan ochenta dólares***
4. ***Ese vestido cuesta cincuenta dólares***
5. ***Esa blusa cuesta dieciocho dólares***
6. ***Esa falda cuesta veinticinco dólares***

B. (___ /___ *puntos*)

1. ***Nosotros queremos esta camisa***
2. ***Tú prefieres esos pantalones***
3. ***Elena quiere ese vestido***
4. ***Nosotros preferimos estos zapatos***
5. ***Yo quiero ese abrigo***

C. (___ /___ *puntos*)

1. ***piensas***
2. ***prefiero***
3. ***quiero***
4. ***pensamos***
5. ***preferimos***
6. ***prefieren***
7. ***quiere***
8. ***quieres***
9. ***piensan***

PARTE II: Comunicación y cultura

A. Escuchar *(___ /___ puntos)*

Respuestas posibles: (a) no le queda bien; (b) prefiere otro color o estilo; (c) es demasiado cara; o (d) simplemente, no le gusta.

	1	2	3	4	5
La ropa	***blusa***	***zapatos***	***sudadera***	***chaqueta***	***pantalones***
La razón	***B***	***A***	***D***	***C***	***A***

B. Leer *(___ /___ puntos)*

¿Cierto o falso?

1. Probablemente todos los artículos en este pedido son para un hombre. ***Falso***
2. Una falda cuesta más que un vestido. ***Cierto***
3. La persona que quiere la falda es más pequeña que la persona que quiere el vestido. ***Cierto***
4. Probablemente los calcetines son para un chico. ***Cierto***
5. Toda la ropa es para la misma persona. ***Falso***
6. Probablemente el suéter y las sudaderas son para la misma persona. ***Falso***

Contesta las preguntas

7. ¿Cuáles de estas cosas NO están en el pedido? ***B, E, F, H***

A B C D E F G H I

C. Escribir *(___ /___ puntos)*

EL PEDIDO

	ARTÍCULO Y COLOR	CANTIDAD	TALLA
Modelo	*Una blusa blanca / una blusa azul*	*Dos*	*Grandes*
1.	***Un abrigo rojo***	***Uno***	***Pequeño***
2.	***Unas botas negras***	***Uno***	***Grandes***
3.	***Unos calcetines grises***	***Tres***	***Grandes***
4.	***Una gorra amarilla y negra***	***Uno***	***Pequeña***
5.	***Una camisa azul / Una camisa blanca***	***Dos***	***Grandes***
6.	***Una chaqueta morada***	***Uno***	***Grande***
7.	***Answers will vary***		
8.	***Answers will vary***		

D. Hablar *(___ /___ puntos)*

E. Cultura *(___ /___ puntos)*

Full credit = Molas are bright-colored fabric art, originating from the Kuna Indians. They are made by piecing together layers of cloth to create a design. Many designs represent aspects of nature or animals.

Prueba 7B-1

Comprensión del vocabulario

A. Empareja los dibujos de la izquierda con el nombre de la derecha que corresponda. Escribe la letra de la respuesta correcta en los espacios en blanco.

c 1.	a. el perfume
h 2.	b. la corbata
i 3.	c. los guantes
a 4.	d. los anteojos de sol
j 5.	e. el bolso
b 6.	f. la cartera
f 7.	g. el llavero
e 8.	h. los aretes
d 9.	i. la cadena
g 10.	j. el reloj pulsera

B. Escribe la letra de la tienda donde podrías comprar las siguientes cosas. Usa cada letra sólo una vez.

b 1. unas botas	a. la tienda de descuentos
f 2. un anillo	b. la zapatería
a 3. 500 servilletas por un dólar	c. la librería
e 4. un equipo de sonido	d. el almacén
c 5. un diccionario	e. la tienda de electrodomésticos
d 6. ropa, discos compactos y perfume	f. la joyería

C. Unos amigos están hablando de compras. Lee sus oraciones y escribe en los espacios en blanco las palabras de la lista que mejor las complete. Usa cada palabra sólo una vez.

barata	**ayer**	**venden**
en la Red	**caro**	**pagué**
novio	**¡Mira!**	**anoche**

1. ***Ayer*** por la tarde, yo compré una falda bonita.
2. Yo ***pagué*** sólo 10 dólares por este suéter fantástico.
3. Quiero comprar botas nuevas. ¿***Venden*** botas en la zapatería El Grande?
4. Trabajé en una tienda en el centro comercial ***anoche*** por cuatro horas.
5. El software que quiero cuesta mucho dinero. Es muy ***caro***.
6. Las tiendas no tienen el vestido que quiero. Voy a buscar uno ***en la Red***.
7. Compré una camisa para mi ***novio*** Rafael porque mañana es su cumpleaños.
8. ***¡Mira!*** Venden ropa nueva en esa tienda.
9. Me gusta comprar ropa en esa tienda porque la ropa es ***barata*** y no tengo mucho dinero.

Prueba 7B-2

Uso del vocabulario

A. Cristina y Felipa se están preparando para ir a la escuela de danza. Para completar su conversación, escribe en los espacios en blanco la palabra que corresponda a lo que indica cada dibujo.

CRISTINA: —Felipa, ¡qué guapa estás!

FELIPA: —Gracias, Cristina. Pero no sé qué joyas necesito con este vestido.

CRISTINA: —Pues, me encanta ese ***collar*** que tienes en la mano.

FELIPA: —No sé... no me gusta con estos ***aretes***.

CRISTINA: —¿Vas a llevar tu ***reloj pulsera*** nuevo?

FELIPA: —No. Vamos a un baile formal. ¿Qué piensas de esta ***pulsera***?

CRISTINA: —Me encanta. Es muy bonita.

FELIPA: —Gracias. A ver... necesito un poco de ***perfume***, ¿no?

CRISTINA: —Mmmm. Me encanta Chanel #5.

FELIPA: —Bueno, ahora sólo necesito el ***bolso*** perfecto. ¿Te gusta éste?

CRISTINA: —Sí, Felipa. Es perfecto.

FELIPA: —Creo que prefiero el negro.

CRISTINA: —¿Vamos?

FELIPA: —Sí. ¡Oh! Necesito una cosa más: mi ***anillo***.

CRISTINA: —Y ahora, ¿vamos al baile?

FELIPA: —Sí, ¡vamos!

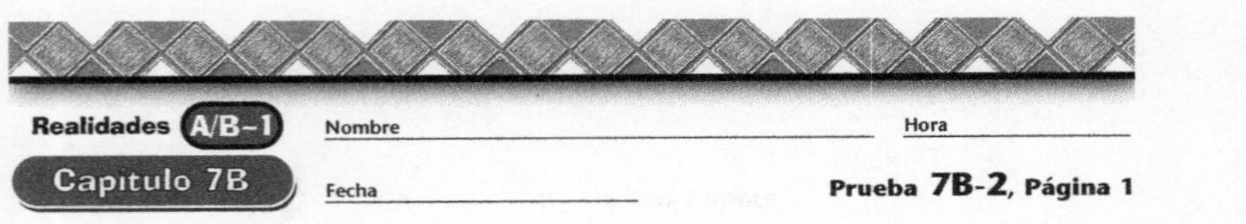

B. Escribe la palabra sugerida por cada una de las claves dadas.

1. Este año es el 2010. El 2009 fue *(was)* el ***año pasado***.
2. Ayer por la noche: ***anoche***.
3. No es caro, es ***barato***.
4. Él es más que un amigo para ella. Es el ***novio*** de ella.
5. Una parte de la ropa formal para un hombre: traje, camisa y ***corbata***.
6. Cuando hace frío, necesitas éstos para tus manos: ***los guantes***.
7. Cuando hace mucho sol, necesitas éstos para tus ojos: ***los anteojos de sol***.
8. Generalmente, un chico pone su dinero en una ***cartera***.

C. Le estás diciendo a una estudiante de intercambio dónde puede comprar las cosas que necesita. Escribe el nombre del tipo de tienda a la que debería ir para comprar cada cosa.

1. Para comprar botas nuevas, debes ir a ***la zapatería***.
2. Para buscar revistas o libros, puedes ir a ***la librería***.
3. Si necesitas un despertador o discos compactos, es mejor ir a ***la tienda de electrodomésticos***.
4. Si quieres comprar unos aretes nuevos, debes ir a ***la joyería***.
5. Si tienes poco dinero pero necesitas muchas cosas para la escuela, puedes ir a ***la tienda de descuentos***.
6. Para comprar muchas cosas diferentes en la misma tienda, debes ir al ***almacén***.

Prueba 7B-3

El pretérito de los verbos terminados en *-ar*

Escribe la forma correcta del verbo apropiado para cada una de las siguientes oraciones.

1. Mi hermano ***decoró*** con globos en la fiesta de ayer. (comprar / decorar)
2. Mis amigos y yo ***levantamos*** pesas la semana pasada. (patinar / levantar)
3. El año pasado Vanesa ***cantó*** en un grupo musical. (cantar / pagar)
4. Yo ***pasé*** la aspiradora hace una hora. (pasar / ayudar)
5. ¿Qué ***compraste*** (tú) en la tienda de descuentos ayer? (comprar / pasar)
6. Ud. ***llevó*** el vestido más bonito anoche. (llevar / estudiar)
7. ¿Por qué no ***ayudaron*** tus amigos a preparar la cena? (cortar / ayudar)
8. Yo ***limpié*** el baño ayer. (limpiar / quitar)
9. Mis primos ***arreglaron*** sus cuartos la semana pasada. (arreglar / tocar)
10. Nosotros ***caminamos*** treinta kilómetros la semana pasada. (usar / caminar)
11. Tú no ***lavaste*** el coche ayer; entonces lo vas a lavar hoy. (lavar / bailar)
12. Angélica ***quitó*** el polvo de toda la casa ayer. (comprar / quitar)
13. Mis hermanos y yo ***cocinamos*** para nuestros padres anoche. (cocinar / necesitar)
14. Mis padres no ***trabajaron*** anoche. (usar / trabajar)
15. Yo ***celebré*** mi cumpleaños ayer. (celebrar / montar)

Prueba 7B-4

El pretérito de los verbos terminados en *-car* y *-gar*

Un lunes por la mañana, tú y tus amigos están hablando de lo que hicieron durante el fin de semana. Lee las siguientes conversaciones y escribe en los espacios en blanco el pretérito correcto de uno de estos verbos: **jugar, pagar, practicar, tocar, buscar.**

1. —¿Cuánto ***pagaste*** (tú) por el vestido?
   —¡***Pagué*** sólo 20 dólares!
   —Elena ***pagó*** 20 dólares también.
2. —Betina, ¿***tocaste*** la guitarra en el concierto el domingo pasado?
   —No, yo ***toqué*** el sábado.
   —Laura y Lena también ***tocaron*** el sábado.
3. —Tino, ¿qué hiciste tú?
   —Yo ***jugué*** un partido de béisbol el sábado.
   —¿***Jugaste*** bien?
   —Sí, muy bien. ¿Uds. ***jugaron*** el domingo?
4. —¿Uds. ***practicaron*** un deporte el fin de semana pasado?
   —Sí, ***practicamos*** el fútbol.
   —Yo no ***practiqué*** el fútbol.
5. —¿Ud. ***buscó*** algo interesante en la joyería ayer?
   —Sí, ***busqué*** un anillo para mi novia.
   —Nosotros ***buscamos*** uno juntos.

Prueba 7B-5

Pronombres de objeto directo

Tu familia y tú están revisando la lista del supermercado. Si un artículo está marcado en la lista, significa que ya lo compraron. Si el artículo no está marcado, no lo han comprado todavía. Responde las siguientes preguntas usando los pronombres de objeto directo que corresponda en cada caso. Sigue el modelo.

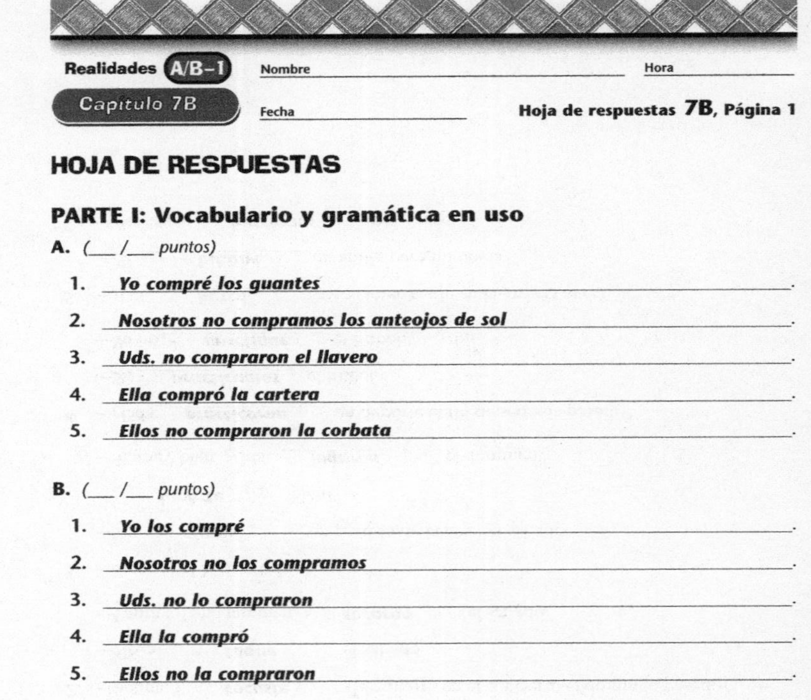

✓ POLLO
MANZANAS
✓ PERRITOS CALIENTES
✓ FRESAS
GUISANTES
BISTEC
✓ ZANAHORIAS
LIMONADA
✓ PAN
HELADO
✓ MANTEQUILLA

Modelo —¿Marcos, compraste pollo?
— *Sí, lo compré*.

1. —¿Compraste helado?
   — ***No, no lo compré***.
2. —¿Compraste fresas?
   — ***Sí, las compré***.
3. —¿Compraste perritos calientes?
   — ***Sí, los compré***.
4. —¿Compraste limonada?
   — ***No, no la compré***.
5. —¿Compraste zanahorias?
   — ***Sí, las compré***.
6. —¿Compraste guisantes?
   — ***No, no los compré***.
7. —¿Compraste pan?
   — ***Sí, lo compré***.

HOJA DE RESPUESTAS

PARTE I: Vocabulario y gramática en uso

A. (__/__ *puntos*)

1. ***Yo compré los guantes***.
2. ***Nosotros no compramos los anteojos de sol***.
3. ***Uds. no compraron el llavero***.
4. ***Ella compró la cartera***.
5. ***Ellos no compraron la corbata***.

B. (__/__ *puntos*)

1. ***Yo los compré***.
2. ***Nosotros no los compramos***.
3. ***Uds. no lo compraron***.
4. ***Ella la compró***.
5. ***Ellos no la compraron***.

C. (__/__ *puntos*)

1. ***Luisa compró unos aretes***.
2. ***Yo busqué un anillo***.
3. ***Nosotros escuchamos discos compactos (música)***.
4. ***Yo jugué al tenis***.
5. ***Sebastián sacó fotos***.

PARTE II: Comunicación y cultura

A. Escuchar *(___/___ puntos)*

	(perfume)	(keys)	(necklace)	(book)	(gloves)
¿Cuánto pagó por el regalo?	***300***	***250***	***700***	***130***	***160***

B. Leer *(___/___ puntos)*

1. Probablemente, La Tienda Galdós es una tienda para
   (a.) las mujeres b. los hombres c. las personas deportistas
2. Probablemente, La Tienda Galerías es una tienda para
   a. las personas talentosas b. las personas intelectuales (c.) las personas deportistas
3. ¿Qué tienes que comprar para recibir de regalo un perfume?
   a. un vestido b. unos zapatos (c.) unos aretes
4. ¿Qué tienes que comprar para recibir de regalo una gorra de béisbol?
   a. una cartera (b.) una chaqueta deportiva c. unos anteojos de sol
5. Hay un descuento por todo en
   a. la Tienda Galerías (b.) la Tienda Galdós c. las dos tiendas

C. Escribir *(___/___ puntos)*

D. Hablar *(___/___ puntos)*

E. Cultura *(___/___ puntos)*

Full credit = To many American teens, going to the mall is a social event to meet friends and to talk. To many Chilean teens, going to the mall is the time to buy a specific purchase only. The Chilean exchange student would probably think that it would only take an hour to find what he wanted to buy and then go home.

Prueba 8A-1

Comprensión del vocabulario

A. La familia Junio está de vacaciones y se detiene en el centro de información turística para preguntar cómo llegar a distintos puntos de la ciudad. Completa sus oraciones encerrando en un círculo la palabra o frase que corresponda, según indica cada dibujo.

1. ¿Dónde está _____?
   (a. el parque de diversiones)
   b. el estadio

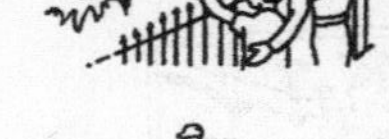

2. ¿ _____ está cerca de aquí?
   a. El lago
   (b. El jardín zoológico)

3. ¿Dónde está _____ del héroe?
   a. el teatro
   (b. el monumento)

4. ¿Cómo viajamos al _____?
   (a. estadio)
   b. parque de diversiones

5. ¿ _____ está lejos de aquí?
   (a. El lago)
   b. El jardín zoológico

6. ¿Dónde está el _____?
   a. monumento
   (b. museo)

B. Rosa acaba de volver de vacaciones y le está escribiendo a su abuela una carta sobre su viaje. Lee la carta y encierra en un círculo la palabra o frase entre paréntesis que mejor complete cada oración.

Martes, 9 de abril

Querida abuelita:

¡Me encantó (**ir de vacaciones** / *aprender*) a Europa! Viajé a muchos (**países** / *recuerdos*) diferentes, como España, Italia y Francia. Mis padres y yo (*regresamos* / **hicimos**) muchas cosas fantásticas allí también. Por ejemplo, un día fui a un (**parque nacional** / *desastre*) en Italia donde hay un jardín zoológico. (**Vi** / *Salí*) muchos animales bonitos, como unos (*barcos* / **monos**) muy graciosos. Otro día compramos unos (**boletos** / *pájaros*) para entrar en el museo donde está la Mona Lisa. ¡(**Me gustó** / *Salí*) mucho!

También fue necesario (*viajar* / **descansar**); tomamos el sol junto al (**mar** / *museo*) y yo aprendí a (*visitar* / **bucear**). En total, fue un (**viaje** / *avión*) magnífico. Y, ¡compré un (**recuerdo** / *país*) para ti! ¡Nos vemos pronto!

Un beso,

Rosa

C. Empareja las oraciones de la izquierda con los medios de transporte de la derecha, según corresponda.

1. Si quieres viajar por el mar, viajas en __c__.
2. Cuando quieres viajar muy rápidamente, viajas en __d__.
3. Para ir a la escuela, muchos estudiantes van en __b__.
4. En Europa las personas que no viajan en avión para ir de un país a otro generalmente viajan en __a__.

a. coche
b. autobús
c. barco
d. avión

Prueba 8A-2

Uso del vocabulario

A. Tú y un amigo están mirando folletos turísticos. Los dos comentan los lugares adonde les gustaría ir de vacaciones y las cosas que les gustaría hacer y ver allí. Escribe la parte que falta en cada expresión para completar la idea **"En mis vacaciones, me gustaría..."**

1. 
ver un partido en el ***e s t* a *d i o***.

2. ***b* u *c e a r*** en el ***m a* r**.

3. ver muchos ***m* o *n u m e n t o* s**.

4. ir a un ***m u* s *e o*** de arte.

5. ver una o ***b r a*** de ***t e a t r o***.

6. p ***a s e a r*** en ***b o t*** e en el ***l* a *g o***.

7. comprar ***r e* c *u e* r *d o* s** en el parque de ***d i v e r s i o n e s***.

8. d ***e s* c *a n* s *a r*** en el ***h o* t *e l***.

Realidades A/B-1 Nombre ______ Hora ______

Capítulo 8A Fecha ______ **Prueba 8A-2, Página 2**

B. Lee lo que escribió un estudiante y escribe la información que falta, basándote en los dibujos.

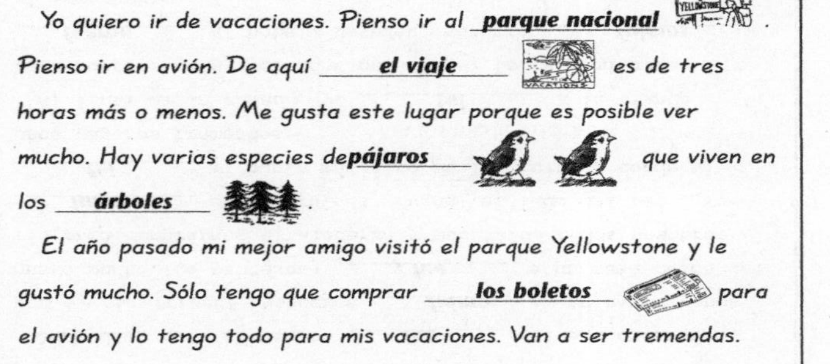

Yo quiero ir de vacaciones. Pienso ir al __**parque nacional**__ *.*
Pienso ir en avión. De aquí __**el viaje**__ *es de tres horas más o menos. Me gusta este lugar porque es posible ver mucho. Hay varias especies de* __**pájaros**__ *que viven en los* __**árboles**__ *.*

El año pasado mi mejor amigo visitó el parque Yellowstone y le gustó mucho. Sólo tengo que comprar __**los boletos**__ *para el avión y lo tengo todo para mis vacaciones. Van a ser tremendas.*

C. Acabas de volver de un viaje a Puerto Rico. Completa las respuestas a las preguntas que te hicieron algunos amigos, ordenando las letras de las palabras de la lista.

seltooéml	sóutg	mneeirsoinatp	fonatsáict	duacid	raocb	blloaac

1. ¿Cómo viajaste? En avión y en __**barco**__.
2. ¿Cómo fue el viaje? __**Fantástico**__. Muy divertido.
3. ¿Cómo lo pasaste? Muy bien. Me __**gustó**__ mucho.
4. ¿Qué hiciste en el campo? Monté a __**caballo**__.
5. ¿Qué hiciste en la playa? __**Tomé el sol**__ y nadé.
6. ¿Qué otro lugar visitaste durante el viaje? San Juan. Es una __**ciudad**__ muy __**impresionante**__.

Realidades A/B-1 Nombre ______ Hora ______

Capítulo 8A Fecha ______ **Prueba 8A-3**

Prueba 8A-3

El pretérito de los verbos terminados en *-er* y en *-ir*

Julio acaba de volver a casa después de su primer día en una nueva escuela. Completa las preguntas de sus padres escribiendo la forma del pretérito que corresponda del verbo entre paréntesis. Luego, completa las respuestas de Julio con el mismo verbo, para tener toda la conversación.

1. —¿Qué __**aprendiste**__ hoy, hijo? (aprender)
   —__**Aprendí**__ mucho, especialmente en la clase de matemáticas.
2. —¿Qué __**comiste**__ en el almuerzo? (comer)
   —__**Comí**__ un sándwich de jamón y queso, unas papas fritas y una manzana.
3. —¿Los otros estudiantes __**compartieron**__ sus almuerzos contigo? (compartir)
   —Sí, __**compartieron**__ sus pasteles.
4. —¿Uds. __**bebieron**__ algo? (beber)
   —Sí, __**bebimos**__ limonada.
5. —¿Emilio __**escribió**__ un cuento hoy? (escribir)
   —No, no __**escribió**__ un cuento.
6. —¿Uds. __**aprendieron**__ mucho en la clase de inglés? (aprender)
   —Sí, __**aprendimos**__ mucho.
7. —¿A qué hora __**salieron**__ Uds. de la escuela? (salir)
   —__**Salimos**__ a las 3.
8. —Hijo, ¿ __**comprendiste**__ todas las lecciones hoy? (comprender)
   —Sí, las __**comprendí**__ todas.

Prueba 8A-4

El pretérito de *ir*

Carolina le está escribiendo un mensaje a su amigo de México, contándole un viaje a Costa Rica que hizo con su clase. Completa su mensaje con las formas correctas del verbo ir.

Querido Gustavo:

La semana pasada, yo ***fui*** de vacaciones a Costa Rica con los otros estudiantes de mi clase de español. Mi madre también ***fue*** con nosotros para ayudar a la profesora. El primer día, nosotros fuimos a la gran ciudad de San José y ***fuimos*** a muchos lugares interesantes. Unas personas ***fueron*** al museo de arte costarricense, otras ***fueron*** al zoológico, pero mi amiga Lolis y yo ***fuimos*** al centro de la ciudad, donde vimos el parque y los lugares más viejos de San José.

Otro día, todo el grupo ***fue*** en una excursión por el río *(river)*. Nosotros ***fuimos*** en barco y nos gustó mucho. La profesora ***fue*** a un café cerca del río para comprarnos el almuerzo y más tarde todos nosotros ***fuimos*** a unas ruinas *(ruins)* al lado del río. ¡Yo ***fui*** al punto más alto de las ruinas, donde vi unos pájaros tremendos!

Al final de la semana, yo ***fui*** a la tienda para comprar unos recuerdos del viaje. Lolis y mi mamá ***fueron*** al hotel. Después, nosotros ***fuimos*** al aeropuerto.

¿Y tú? ¿***Fuiste*** de viaje durante tus vacaciones? ¿Adónde ***fuiste***?

Cariños,

Carolina

Prueba 8A-5

La *a* personal

Mariana va a dar una fiesta. Lee las siguientes oraciones y escribe la **a** personal en los espacios en blanco, según corresponda. Cuando la **a** personal no sea necesaria, haz una (—) en el espacio en blanco.

1. Mi amiga Selena va a ayudar ***a*** mi mamá.
2. Compré — los refrescos.
3. No veo — las servilletas. ¿Dónde están?
4. Vamos a invitar ***a*** todos nuestros amigos.
5. ¿No ves ***a*** Ramón? Me tiene que ayudar.
6. Tengo que comprar — la comida.
7. Busco — los platos grandes.
8. Busco ***a*** Rafael para cocinar la carne.
9. ¿Quién trae — la ensalada?
10. Me gusta escuchar — la música española durante mis fiestas.
11. También me encanta escuchar ***a*** Teresa cuando canta porque es muy talentosa.
12. Veo ***a*** María. Viene temprano.
13. ¿Ves — toda la comida que hay aquí? ¡Es tremenda!

HOJA DE RESPUESTAS

PARTE I: Vocabulario y gramática en uso

A. (___/___ *puntos*)

1. ***Mi familia y yo fuimos al zoológico***.
2. ***Miguel fue al parque de diversiones***.
3. ***Mis amigos fueron al parque nacional Yellowstone***.
4. ***Tú fuiste al museo***.
5. ***Yo fui al teatro***.

B. (___/___ *puntos*)

1. ***Nina y su hermana aprendieron a bucear en el mar***.
2. ***Yo aprendí a montar a caballo en un parque nacional***.
3. ***Rebeca aprendió a pasear en bote en un lago***.
4. ***Tú aprendiste a sacar fotos de monumentos***.
5. ***Ud. aprendió a esquiar en las montañas***.

C. (___/___ *puntos*)

1. ***La chica con la bicicleta descansó***.
2. ***Los tres amigos jugaron al fútbol***.
3. ***Los pájaros comieron el pan***.
4. ***El hombre y la mujer pasearon en bote***.
5. ***La joven y los dos jóvenes corrieron***.

D. (___/___ *puntos*)

1. ***Vio a un actor famoso***.
2. ***Vio unos monos en el zoológico***.
3. ***Vio un monumento grande en el centro de la ciudad***.
4. ***Vio a dos amigos de Los Ángeles***.
5. ***Vio a unas personas que tocan en una banda de música rock***.

PARTE II: Comunicación y cultura

A. Escuchar (___/___ *puntos*)

LUGAR	NOMBRE
	Sara
	Carlos
	Alejandro
	Elena
	Rodrigo

B. Leer (___/___ *puntos*)

Responde las siguientes preguntas encerrando en un círculo la letra de la respuesta apropiada.

1. ¿De dónde es Miguel?
   a. de San José **b.** de Costa Rica **(c.)** de Houston
2. ¿Por qué fueron Miguel y su familia a Costa Rica?
   a. para montar a caballo **(b.)** para visitar a los abuelos **c.** para ver el parque nacional
3. ¿Por cuánto tiempo viajó su familia en Costa Rica?
   (a.) dos semanas **b.** una semana **c.** diez días
4. ¿Quienes fueron al teatro?
   a. toda la familia **b.** los abuelos **(c.)** Miguel y su abuelo

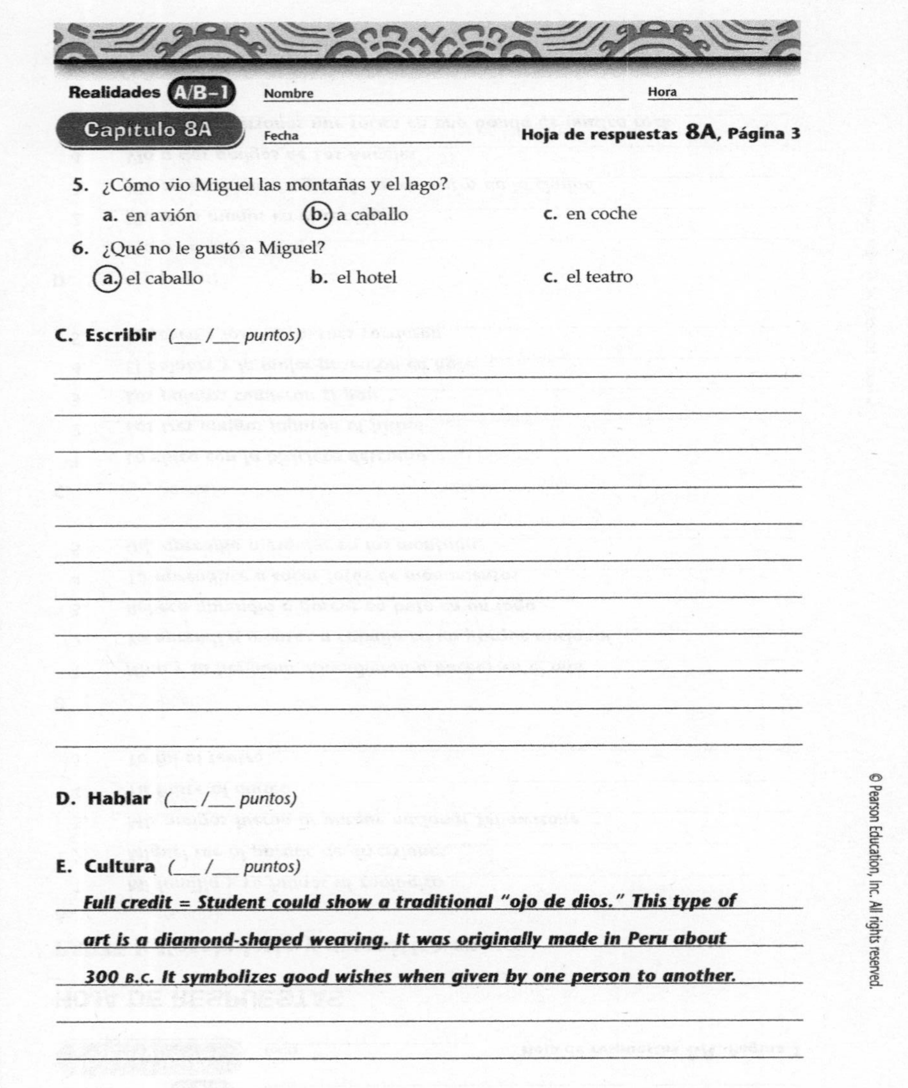

5. ¿Cómo vio Miguel las montañas y el lago?
   a. en avión (b.) a caballo c. en coche
6. ¿Qué no le gustó a Miguel?
   (a.) el caballo b. el hotel c. el teatro

C. Escribir (__/__ *puntos*)

D. Hablar (__/__ *puntos*)

E. Cultura (__/__ *puntos*)

Full credit = Student could show a traditional "ojo de dios." This type of art is a diamond-shaped weaving. It was originally made in Peru about 300 B.C. It symbolizes good wishes when given by one person to another.

Prueba 8B-1

Comprensión del vocabulario

A. Empareja cada palabra de la Columna A con un lugar de la Columna B asociado con ella. Escribe la letra del lugar en el espacio en blanco que corresponda.

	A	B
c	1. donde hay personas enfermas	a. el proyecto de construcción
d	2. donde puedes ir de pesca	b. la escuela primaria
f	3. de donde vienen las zanahorias y los tomates	c. el hospital
e	4. muchas casas que están muy cerca	d. el río
i	5. similar a una ciudad	e. el barrio
g	6. donde van los coches y bicicletas	f. el jardín
b	7. donde estudian los niños	g. la calle
h	8. donde reciclan el vidrio	h. el centro de reciclaje
a	9. donde hacen una casa nueva	i. la comunidad

B. Hoy Tania ha empezado a colaborar como voluntaria en el hogar de ancianos de su área. Lee lo que le dice su supervisora, y completa las oraciones encerrando en un círculo la palabra o frase más apropiada de las que aparecen entre paréntesis.

1. ((Hay que) / Dimos) hablar mucho con los ancianos que viven aquí.
2. Es importante saber que este lugar no es un ((hospital) / juguete); es una casa.
3. Trabajar aquí es una experiencia (otra vez / (increíble)).
4. Es necesario ser muy simpático con ((la gente) / el juguete) que vive aquí.
5. El año pasado les ((dimos) / separamos) regalos a los ancianos para sus cumpleaños.
6. Trabajar como voluntaria aquí es bueno porque ayudas a ((los demás) / las cajas).

C. Alonso y Jesús están hablando sobre distintas maneras de ayudar a mantener limpia la comunidad. Lee su conversación y escribe en los espacios en blanco la letra del dibujo que corresponda a las cosas que mencionan.

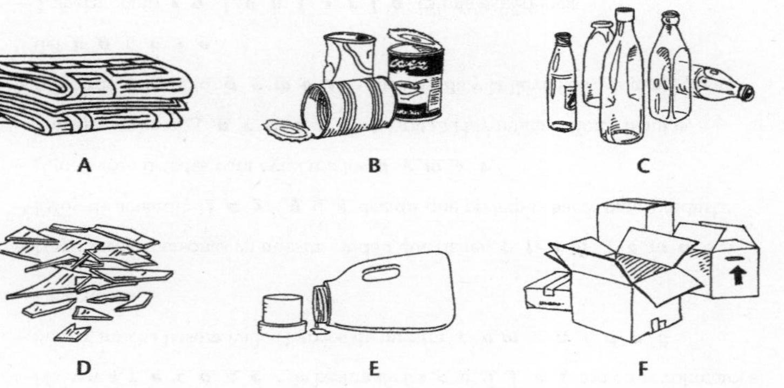

ALONSO: —¿Qué podemos hacer para ayudar a limpiar nuestra comunidad?

JESÚS: —Pues, podemos llevar cosas al centro de reciclaje.

ALONSO: —Sí, tienes razón. Podemos separar el plástico. ___*E*___

JESÚS: —Verdad. También podemos separar las latas. ___*B*___

ALONSO: —¿Y qué más?

JESÚS: —Hay que recoger las botellas de las calles también. ___*C*___

ALONSO: —Pues, sí ... las botellas, el plástico, las latas ... y ...

JESÚS: —¡Y los periódicos! Debemos reciclar los periódicos. ___*A*___

ALONSO: —¿Debemos ponerlos en cajas? ___*F*___

JESÚS: —Claro. ¡Qué buena idea!

ALONSO: —Una cosa más. Hay mucho vidrio en las calles. Es necesario recoger el vidrio usado. ___*D*___

JESÚS: —Tienes razón, el vidrio no debe estar en las calles.

ALONSO: —¡Manos a la obra!

Prueba 8B-2

Uso del vocabulario

A. Observa el dibujo de las cosas que se encontraron en un centro de reciclaje. Usa los objetos dibujados y las claves que aparecen abajo para escribir oraciones completas sobre lo que hacen distintas personas para ayudar a reciclar. No es necesario que uses todo lo que aparece en el dibujo.

Modelo Miguel / separar
Miguel separa las botellas de plástico y de vidrio.

1. yo / recoger / la calle
   Yo recojo el vidrio/los periódicos/las botellas de plástico/las latas de la calle.
2. Gloria / llevar / centro de reciclaje
   Gloria lleva las botellas/los periódicos/las latas/las cajas al centro de reciclaje.
3. nosotros / recoger / niños pobres
   Nosotros recogemos juguetes para los niños pobres.
4. tú / separar
   Tú separas las latas y el vidrio.

Realidades A/B-1 Nombre ______ Hora ______

Capítulo 8B Fecha ______ **Prueba 8B-2, Página 2**

B. Tu profesor/a está tratando de ver cuál sería el mejor lugar en el que cada estudiante de la clase podría colaborar como voluntario. Lee las descripciones de algunos de tus compañeros y escribe el lugar en que piensas que debería ofrecerse.

1. A Juan le gusta pasar tiempo con los ancianos. ***el centro de ancianos***
2. A Pablo le gusta leer con los niños. ***la escuela primaria***
3. Susana quiere darle casas nuevas a la gente pobre. ***el proyecto de construcción***
4. A Lorena y a Miguel les gusta reciclar. ***el centro de reciclaje***
5. Luisa quiere ser doctora. ***el hospital***

C. Completa las siguientes conversaciones con palabras de tu vocabulario. Escribe una letra en cada guión.

1. —¿No vas a jugar al básquetbol con nosotros hoy?

   —No, voy a ***r e c o g e r*** la basura de las ***c a l l e s*** con otros voluntarios.

   —Sí, hay mucha basura en los barrios de nuestra ***c o m u n i d a d***.

   —De acuerdo.

2. —Hay muchas personas en nuestra ciudad que tienen ***p r o b l e m a s***.

   —Estoy de acuerdo. ***H a y q u e*** decidir qué podemos hacer para ayudarlas.

   —¿Qué hacen ustedes para ayudar a los ***d e m á s***?

   —Trabajamos en el ***j a r d í n*** del hospital. Hay muchas flores bonitas.

   —Nosotros ***r e c o g e m o s*** la ropa usada y la llevamos a la gente pobre del ***b a r r i o***.

   —Trabajar como ***v o l u n t a r i o*** es una experiencia ***i n o l v i d a b l e***, ¿no?

Realidades A/B-1 Nombre ______ Hora ______

Capítulo 8B Fecha ______ **Prueba 8B-3**

Prueba 8B-3

El presente de *decir*

Acaban de asaltar una joyería cerca de la escuela de Pancho. A medida que la gente se va acercando, empiezan a circular rumores. Lee la siguiente conversación y escribe en los espacios en blanco la forma del presente del verbo **decir** que mejor complete cada oración.

SANCHO: —Oye, las personas ***dicen*** que un robo *(robbery)* pasó aquí.

PANCHO: —Sí. La profesora ***dice*** que uno de los estudiantes lo vio.

MARÍA: —Sí. Él ***dice*** que el ladrón *(robber)* es alto y pelirrojo como tú, Sancho.

SANCHO: —¿Qué ***dices*** tú, María?

MARÍA: —No ***digo*** nada, Sancho. ¡Pero tú puedes ser el ladrón!

PANCHO: —¿Qué más ***dicen*** las personas aquí?

JULIA: —La mujer del vestido rojo ***dice*** que el ladrón sólo tomó *(took)* un anillo.

PANCHO: —Yo ***digo*** que él probablemente necesita un regalo para su novia.

JULIA: —¡Increíble!

SANCHO: —El dependiente de la joyería ***dice*** que el anillo es muy caro.

JULIA: —Pancho y Sancho, ¿qué ***dicen*** Uds.?

PANCHO/SANCHO: —Nosotros ***decimos*** que es más interesante hablar del robo pero si no regresamos a clase vamos a tener problemas con nuestros profesores. Vamos a clase.

Prueba 8B-4

Pronombres de objeto indirecto

A. Tú y tus amigos están comentando cómo celebra los cumpleaños cada cual con su familia. Completa las siguientes oraciones con los pronombres de objeto indirecto que correspondan. Sigue el modelo.

Modelo Nuestra familia ___*nos*___ prepara una cena especial.

1. Yo ___*les*___ compro globos de muchos colores a mis hermanitos.
2. Rosario ___*le*___ va a dar una corbata a su padre.
3. ¿Qué ___*te*___ dan tus padres a ti, Ramiro?
4. Mis hermanos y yo ___*le*___ preparamos el desayuno a nuestra abuela.
5. Mis padres siempre ___*me*___ dan un regalo a mí.
6. ¿Sus familias ___*les*___ preparan un pastel a Uds.?
7. Nuestros primos ___*nos*___ traen unos dulces sabrosos a nosotros.
8. Tus amigos siempre ___*te*___ dan flores a ti, ¿verdad?
9. Rafael ___*me*___ da una cadena bonita a mí.

B. Lucía está escribiendo una entrada en su diario sobre una visita al hospital de niños del área, que su familia está planeando. Lee la entrada de Lucía y escribe en los espacios en blanco los pronombres de objeto indirecto que correspondan. El primero ya está dado.

Viernes, 3 de mayo

*Mañana mi familia y yo vamos a trabajar en el Hospital de Niños. La gente de la comunidad ___nos___ va a dar unas cajas de juguetes y ___**les**___ vamos a traer los juguetes a los niños. Tambié n, a la niña menor ___**le**___ vamos a dar unos globos y a los niños mayores ___**les**___ vamos a traer unas revistas. Los niños ___**nos**___ van a preparar un almuerzo especial a nosotros. Por supuesto, todos ___**me**___ dicen a mí que va a ser una experiencia inolvidable. Yo ___**les**___ digo a ellos que estoy de acuerdo.*

Prueba 8B-5

El pretérito de *hacer* y de *dar*

A. Tus compañeros están comentando dónde trabajaron como voluntarios el año pasado. Escribe las formas que correspondan del verbo **hacer** en los espacios en blanco.

1. Rolando ___*hizo*___ trabajo voluntario en el hospital.
2. Nosotros ___*hicimos*___ trabajo voluntario en el proyecto de construcción.
3. Yo ___*hice*___ trabajo voluntario en la escuela primaria.
4. Tú ___*hiciste*___ trabajo voluntario en el campamento.
5. Los miembros de la comunidad ___*hicieron*___ trabajo voluntario en un jardín.
6. Yolanda ___*hizo*___ trabajo voluntario en el centro de reciclaje.

B. Jordan le está mandando un mensaje a su amigo Roberto contándole qué se regalaron los miembros de su familia para las fiestas. Lee su mensaje y escribe en los espacios en blanco las formas del pretérito del verbo **dar** que correspondan. La primera ya está dada.

Mis abuelos me ___*dieron*___ una bicicleta nueva. ¡Mi tía también me ___***dio***___ una bicicleta nueva! Mi hermana me ___***dio***___ un suéter y mis padres me ___***dieron***___ unas novelas. Yo le ___***di***___ una camiseta a Felipe y le ___***di***___ tres discos compactos a Pedro. Todos nosotros les ___***dimos***___ unas vacaciones por barco a los abuelos. ¿Qué les ___***diste***___ tú a las personas de tu familia?

Realidades A/B-1 Nombre ______ Hora ______

Capítulo 8B Fecha ______ Hoja de respuestas **8B**, Página 1

HOJA DE RESPUESTAS

PARTE I: Vocabulario y gramática en uso

A. (___ /___ *puntos*)

1. ***latas***
2. ***periódicos***
3. ***vidrio***
4. ***botellas***
5. ***cajas***
6. ***plástico***

B. (___ /___ *puntos*)

1. ***me dice***
2. ***le dices***
3. ***les digo***
4. ***les dice***
5. ***le decimos***
6. ***te dicen***
7. ***le digo***

C. (___ /___ *puntos*)

1. ***hice***
2. ***hicimos***
3. ***dieron***
4. ***dio***
5. ***hizo***
6. ***hicimos***
7. ***dio***

Realidades A/B-1 Nombre ______ Hora ______

Capítulo 8B Fecha ______ Hoja de respuestas **8B**, Página 2

PARTE II: Comunicación y cultura

A. Escuchar (___ /___ *puntos*)

Respuestas posibles: (a) ayudó a ancianos, (b) trabajó en un proyecto de reciclado, (c) trabajó como voluntario/a en un hospital, o (d) trabajó en un proyecto de construcción.

1. ***D***	2. ***A***	3. ***B***	4. ***E***	5. ***C***

B. Leer (___ /___ *puntos*)

1. ***B***	2. ***D***	3. ***B***	4. ***C***	5. ***C***
6. ***A***	7. ***E***	8. ***D***	9. ***B***	10. ***E***

C. Escribir (___ /___ *puntos*) ***Answers will vary.***

LAS DIEZ COSAS MÁS IMPORTANTES

1. ______
2. ______
3. ______
4. ______
5. ______
6. ______
7. ______
8. ______
9. ______
10. ______

D. Hablar (___ /___ *puntos*)

E. Cultura (___ /___ *puntos*)

Full credit = In many private schools in Spanish-speaking countries, students are encouraged to do two or three hours of community service per week. Causes of the environment are often important to students, which would be similar here in the U.S. Students in both countries are interested in recycling.

Prueba 9A-1

Comprensión del vocabulario

A. Es sábado, y Felipe y su hermano están viendo la guía de televisión para tratar de decidir qué van a ver. Encierra en un círculo la palabra o frase que describe el tipo de programa que muestra cada uno de los dibujos numerados que aparecen en la guía.

1. Me gustaría ver un programa ______.
   - (**a.** deportivo) — circled
   - **b.** educativo
2. ¿Quieres ver un programa ______?
   - **a.** de la vida real
   - (**b.** de entrevistas) — circled
3. No me gustan ______.
   - **a.** los programas de concursos
   - (**b.** las telenovelas) — circled
4. Me gustan los programas de ______, pero no hoy.
   - (**a.** noticias) — circled
   - **b.** entrevistas
5. Prefiero los programas de ______.
   - (**a.** dibujos animados) — circled
   - **b.** la vida real
6. A mí me encantan los programas de ______.
   - **a.** noticias
   - (**b.** concursos) — circled

Realidades A/B-1 Nombre ____ Hora ____

Capítulo 9A Fecha ____ **Prueba 9A-1, Página 2**

B. Josefina y Bernardo van mucho al cine. Basándote en los dibujos, escribe en los espacios en blanco la letra del tipo de película que es más probable que estén viendo.

_b_ 1.  a. el drama

_c_ 2.  b. la comedia

_e_ 3.  c. la película de horror

_f_ 4.  d. la película de ciencia ficción

_d_ 5.  e. la película romántica

_a_ 6. f. la película policíaca

C. Un grupo de amigos están hablando de las películas que quisieran ir a ver. Completa sus conversaciones encerrando en un círculo la palabra o frase más apropiada en cada caso.

1. —¿Qué (**clase de** / menos de) película es *Vivir sin ti*?
   —Es un drama.
2. —¿Cómo son las dramas?
   —Son (graciosos / **realistas**).
3. —¿Quién es (la actriz / **el actor**) de la película *Ciento tres días*?
   —Es Roberto Ilunga.
4. —¿A qué hora (**empieza** / termina) la película *Gato loco*?
   —A las 8:15. Tenemos tiempo de cenar antes de ir al cine.

Realidades A/B-1 Nombre ____ Hora ____

Capítulo 9A Fecha ____ **Prueba 9A-2, Página 1**

Prueba 9A-2

Uso del vocabulario

A. Juanita Ríos está entrevistando por televisión a la famosa actriz argentina Belinda Tragicómica. Basándote en los títulos, completa la entrevista con los tipos de película que menciona.

JUANITA: —Pues, Belinda, Ud. tiene una nueva película.

BELINDA: —Sí, Juanita. Se llama *El barco del amor (love)*, y es una película **romántica**.

JUANITA: —Y en esta película, Ud. es Marisol, una profesora de niños que decide ir de viaje por el río Amazonas. ¡Qué fascinante!

BELINDA: —Sí. Es similar a mi personaje *(character)* en la película *Los extraterrestres en la clase*, pero no es una película de **ciencia ficción**.

JUANITA: —¿Cuál es el personaje favorito de sus películas pasadas?

BELINDA: —Pues, María, de la **comedia** *La playa es muy divertida*. Todos dicen que estoy muy graciosa en esta película. O quizás, Julieta en el famoso **drama** *Romeo y Julieta*. Todos dicen que tengo mucha emoción en esta película triste.

JUANITA: —¿De veras? Y, ¿qué nos puede decir sobre la película de **horror** *El terror en las calles*?

BELINDA: —¡No es muy buena! En otra nueva película soy Berta, la ladrona *(thief)*. Esta película **policíaca** se llama *Detectives somos*.

JUANITA: —Belinda, muchas gracias por hablarnos hoy. Buena suerte.

B. Ahora, veamos qué dice el público sobre las películas de Belinda. Completa las oraciones con la forma correcta del adjetivo que corresponda en cada caso. Pero primero, ordena las letras de los adjetivos que aparecen en la lista.

lannfiti	miaetnceoon	fitasanecn	notot	otenvoli	óoccim	ratailse

1. A mi novia le gustó *El barco del amor*. Ella dice que es muy **emocionante**. A mí no me gustó nada. La profesora, Marisol, debe ser inteligente pero en la película es muy **tonta**. Ella es una profesora de niños pero ¡ella es muy **infantil** en esta película!

2. Me gustó muchísimo *La playa es muy divertida.* Cuando veo una película no quiero ver cosas tristes. Tampoco quiero ver cosas **violentas** como un hombre que mata *(kills)* a otras personas. Esta película es muy **cómica**.

3. La película *Los extraterrestres en la clase* es muy interesante porque tienes que pensar si es posible ver cosas como éstas en el futuro—¡personas de otro planeta aquí en nuestra escuela! A mi hermano no le gustó la película. Dice que no es posible—que no es **realista**. Para mí es **fascinante** pensar en estas cosas. Me encantó.

C. Lee las siguientes situaciones. Basándote en los gustos e intereses de cada persona, escribe en los espacios en blanco la forma correcta de las palabras que identifican el tipo de programas televisivos que ve con frecuencia.

1. Me encanta ver y practicar deportes. Prefiero ver los programas **deportivos**.
2. Mis hermanitos tienen 4 y 6 años. Ellos están contentos cuando dan programas de **dibujos animados**, como "El mono Jorgito".
3. Me encanta aprender secretos de las personas famosas cuando hablan de sus experiencias personales. Siempre veo programas de **entrevistas**, como "Hablando con Catalina".
4. Me gusta mucho la clase de ciencias naturales en la escuela. Por eso prefiero ver un programa **educativo**, como los de animales de África o Australia.
5. Soy bastante inteligente. Cuando veo un programa de **concursos** puedo contestar *(answer)* todas las preguntas. En el futuro voy a participar en uno de estos programas y recibir mucho dinero.
6. Yo toco la guitarra y me gusta cantar y bailar. Por eso me encantan los programas **musicales**.
7. Todos los días regreso a casa a las tres de la tarde para ver mi **telenovela** favorita—"Pasión en la ciudad". Me encanta ver los problemas románticos y trágicos de los actores y actrices guapos.
8. Soy estudiante de las ciencias sociales. En clase siempre hablamos de las cosas que ocurren en los diferentes países del mundo. Por eso siempre veo uno de los programas de **noticias** que empiezan a las seis de la tarde.

Prueba 9A-3

Acabar de + infinitivo

Tomás siempre llega tarde a todos lados. Lee las siguientes conversaciones y complétalas con la forma correcta de **acabar de**.

1. **En la estación de autobuses**
   TOMÁS: —Necesito el autobús a San Luis Obispo.
   SR. RAMOS: —Lo siento, pero el autobús **acaba de** salir.
2. **En el supermercado**
   TOMÁS: —Necesito tres pollos, por favor.
   DEPENDIENTE: —Lo siento, pero yo **acabo de** vender todos los pollos.
3. **En el museo de arte**
   TOMÁS: —Quiero un boleto para las exhibiciones especiales de Monet, por favor.
   SRA. RUIZ: —Lo siento, pero las exhibiciones **acaban de** terminar.
4. **En la casa de su amigo**
   TOMÁS: —¿Vamos a ver el programa musical en el canal 7?
   ALEJANDRO: —¡Qué pena! Ellos **acaban de** decir que cancelaron el programa para esta noche.
5. **En la casa de su abuela**
   TOMÁS: —Abuelita, ¿me puedes dar uno de tus pasteles riquísimos?
   ABUELITA: —Lo siento, Tomás. Nosotros **acabamos de** comer todos los pasteles. ¿Quieres fruta?

Prueba 9A-4

Gustar y otros verbos similares

El canal televisivo del área donde vive Sarita le ha pedido a su familia que responda a una encuesta sobre los programas que ven con más frecuencia. Completa sus respuestas escribiendo los pronombres indirectos y las formas de los verbos dados que correspondan.

1. **Los programas musicales**

   A nosotros ***nos encantan*** los programas musicales porque son muy divertidos. (encantar)

2. **Las telenovelas**

   A Sarita ***le interesan*** las telenovelas porque ella es muy romántica. (interesar)

3. **El programa de noticias "24/7"**

   A mis padres ***les encanta*** el programa "24/7" porque es fascinante. (encantar)

4. **Los programas educativos**

   A mí ***me gustan*** los programas educativos porque son interesantes. (gustar)

5. **El programa de entrevistas "¡A conversar!"**

   A ti ***te aburre*** el programa porque no hay mucha acción, ¿verdad? (aburrir)

6. **Los programas de la vida real**

   A mis padres y a mí ***nos interesan*** los programas de la vida real porque son cómicos y realistas. (interesar)

7. **El canal 7 en general**

   A toda la familia ***le encanta*** el canal 7 porque tiene muchos programas diferentes. (encantar)

8. **Comentarios generales**

   A Uds. ***les falta*** un buen programa de dibujos animados para los niños. (faltar)

HOJA DE RESPUESTAS

PARTE I: Vocabulario y gramática en uso

A. (___ /___ *puntos*)

1. ***Dan una película policíaca a las ocho y media***.
2. ***Dan una película romántica a las once y cuarto (quince)***.
3. ***Dan una película de horror a las seis menos cuarto (cinco cuarenta y cinco)***.
4. ***Dan una comedia a las siete y veinte***.
5. ***Dan una película de ciencia ficción a las tres y media***.

B. (___ /___ *puntos*)

1. ***Él acaba de esquiar***.
2. ***Ud. acaba de ver la televisión***.
3. ***Tú acabas de reciclar***.
4. ***Nosotros acabamos de jugar al básquetbol***.
5. ***Ellas acaban de ver una película (ir al cine)***.
6. ***Yo acabo de lavar el coche***.

C. (___ /___ *puntos*)

1. ***Nos encantan los programas educativos***.
2. ***Les interesa el programa musical "Sábado gigante"***.
3. ***Me aburren los programas de la vida real***.
4. ***Te encanta el programa de entrevistas***.
5. ***No les gustan las noticias***.
6. ***No le gusta la telenovela "Hospital Central"***.
7. ***Te aburre el programa de dibujos animados "Tikitrín"***.
8. ***Le encantan los programas deportivos***.
9. ***Le interesa el programa de entrevistas***.

PARTE II: Comunicación y cultura

A. Escuchar *(__/__ puntos)*

Respuestas posibles: el programa le resultó (a) aburrido, (b) interesante, (c) demasiado violento, o (d) demasiado tonto o infantil.

1. *B*	2. *D*	3. *A*	4. *C*	5. *B*	6. *A*

B. Leer *(__/__ puntos)*
Contesta las preguntas siguientes:

1. ¿Cuántos de los programas nuevos le gustan a Óscar?
   (a.) uno de los tres b. dos de los tres c. tres
2. ¿Cuál es el mejor programa este año?
   a. el programa de entrevistas (b.) el programa de ciencia ficción c. el programa de la vida real
3. Según Óscar, ¿quiénes ven los programas de la vida real?
   a. las personas que trabajan mucho (b.) las personas que no tienen mucho que hacer c. los deportistas
4. ¿Sobre qué habla Julio con los actores en su programa probablemente?
   a. los gatos y los perros (b.) el Presidente de los Estados Unidos c. sus películas
5. ¿Qué clase de programas le aburren a Óscar?
   a. los programas de la vida real (b.) los programas de entrevistas c. los programas de ciencia ficción

C. Escribir *(__/__ puntos)*

D. Hablar *(__/__ puntos)*

E. Cultura *(__/__ puntos)*

1. *E* 2. *D* 3. *C* 4. *B* 5. *A*

Prueba 9B-1

Comprensión del vocabulario

A. Empareja los dibujos con las oraciones que correspondan, escribiendo la letra del dibujo en los espacios dados.

A B C D E F

1. Necesito los documentos para la presentación. *E*
2. Tengo que preparar estos gráficos para la clase de geometría. *A*
3. ¿Sabes dónde está el laboratorio? *F*
4. Necesito grabar un disco compacto para mi fiesta del viernes. *C*
5. Gregorio tiene unas diapositivas de su viaje a Teotihuacán. *D*
6. ¿Viste el nuevo sitio Web de Alejandro? *B*

B. Un grupo de estudiantes están hablando en su clase de computación. Lee las siguientes conversaciones y encierra en un círculo la mejor respuesta a cada pregunta.

1. —¿Visitas los salones de chat con frecuencia?
   - (a.) —No, prefiero hablar cara a cara.
   - b. —No, prefiero usar la computadora.
2. —¿Para qué sirve este software?
   - a. —Sirve una ensalada.
   - (b.) —Sirve para crear gráficos.
3. —¿Tienes una dirección electrónica?
   - a. —Sí, vivo en la calle Luz en San Antonio.
   - (b.) —Sí, es xx@xx.com.
4. —¿Tienes una página Web?
   - (a.) —Sí, y si la visitas puedes ver una foto de mi gato.
   - b. —Sí, estamos en la página 49.
5. —¿Tu computadora nueva baja fotos?
   - (a.) —Sí, las baja rápidamente.
   - b. —Sí, baja las escaleras.
6. —¿Cómo te comunicas más con tus amigos?
   - (a.) —Les hablo por teléfono o les escribo por correo electrónico.
   - b. —Navego en la Red.
7. —¿Para qué usas la computadora?
   - (a.) —No la uso. Tengo miedo de romperla si la uso.
   - b. —La uso para sacar fotos.

Prueba 9B-2

Uso del vocabulario

A. Lee para qué usan la computadora distintos estudiantes. Basándote en los dibujos de la izquierda, escribe en los espacios en blanco la palabra o frase que mejor complete cada oración.

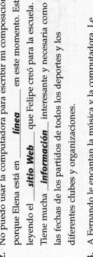

1. Mañana voy a hacer una presentación en mi clase de matemáticas. Voy a llevar mi computadora ***portátil*** a clase y mostrar (*show*) los ***gráficos*** que estoy creando. No tengo ***miedo*** de hacer las presentaciones para la clase porque me gusta mucho usar la computadora.

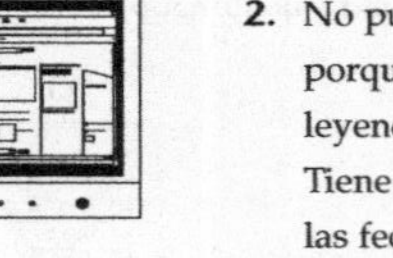

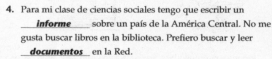

2. No puedo usar la computadora para escribir mi composición porque Elena está en ***línea*** en este momento. Está leyendo el ***sitio Web*** que Felipe creó para la escuela. Tiene mucha ***información*** interesante y necesaria como las fechas de los partidos de todos los deportes y los diferentes clubes y organizaciones.

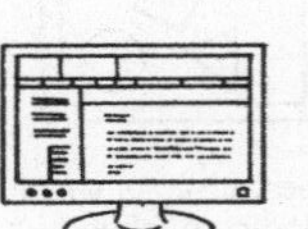

3. A Fernando le encantan la música y la computadora. Le gusta ***navegar*** en la Red para buscar ***canciones*** de sus grupos musicales favoritos. Después le gusta ***grabar*** las en un disco compacto.

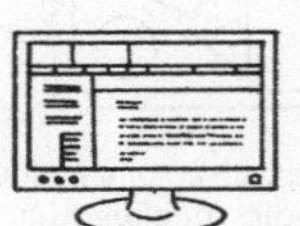

4. Para mi clase de ciencias sociales tengo que escribir un ***informe*** sobre un país de la América Central. No me gusta buscar libros en la biblioteca. Prefiero buscar y leer ***documentos*** en la Red.

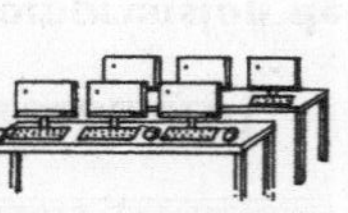

5. Cuando vamos al ***laboratorio***, la profesora dice que no podemos visitar ***salones de chat*** para hablar con otras personas. Podemos jugar juegos, pero sólo si son para una clase. La profesora es muy estricta pero muy inteligente también. Si no sabemos hacer algo en la computadora, siempre podemos ***pedir*** le ayuda.

B. Tres personas están describiendo cómo prefieren comunicarse con otra gente. Lee las descripciones y complétalas con las palabras y expresiones del vocabulario que correspondan.

ANTONIO: —Me gusta mucho escribir y recibir ***cartas***. Les escribo a mis amigos y mis primos cada semana pero no uso papel y un bolígrafo. Uso la computadora y les escribo por ***correo electrónico***. Todos mis amigos conocen mi ***dirección electrónica***, amigo@xyz.com.

DOLORES: —Yo no ***me comunico*** nunca con otras personas usando la computadora. Prefiero algo más personal. Voy a la casa de mis amigos y les hablo ***cara a cara***.

ADELA: —Yo les ***envío*** una ***tarjeta*** bonita o divertida a todos mis amigos para su cumpleaños, aniversario u otro día especial. Puedo hacerlo usando la Red o puedo comprarlas en una tienda de regalos.

C. Lee las siguientes preguntas o afirmaciones sobre cómo la gente usa la tecnología para comunicarse. Completa las oraciones escribiendo en los espacios en blanco las palabras del vocabulario que expresen la misma idea de forma diferente.

1. ¿Qué piensas de mi nueva cámara digital? = ¿Qué ***te parece*** mi nueva cámara digital?
2. Es demasiado difícil crear una página Web. = Es demasiado ***complicado*** crear una página Web.
3. ¿Para qué usamos el Internet? = ¿Para qué ***sirve*** el Internet?
4. Uso la computadora para hacer la investigación en muy poco tiempo. = Uso la computadora para hacer la investigación muy ***rápidamente***.
5. ¿Cómo hablas con otras personas? = ¿Cómo ***te comunicas*** con otras personas?

Prueba 9B-3

El presente de *pedir* y *servir*

A. Tus amigos te piden que les recomiendes qué platos pedir en La Casa de Pedro, tu restaurante favorito. Completa las siguientes oraciones con las formas correctas del presente del verbo **pedir**.

1. Mi padre ***pide*** bistec con frijoles.
2. Cuando mis hermanos comen en la Casa de Pablo, ellos ***piden*** sopa de pollo.
3. Nosotros siempre ***pedimos*** un pastel delicioso.
4. Si tengo mucha hambre, yo ***pido*** pescado con papas y judías verdes.
5. Elisa y yo ***pedimos*** café después de la cena.
6. Marta, tú ***pides*** flan, ¿verdad?

B. Ahora estás en La Casa de Pedro, leyendo la carta de presentación de Pedro a sus clientes impresa en el menú. Escribe en los espacios en blanco las formas correctas del presente de **servir**.

Bienvenidos a La Casa de Pedro. Aquí nosotros ***servimos*** *comida sabrosa mexicana. Nuestros camareros le* ***sirven*** *a Ud. una gran selección de platos, como el pollo con salsa y el bistec. A veces nuestro chef les* ***sirve*** *a nuestros clientes un plato especial: un pescado sabroso o un queso importado. Si Ud. viene a celebrar su cumpleaños con nosotros, yo personalmente le* ***sirvo*** *el pastel más sabroso del menú. Nuestra casa es su casa.*

Saludos,
Pedro

Prueba 9B-4

Saber y conocer

A. Trabajas en el periódico de la escuela y estás preparando una entrevista a tu profesor/a de español. Escribe las preguntas que le harás, usando las palabras dadas y las formas correctas del presente de los verbos **saber** y **conocer**.

Modelo Ud. / la Ciudad de México ¿ *Ud. conoce la Ciudad de México* ?

1. Ud. / hablar inglés ¿ ***Ud. sabe hablar inglés*** ?
2. Ud. y sus amigos / bailar flamenco ¿ ***Ud. y sus amigos saben bailar flamenco*** ?
3. Ud. y su familia / Argentina ¿ ***Ud. y su familia conocen Argentina*** ?
4. Ud. / Benicio Del Toro ¿ ***Ud. conoce a Benicio Del Toro*** ?
5. Los profesores de español / la película *La familia* ¿ ***Los profesores de español conocen la película* La familia** ?
6. Nosotros / sus estudiantes ¿ ***Nosotros conocemos a sus estudiantes*** ?

B. Ahora, escribe oraciones completas diciendo si sabes las siguientes cosas o conoces a las personas que se indican. Usa **saber** or **conocer**, según corresponda.

1. hablar español ***Yo (no) sé hablar español*** .
2. dónde están los restaurantes mexicanos de mi ciudad ***Yo (no) sé dónde están los restaurantes mexicanos de mi ciudad*** .
3. el nombre del Presidente de los Estados Unidos ***Yo (no) sé el nombre del Presidente de los Estados Unidos*** .
4. Puerto Rico ***Yo (no) conozco Puerto Rico*** .
5. una persona famosa ***Yo (no) conozco a una persona famosa*** .
6. preparar la paella ***Yo (no) sé preparar la paella*** .

HOJA DE RESPUESTAS

PARTE I: Vocabulario y gramática en uso

A. (__ /__ *puntos*)

1. d i a p o s i t i v a s
2. c o m p o s i c i ó n   i n f o r m e
3. e n l í n e a   s i t i o W e b
4. i n f o r m a c i ó n
5. c a n c i ó n
6. t a r j e t a
7. s a l ó n d e c h a t
8. g r á f i c o
9. c o r r e o e l e c t r ó n i c o

B. (__ /__ *puntos*)

1. ***Yo pido uvas, pero tú me sirves helado*** .
2. ***Ud. pide un sándwich, pero nosotros le servimos huevos*** .
3. ***Nosotros pedimos una ensalada de frutas, pero Uds. nos sirven pastel*** .
4. ***Tú pides cereal, pero yo te sirvo tocino*** .

C. (__ /__ *puntos*)

1. ***Paula sabe grabar un disco compacto*** .
2. ***Tú sabes usar una cámara digital*** .
3. ***Pablo y Silvia conocen a un amigo de Bill Gates*** .
4. ***Ud. conoce Seattle y Vancouver*** .
5. ***Yo sé escribir por correo electrónico*** .
6. ***Nosotros conocemos el parque nacional Yosemite*** .
7. ***Yo conozco a un actor famoso*** .
8. ***Uds. saben navegar en la Red*** .
9. ***Mis amigos conocen mi dirección electrónica*** .

PARTE II: Comunicación y cultura

A. Escuchar (__/__ *puntos)*

A B C D

E F G H

	1	2	3	4	5	6	7	8
¿Le gusta o no?	***No***	***Sí***	***Sí***	***Sí***	***No***	***No***	***Sí***	***Sí***
¿Por qué?	***C***	***E***	***F***	***B***	***G***	***A***	***H***	***D***

9. ¿Te gustan las computadoras? ____

10. ¿Por qué o por qué no? ____

B. Leer (__/__ *puntos)*

Lee las siguientes afirmaciones e indica si cada una es: **(A) Cierta, (B) Falsa,** o si **(C) No hay bastante información.**

1. Los padres del "Tigre" son muy modernos. ***B***
2. Los padres del "Tigre" piensan que en los salones de chat hay mucha gente buena. ***B***
3. A "Tigre" le gusta conocer a jóvenes que juegan al básquetbol. ***A***
4. "Tigre" es de una familia muy grande. ***C***
5. Según el padre del "Tigre", las computadoras son buenas para una fiesta. ***B***
6. A "Pájaro" no le gusta hablar con muchas personas al mismo tiempo. ***B***
7. Según "Pájaro," no es caro grabar discos compactos. ***C***
8. "Pájaro" vive en una ciudad bastante grande. ***B***
9. A "Pájaro" le gusta viajar. ***C***
10. A "Tigre" le encanta la comida mexicana. ***C***

C. Escribir (__/__ *puntos)*

D. Hablar (__/__ *puntos)*

E. Cultura (__/__ *puntos)*

Full credit = Though this is changing fast, the cost of personal computers may still be prohibitive in some areas of the Spanish-speaking world. In some schools and libraries, Internet connections may still not be as available. A good alternative is the cybercafé, where students can meet friends, work on school assignments, and access e-mail.

Realidades A/B-1 Nombre ____________ Hora ______

Examen acumulativo I Fecha ____________ **Hoja de respuestas I, Página 1**

HOJA DE RESPUESTAS

PARTE I. Vocabulario y gramática en uso

A. (___/___ *puntos*)

1. *D*
2. *A*
3. *G*
4. *I*
5. *H*
6. *E*
7. *J*
8. *B*
9. *F*
10. *C*

B. (___/___ *puntos*)

1. ***Los tomates son sabrosos***.
2. ***El pescado es bueno (para la salud)***.
3. ***El vóleibol es divertido***.
4. ***Las actividades físicas son buenas (para la salud)***.
5. ***Las grasas son malas (para la salud)***.
6. ***La leche es sabrosa***.
7. ***El desayuno es bueno (para la salud)***.
8. ***Los pasteles son horribles (para la salud)***.
9. ***Los videojuegos son malos (para la salud)***.
10. ***La sopa de verduras es buena (para la salud)***.

C. (___/___ *puntos*)

1. ***voy***
2. ***corro***
3. ***tengo***
4. ***Es***
5. ***vamos***
6. ***estudiamos***
7. ***hablamos***
8. ***enseña***
9. ***es***
10. ***van***
11. ***como***
12. ***comparten***
13. ***juego***
14. ***tengo***
15. ***terminan***
16. ***vamos***
17. ***como***
18. ***estudiamos***
19. ***practicamos***
20. ***termina***

Realidades A/B-1 Nombre ____________ Hora ______

Examen acumulativo I Fecha ____________ **Hoja de respuestas I, Página 2**

PARTE II. Comunicación

A. Escuchar (___/___ *puntos*)

	bailar	hablar	escribir cuentos	estudiar	leer	practicar deportes	nadar
1. Susana						✓	✓
2. Mauricio		✓	✓	✓	✓		
3. Raquel	✓	✓					
4. Paco	✓			✓			
5. Julián				✓	✓		

B. Escuchar (___/___ *puntos*)

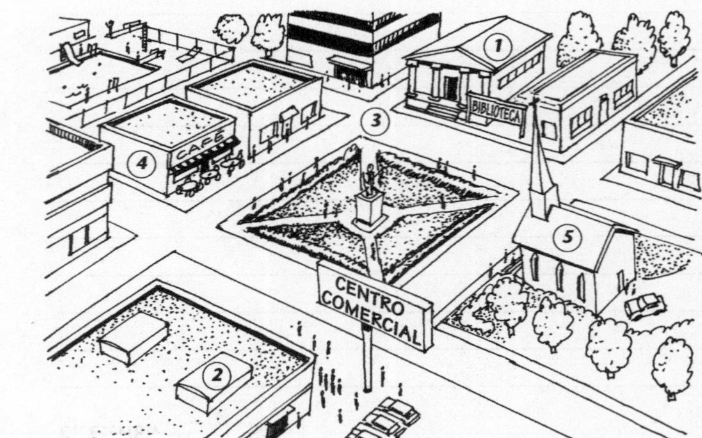

C. Leer (___/___ *puntos*)

1. Ángelo es deportista. ***C***
2. A Ángelo no le gusta la fruta. ***F***
3. Ángelo visita muchos lugares fascinantes. ***C***
4. A Ángelo le gustan las películas mexicanas. ***C***
5. Ángelo está en Perú. ***F***

D. Escribir (___/___ *puntos*)

Fecha ____

Nombre ____

¿Cuántos años tienes? ____

Escuela ____

Por favor escribe un párrafo en español describiendo tu personalidad, las actividades que más y que menos te gustan, y tu horario de clases.

Answers will vary.

E. Hablar (___/___ *puntos*)

HOJA DE RESPUESTAS

PARTE I. Vocabulario y gramática en uso

A. (___/___ *puntos*)

1. ***pasé***
2. ***vi / visité***
3. ***fui***
4. ***comí***
5. ***fuimos***
6. ***vimos***
7. ***visitamos***
8. ***compré***
9. ***fueron***
10. ***bebimos***
11. ***habló***
12. ***pasó***
13. ***hablaron***
14. ***comieron***
15. ***escribí***
16. ***escribiste***
17. ***Hablaste***

B. (___/___ *puntos*)

1. ***A mi padre no le gusta lavar la ropa***.
2. ***A Luisa le encanta el perfume***.
3. ***A nosotros nos aburren las películas románticas***.
4. ***A Jorge le interesan las presentaciones con diapositivas***.
5. ***A mí me faltan los discos compactos***.
6. ***A ti te encanta reciclar***.

C. (___/___ *puntos*)

1. ***los***
2. ***Lo***
3. ***los***
4. ***La***
5. ***Las***

PARTE II. Comunicación

A. Escuchar (___/___ *puntos*)

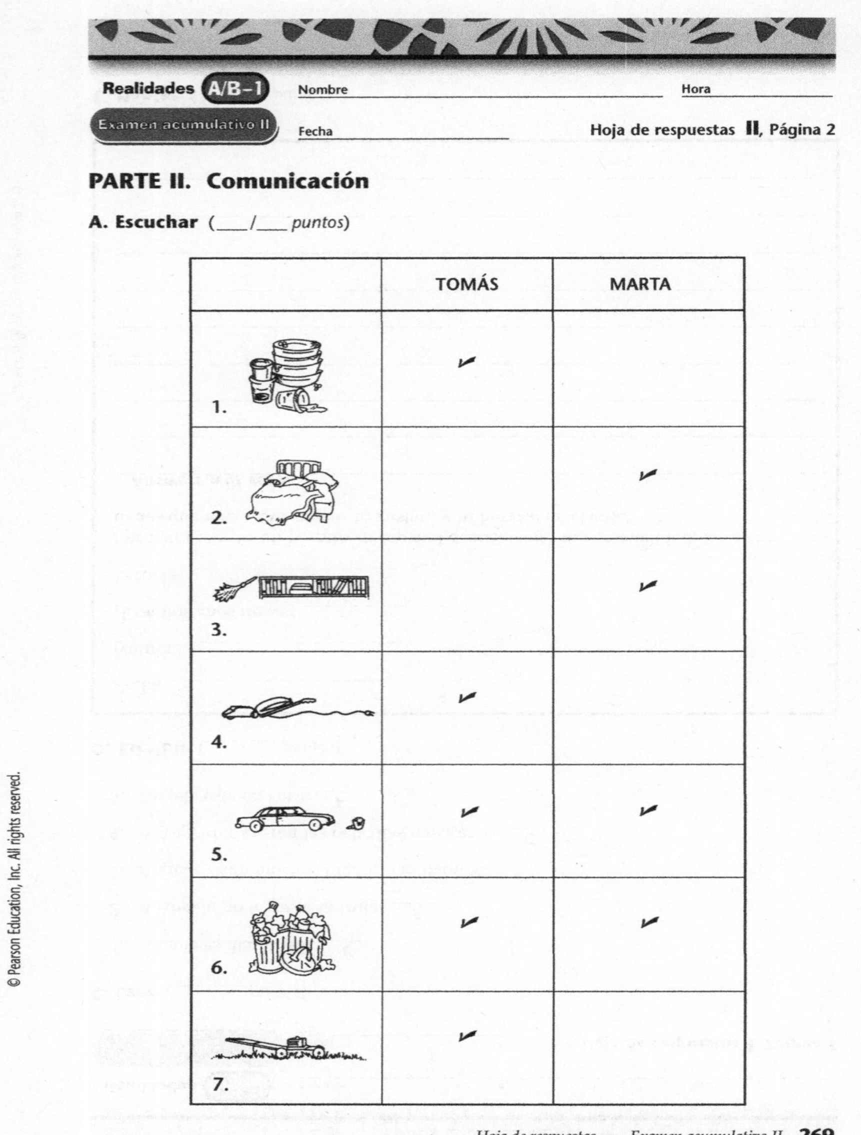

	TOMÁS	MARTA
1.	✓	
2.		✓
3.		✓
4.	✓	
5.	✓	✓
6.	✓	✓
7.	✓	

B. Escuchar (___/___ *puntos*)

3 Linda compró la falda negra.

5 Linda compró unos zapatos rojos.

2 Linda vio una falda verde y falda negra.

1 Linda compró un suéter azul.

4 Linda compró una camisa roja y negra.

C. Leer (___/___ *puntos*)

1. *Mar y Sol* es el nombre de la película. ***F***
2. Va a ser una película de horror. ***F***
3. La compañía busca personas viejas. ***F***
4. Un camarero pelirrojo puede ser el actor perfecto. ***C***
5. Es mejor tener un padre, un abuelo o un tío de San Martín. ***C***
6. Los actores tienen que venir al hotel por la mañana. ***F***

D. Escribir (___/___ *puntos*)

Answers will vary.

E. Hablar (___/___ *puntos*)

Examen de nivel

EXAMEN DE NIVEL

A. Escuchar

The Rojas family is having dinner at a restaurant, and their daughter, Lolita, is very picky. First, read the menu on your answer sheet. Then, listen to the Rojas' conversation and cross out all of the foods that Lolita doesn't like. You will hear this conversation twice.

B. Leer

Desde Argentina, Nora le mandó a su tía de Chile el siguiente mensaje. Léelo bien. Luego, junto a cada afirmación de la hoja de respuestas, escribe **C** si es **cierta** o **F** si es **falsa**.

Querida tía Rosa:

Saludos desde Buenos Aires, Argentina. Es mi tercera semana aquí y quiero explicar un poco mi vida en Buenos Aires. Todos los días, yo voy a la escuela con mis amigos. (Primero, por supuesto, como un desayuno muy rico, con frutas, huevos y tocino.) Tengo clase de inglés, español, matemáticas, historia y música. En mi clase de música, aprendemos a bailar el famoso tango. Por la tarde, salgo con mis amigos a un lugar de interés, como el museo de arte o un café en el centro. Mis amigos juegan al fútbol o nadan, pero yo prefiero leer o hacer mi tarea.

¡Pero los fines de semana viajamos! Visitamos las iglesias de Buenos Aires, el campo de Uruguay y las montañas de la Tierra del Fuego. Son lugares muy interesantes. También comemos el bistec famoso de Argentina. ¡Es muy sabroso!

Un abrazo,

Nora

C. Leer

Virginia está en España como estudiante de intercambio y está buscando una compañera de cuarto. Lee el aviso que escribió. Luego, encierra en un círculo las letras de las respuestas que describan una buena compañera de cuarto para Virginia.

> Yo busco una chica muy semejante (*similar*) a mí para ser mi compañera de cuarto. A mí me gusta hablar mucho con mis amigas. También me gusta practicar deportes como el vóleibol y el fútbol. No soy muy estudiosa, pero me gusta leer un poco. Tengo dieciséis años y me encanta salir a las discotecas y a restaurantes. Si tú eres como yo, llámame al 4 09 72 31.

D. Escribir

Describe a Ramiro, el estudiante que aparece comiendo en la cafetería. ¿Cómo es él? ¿Qué le gusta hacer? ¿Qué le gusta comer? ¿Qué clases está tomando, probablemente? ¿Qué cosas lleva a la escuela habitualmente? Usa el dibujo como guía y sé creativo/a.

E. Hablar

Tu profesor/a tal vez te pida que hables sobre alguno de los siguientes temas:

1. Imagina que eres un/a estudiante de intercambio que llega a España y se está presentando a un/a compañero/a de clase. Dile cómo te llamas, qué edad tienes, de dónde eres, y qué actividades te gustan y cuáles no. Háblale de la escuela y de tus clases. No te olvides de hacerle preguntas parecidas a la otra persona.
2. Imagina que estás encuestando estudiantes sobre sus hábitos alimenticios. Pregúntale a tu profesor/a (que representará el papel de uno de los estudiantes encuestados) qué come por lo general en un día típico, a qué hora, etc. Habla de lo que tú comes, y di qué alimentos sería saludable incluir en cada una de las tres comidas del día.
3. Imagina que te estás preparando para un viaje a Costa Rica. Pregunta cómo es el clima allí y en qué actividades se puede participar en esta época del año. Luego, describe la estación y el clima de tu área. Habla de las cosas que a ti y a otras personas les gusta hacer en esta estación y dónde las hacen.
4. Imagina que le describes tu cuarto a un/a amigo/a por teléfono. Dile qué cosas tienes, dónde está cada cosa, y cuándo o para qué las usas. Pregúntale a la otra persona qué tiene él/ella en su cuarto.

HOJA DE RESPUESTAS

A. Escuchar *(___ /15 puntos)*

RESTAURANTE EL FÉNIX

Primer Plato
- Sopa
- Ensalada
- Pan con mantequilla

Bebidas
- Leche
- Limonada
- Refrescos

Segundo Plato
- Bistec con papas
- Arroz con pollo
- Pescado con arroz
- Hamburguesa con o sin queso
- Espaguetis a la italiana

Postres
- Pastel de chocolate
- Ensalada de frutas
- Galletas

B. Leer *(___ /25 puntos)*

1. Nora está en Santiago, Chile. ________
2. A Nora le gusta la comida de Argentina. ________
3. Nora es deportista. ________
4. Nora no estudia el inglés. ________
5. Nora y sus amigos visitan muchos lugares interesantes. ________

C. Leer *(___ /30 puntos)*

Una buena compañera de cuarto para Virginia:

1. **a.** es sociable **b.** es callada
2. **a.** es perezosa **b.** es deportista
3. **a.** estudia mucho **b.** estudia poco
4. **a.** quiere bailar **b.** no baila
5. **a.** sale mucho **b.** prefiere quedarse en casa
6. **a.** come en casa **b.** quiere salir a comer

D. Escribir *(___ /15 puntos)*

E. Hablar *(___ /15 puntos)*

Examen del capítulo

Prueba P-1

En la escuela

A. Escribe la letra de la respuesta que mejor complete cada oración.

1. Hola, Sr. Ramos, ¿cómo está ____________?
2. ¡Hola, buenos ____________!
3. ____________ bien, gracias.
4. ¿Cómo ____________?
5. ____________ Sara. ¿Y tú?

a. Muy
b. Me llamo
c. días
d. Ud.
e. te llamas

B. Escribe el número que corresponda a las siguientes palabras.

1. dieciocho ____________
2. veintidós ____________
3. catorce ____________
4. seis ____________
5. once ____________
6. cuarenta ____________
7. cincuenta y uno ____________
8. treinta y nueve ____________
9. setenta y siete ____________
10. noventa y cuatro ____________

C. Empareja la parte del cuerpo que marca la flecha con la palabra en español que corresponda.

_____ 1.
_____ 2.
_____ 3.
_____ 4.
_____ 5.

a. el ojo
b. la nariz
c. la cabeza
d. la mano
e. el estómago

Prueba P-2

En la clase

A. Escribe la letra del dibujo que corresponda a cada palabra.

1. el bolígrafo ______
2. el lápiz ______
3. el pupitre ______
4. el profesor ______
5. el día ______
6. el libro ______
7. el mes ______
8. la carpeta ______
9. la profesora ______
10. la hoja de papel ______

A. B. C. D. E.

F. G. H. I. J.

OCTUBRE

OCTUBRE 3

B. Empareja el nombre del día en inglés con el nombre en español que corresponda.

_____ 1. Tuesday

_____ 2. Wednesday

_____ 3. Thursday

_____ 4. Friday

_____ 5. Saturday

a. el sábado

b. el viernes

c. el miércoles

d. el jueves

e. el martes

C. Escribe el equivalente en inglés de las siguientes fechas.

1. el siete de julio ____________________
2. el quince de septiembre ____________________
3. el primero de noviembre ____________________
4. el seis de enero ____________________
5. el cinco de mayo ____________________

Prueba P-3

El tiempo

A. Observa qué tipo de clima se ilustra en cada dibujo. Luego, escribe la letra de la respuesta correcta basándote en la siguiente lista.

A. Llueve.	**B.** Hace viento.	**C.** Hace sol.
D. Nieva.	**E.** Hace frío.	**F.** Hace calor.

1. ______________________
2. ______________________
3. ______________________
4. ______________________
5. ______________________
6. ______________________

B. Las letras de las siguientes palabras están desordenadas. Reordénalas y descubre el nombre de las cuatro estaciones. Luego, escribe junto a cada uno el equivalente en inglés.

1. aaprrimev ______________ ______________
2. ñooot ______________ ______________
3. veoiinrn ______________ ______________
4. veonra ______________ ______________

EXAMEN DE *Para empezar*

A. Escuchar

You plan to spend a month in Bolivia as an exchange student. Because you want to avoid making mistakes when responding to questions, you have asked a friend to help you practice your Spanish. Listen, then choose the most appropriate response to each comment or question. You will hear these questions twice.

Look at the possible responses on your answer sheet and write the letter in the corresponding blank.

B. Leer

Lee el siguiente informe del tiempo y responde las siguientes preguntas.

El cinco de diciembre

Hoy en Boston hace frío y nieva. La temperatura máxima es 20 grados y la mínima es 0. No hace viento.

1. ¿A qué fecha corresponde el informe del tiempo?
2. ¿Cómo está el tiempo hoy en Boston?
3. ¿Cuál es la temperatura máxima? ¿y la mínima?
4. Según la información que se da en el informe del tiempo, ¿cuál de las siguientes afirmaciones **no** es correcta?

   a. Es un día frío.

   b. No hace viento.

   c. Está nevando.

C. Leer

Ya compraste todos los artículos de librería que necesitas para el semestre y ahora estás revisando tu lista. Empareja el número de cada dibujo con la palabra de la lista que corresponda.

HOJA DE RESPUESTAS

A. Escuchar (___ /___ puntos)

a. Me llamo Margarita.
b. Regular, ¿y tú?
c. Hoy es viernes.
d. Muy bien, gracias.
e. No. Son las ocho y cuarto.
f. Hace frío hoy.
g. No. Hoy es el doce de septiembre.

1. ______ 2. ______ 3. ______ 4. ______ 5. ______ 6. ______

B. Leer (___ /___ puntos)

1. ______________________________.
2. ______________________________.
3. ______________________________.
4. ______________________________.

C. Leer (___ /___ puntos)

1 2 3 4 5 6

______ el bolígrafo ______ la carpeta ______ el cuaderno

______ el lápiz ______ el libro ______ la hoja de papel

Prueba 1A-1

Comprensión del vocabulario

A. Escribe el nombre de la acción que corresponda a cada dibujo. Usa las palabras o expresiones de la lista.

bailar	**esquiar**	**nadar**
cantar	**estudiar**	**practicar deportes**
dibujar	**hablar por teléfono**	**tocar la guitarra**
escribir cuentos	**jugar videojuegos**	**usar la computadora**

1.  ____________________ **6.** ____________________

____________________ ____________________

2. ____________________ **7.** ____________________

____________________ ____________________

3. ____________________ **8.** ____________________

____________________ ____________________

4. ____________________ **9.** ____________________

____________________ ____________________

5. ____________________ **10.** ____________________

____________________ ____________________

B. Encierra en un círculo la letra que corresponda a lo que está pensando cada persona.

1. 
   a. Me gusta mucho dibujar.
   b. Me gusta mucho patinar.

2. 
   a. Me gusta practicar los deportes.
   b. Me gusta jugar videojuegos.

3. 
   a. No me gusta nada hablar por teléfono.
   b. No me gusta nada leer revistas.

4. 
   a. No me gusta tocar la guitarra.
   b. No me gusta pasar tiempo con amigos.

5. 
   a. Me gusta correr.
   b. Me gusta ver la tele.

6. 
   a. Me gusta escribir cuentos.
   b. Me gusta leer revistas.

7. a. No me gusta cantar.
   b. No me gusta bailar.

8. 
   a. Me gusta montar en monopatín.
   b. Me gusta montar en bicicleta.

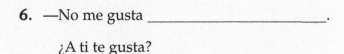

Prueba 1A-2

Uso del vocabulario

A. Completa los siguientes diálogos. Usa los dibujos como guía.

1. —Hola. ¿Te gusta ____________________?

   —Sí, me gusta ____________________.

2. —Juan, ¿te gusta ____________________?

   —No, no me gusta ____________________.

3. —Hola, Elisa. ¿Qué te gusta ____________________?

   —Me gusta ____________________ y

   ____________________.

4. —Pablo, ¿qué te gusta más, ____________________

   o ____________________?

   —Pues, me gusta ____________________.

5. —Me gusta ____________________.

   ¿Y a ____________________?

   —¡Claro que sí!

6. —No me gusta ____________________.

   ¿A ti te gusta?

   —Sí, ____________________ mucho.

B. Observa el dibujo. Luego escribe, en oraciones completas, qué diría este estudiante que le gusta hacer.

1. ____.
2. ____.
3. ____.
4. ____.
5. ____.

Prueba 1A-3

Infinitivos

Observa los dibujos y determina qué actividad representa cada uno. Luego, escribe sólo el verbo que corresponda en la columna apropiada según su terminación.

	-ar	-er	-ir
1.			
2.			
3.			
4.			
5.			
6.			
7.			
8.			
9.			
10.			

Prueba 1A-4

Palabras negativas

Observa los dibujos y escribe qué diría cada persona que le gusta o no.

1. ☹ 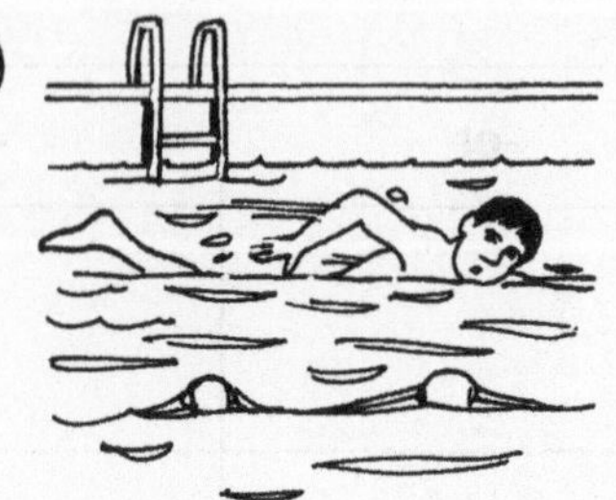

____

2. ☺ 

____

3. ☺ 

____

4. ☹ 

____

5. ☹ 

____

6. ☺ 

____

7. ☹ 

____

8. ☹ 

____

EXAMEN DEL CAPÍTULO, 1A

PARTE I: Vocabulario y gramática en uso

A. Tú y tus amigos están mirando fotografías que muestran lo que le gusta hacer a cada uno en su tiempo libre. Escribe en la hoja de respuestas la actividad representada en cada foto.

1. 

4. 

2. 

5. 

3. 

6. 

B. Lee los siguientes diálogos y completa las oraciones con las palabras o expresiones de la lista que correspondan. Puedes usar una de las expresiones más de una vez.

a mí también	**a mí tampoco**	**hacer**	**a ti**	**más**

—No me gusta nada correr.

—___1___.

—¿Qué te gusta ___2___?

—Pues, a mí me gusta escuchar música. ¿Y ___3___?

—___4___ me gusta escuchar música, pero me gusta ___5___ cantar y bailar.

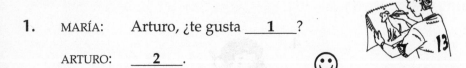

C. María es miembro del Club de la Amistad. Esta semana tiene la responsabilidad de hablar con los nuevos estudiantes para que se sientan bienvenidos a la universidad. Les está preguntando qué les gusta hacer. Usa los dibujos como guía para escribir o completar las preguntas y respuestas. Escribe las frases u oraciones en la hoja de respuestas.

1. MARÍA: Arturo, ¿te gusta ___1___?

ARTURO: ___2___.

2. MARÍA: Elena, ¿te gusta ___3___?

ELENA: No, ___4___.

MARÍA: ¿Qué ___5___ hacer?

ELENA: Pues, ___6___.

3. MARÍA: Ana, ¿qué te gusta hacer?

ANA: Pues, ___7___ y ___8___.

4. MARÍA: Andrés, ¿qué no te gusta hacer?

ANDRÉS: ___9___.

PARTE II: Comunicación y cultura

A. Escuchar

Listen to voicemails from students looking for a "match-up" to the homecoming dance. Each caller was asked to tell two things he or she likes to do and one thing he or she does not like to do. You're helping out by listening to the voicemails that were recorded in Spanish. Look at the pictures on your answer sheet, and match the picture to the information given by each caller. Be careful! The callers do not always give the information in the same order!

You will hear an example first. Listen to Luis's voicemail and look at the pictures selected to match what he says. You will hear each set of statements twice.

B. Leer

Lee los siguientes avisos personales que aparecieron en *Chispas,* una revista española. ¿A quién te gustaría conocer? Fíjate si entiendes lo que le gusta y lo que no le gusta a cada persona. Resume lo que entiendas en el cuadro que aparece en la hoja de respuestas. Para eso, 1) pon una √ en el casillero que corresponda, si a la persona LE GUSTA una determinada actividad; 2) pon una X en el casillero si a la persona NO LE GUSTA la actividad. Luego, encierra en un círculo el nombre de la persona que te parezca más interesante.

1. Hola. ¿Qué tal? Me llamo Mónica. Me gusta ver MTV en la tele, bailar ballet y escuchar música moderna. No me gusta ni practicar deportes… ni correr, ni nadar. ¿Y qué más? ¡Me gusta MUCHO leer *Chispas*, mi revista favorita!

2. ¿Qué tal, amigos? Me llamo Noé. ¿Qué me gusta hacer? Depende de la estación. En el verano, me gusta nadar. En el otoño, me gusta montar en bicicleta. En la primavera, me gusta correr. ¿Y en el invierno? Me gusta jugar videojuegos.

3. ¿Te gusta bailar? ¡A mí también! ¿Te gusta trabajar? ¡A mí tampoco! Me llamo Javier. En todos los meses del año, me gusta tocar la guitarra con mi banda, "Los Animales". Me gusta más cantar… música romántica y música rock. ¿Y a ti?

C. Escribir

Tu clase de español está diseñando una página Web para los estudiantes de otras clases. En orden, para que puedan conocerte, escribe la siguiente información sobre ti mismo/a.

- nombre
- tres cosas que te gusta hacer
- tres cosas que no te gusta hacer
- tres preguntas que quieres que otras personas contesten sobre sí mismas.

Modelo Me gusta bailar.

Para evaluar tu escrito, se considerará:

- **la cantidad de información que das sobre ti mismo/a**
- **la variedad de maneras en las que expresas tus gustos**
- **el uso apropiado del vocabulario y los puntos de gramática recién aprendidos.**

D. Hablar

Ahora que un grupo de amigos están aprendiendo español, quieres ver si pueden comunicarse bien por teléfono. Lamentablemente, cuando llamas a uno de ellos, atiende la contestadora. Deja un mensaje para que adivinen quién eres sin decirles tu nombre. Incluye tres oraciones sobre las cosas que te gusta hacer, y tres sobre las cosas que no te gusta hacer. Si han estado prestando atención, probablemente adivinen quién eres.

Para evaluar tu presentación, se considerará:

- **la cantidad de información que das sobre ti mismo/a.**
- **con qué facilidad se entiende lo que dices.**
- **la variedad de maneras en las que expresas tus gustos.**

E. Cultura

¿Cuál de estos bailes --*el merengue, el flamenco, el tango, la salsa, la cumbia*-- asociarías con cada una de las siguientes frases y palabras?
(a) un baile con ritmos africanos; (b) un baile típico de España; (c) un baile famoso de Colombia; (d) un baile romántico de Argentina.

Realidades A/B-1 Nombre ______ Hora ______

Capítulo 1A Fecha ______ **Hoja de respuestas 1A, Página 1**

HOJA DE RESPUESTAS

PARTE I: Vocabulario y gramática en uso

A. (___ /___ *puntos)*

1. ______
2. ______
3. ______
4. ______
5. ______
6. ______

B. (___ /___ *puntos)*

1. ______
2. ______
3. ______
4. ______
5. ______

C. (___ /___ *puntos)*

1. ______
2. ______
3. ______
4. ______
5. ______
6. ______
7. ______
8. ______
9. ______

Realidades A/B-1 Nombre Hora

Capítulo 1A Fecha **Hoja de respuestas 1A, Página 2**

PARTE II: Comunicación y cultura

A. Escuchar (___ /___ *puntos*)

A  B  C  D  E

F  G  H  I  J

K  L  M  N  O

P  Q  R  S  T

	LE GUSTA...	NO LE GUSTA...
Modelo A LUIS	S, K	I
1. A CARLA		
2. A ANA		
3. A GABRIEL		
4. A NACHO		
5. A ANDRÉS		

Nombre ______________________ Hora ______________

Fecha ______________________ **Hoja de respuestas 1A, Página 3**

B. Leer *(___ /___ puntos)*

¿Les gusta? Pon una √. ¿No les gusta? Pon una X.

	Mónica	Noé	Javier
escuchar música			
correr			
tocar la guitarra			
ir a la escuela			
practicar deportes			
jugar a los videojuegos			
salir con amigos			
nadar			
leer revistas			
cantar			
andar en bicicleta			
trabajar			
bailar			
ver televisión			

C. Escribir *(___ /___ puntos)*

____

____

____

____

D. Hablar *(___ /___ puntos)*

E. Cultura *(___ /___ puntos)*

a. ______________________ c. ______________________

b. ______________________ d. ______________________

Prueba 1B-1

Comprensión del vocabulario

A. Empareja los dibujos de la Columna A con la palabra más apropiada de la Columna B.

	A		B
_____ 1.		**a.**	serio
_____ 2.		**b.**	perezosa
_____ 3.		**c.**	trabajadora
_____ 4.		**d.**	reservado
_____ 5.		**e.**	deportista
_____ 6.		**f.**	desordenado
_____ 7.		**g.**	estudiosa
_____ 8.		**h.**	sociable
_____ 9.		**i.**	inteligente
_____ 10.		**j.**	ordenada

B. Los estudiantes están empezando a conocer a sus compañeros de clase. Lee las siguientes conversaciones y selecciona la palabra de la lista que mejor complete lo que dicen.

se	amigo	pero	le
a veces	se llama	cómo	

1. —Yo soy muy deportista. Y tú, ¿________ eres?

—Soy deportista, ________ también soy estudiosa.

—Mi ________ es estudioso también. ________ gusta mucho estudiar.

—¿Cómo ________ llama tu amigo?

— ________ Miguel.

—¿Y cómo es tu amigo?

—Miguel es muy inteligente, pero ________ es desordenado.

le	pero	ella	muy
cómo	buena	según	

2. —¿Cómo es tu amiga Lorena?

—Ella es sociable y ________ paciente.

—¿________ gusta hablar por teléfono?

—Sí, pero le gusta más pasar tiempo con amigos. ________ es una ________ amiga.

—Y tú, ¿eres muy similar a ella?

—No, soy más impaciente, ________ soy sociable también.

—¿Y ________ eres, ________ tu familia?

—Trabajadora y simpática.

Prueba 1B-2

Uso del vocabulario

A. Responde las preguntas sobre las personas que están en la fila.

1. ¿Cómo es el Sr. Privatera? ______________________.
2. ¿Cómo es Juanita? ______________________.
3. ¿Cómo es la Sra. Villanueva? ______________________.
4. ¿Cómo es Héctor? ______________________.
5. ¿Cómo es la Sra. Salazar? ______________________.
6. ¿Cómo es Carmen? ______________________.
7. ¿Cómo es Álvaro? ______________________.

B. Un grupo de estudiantes están conversando sobre sus gustos. En los espacios en blanco, escribe el adjetivo que mejor se asocie con sus gustos. Sigue el modelo.

Modelo JESÚS: Lucita, ¿te gusta dibujar?
LUCITA: Sí, soy muy *creativa*.

1. JOSÉ: María, ¿te gusta trabajar?
   MARÍA: Sí, soy muy ______________.
2. MATEO: Me gusta practicar deportes y correr.
   MARCOS: Eres muy ______________, ¿no?
3. TOMÁS: Josefina, ¿te gusta estudiar?
   JOSEFINA: No, no soy ______________.
4. TERESA: Me gusta hablar por teléfono.
   MARTA: Eres muy ______________, ¿no?
5. FE: Soy muy ordenada. Y tú, Lucas, ¿eres ordenado también?
   LUCAS: No, yo soy ______________.

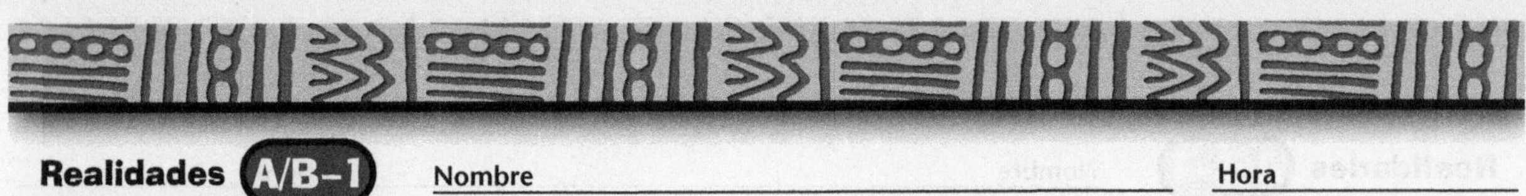

Prueba 1B-3

Adjetivos

Escribe cómo es cada uno según los dibujos. Recuerda cambiar la terminación de los adjetivos para que concuerde con el género del sujeto.

1.  Anita es ____________________.

2.  Carlos es ____________________.

3.  Manolo es ____________________.

4.  Carolina es ____________________.

5.  Andrea es ____________________.

6.  Pedro es ____________________.

7.  Alejandro es ____________________.

8.  Mariana es ____________________.

9.  Javier es ____________________.

10. Sara es ____________________.

Prueba 1B-4

Artículos definidos e indefinidos

A. Escribe en los espacios en blanco el artículo definido (**el** o **la**) que corresponda a cada dibujo.

Modelo *la*

1. ______

4. ______

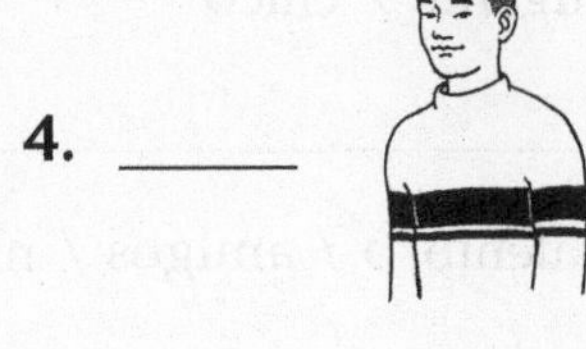

2. ______

5. ______

3. ______

6. ______

B. Ahora, escribe el artículo indefinido (**un** o **una**) que corresponda a cada una de las palabras de la Parte A.

Modelo *una* profesora

1. __________ guitarra
2. __________ computadora
3. __________ lápiz
4. __________ chico
5. __________ pupitre
6. __________ libro

Prueba 1B-5

El orden de las palabras: Ubicación de los adjetivos

Escribe una oración correcta con cada uno de los siguientes grupos de palabras.

1. chica / artística / una / soy

   ____.

2. un / soy / inteligente / chico

   ____.

3. soy / según / talentoso / amigos / muy / mis

   ____.

4. eres / una / no / perezosa / chica

   ____.

5. estudiante / soy / trabajador / un

   ____.

6. amiga / Elena / buena / una / es

   ____.

7. muy / es / Óscar / desordenado / a veces

   ____.

8. el Sr. Ortega / inteligente / es / profesor / un

   ____.

9. es / profesora / la Sra. Pérez / una / buena / muy

   ____.

10. simpática / una / Alicia / es / chica

   ____.

EXAMEN DEL CAPÍTULO, 1B

PARTE I: Vocabulario y gramática en uso

A. En los espacios en blanco de la hoja de respuestas, escribe el opuesto a cada una de las siguientes palabras.

1. chico
2. desordenado
3. serio
4. trabajadora
5. paciente

B. Dos estudiantes están hablando de un amigo. Elige la palabra de la lista que mejor complete lo que dicen. Escribe las respuestas en tu hoja de respuestas. Algunas palabras se pueden usar dos veces.

eres	**a veces**	**según**	**se llama**
soy	**deportista**	**le gusta**	

—¿Cómo se llama tu amigo?

—__1__ Kiko.

—¿Qué __2__ hacer?

—Pues, __3__ practicar deportes y nadar.

—Él es muy __4__, ¿no?

—Sí, y también es trabajador, pero __5__ es impaciente.

—Yo __6__ trabajadora también. __7__ mi familia soy muy estudiosa.

—¿__8__ impaciente también?

—No, yo __9__ paciente.

Realidades A/B-1 | Nombre ____________ | Hora ____________

Capítulo 1B | Fecha ____________ | **Examen 1B, Página 2**

C. Responde las preguntas con oraciones completas. Usa los dibujos como guía. Escribe las respuestas en la hoja de respuestas. Si en algún dibujo aparece una X, la persona no tiene la característica que se ilustra.

1. —¿Cómo es el chico?

2. —¿Cómo es el chico?

3. —¿Cómo es la chica?

4. —¿Cómo es la estudiante?

5. —¿Cómo es la chica?

6. —¿Cómo es el chico?

PARTE II: Comunicación y cultura

A. Escuchar

Listen as people talk about their friends. They each have at least one good thing to say about the friend, but they also mention personality flaws. As you listen, look at the pictures in the grid that represent personality traits. Put one check mark in the column that corresponds to the good trait and one check mark in the column that corresponds to the flaw that you hear for each person. You will hear each set of statements twice.

B. Leer

Encuentras en una revista española una entrevista sobre la serie "Tú y yo", uno de los mayores éxitos de la temporada televisiva. El reportero les pregunta a varios actores y actrices sobre el personaje que representa en la serie. Mientras lees, fíjate si puedes saber qué piensa cada actor o actriz acerca de su personaje.

REPORTERO: *Hola, Sr. Bandero. ¿Cómo se llama su personaje en "Tú y yo"?*

SR. BANDERO: *Se llama José Luis.*

REPORTERO: *¿Cómo es José Luis?*

SR. BANDERO: *Pues... ¡José Luis es muy talentoso y simpático... como yo!*

REPORTERO: *Bueno. ¿Es el Sr. Bandero similar a José Luis?*

SR. BANDERO: *Claro que sí. ¡Idénticos! Él es trabajador, y yo también.*

REPORTERO: *Gracias. Hasta luego.*

SR. BANDERO: *Hasta luego. Nos vemos.*

REPORTERO: *Buenos días, Srta. Robles. ¿Cómo se llama su personaje en "Tú y yo"?*

SRTA. ROBLES: *Se llama Cristina Córdoba. Ella es muy atrevida y super sociable. Yo no. Soy reservada y MUY romántica. Según mis amigos, no soy atrevida ni sociable. No me gustan las fiestas. Me gusta más pasar el tiempo con una revista buena.*

REPORTERO: *Gracias. Mucho gusto de hablar con usted.*

SRTA. ROBLES: *Encantada. Hasta luego.*

Después de leer las oraciones que aparecen en la hoja de respuestas, determina en cada caso: (a) si lo que se dice es cierto, (b) si es falso, o (c) si te falta información para poder decidir.

C. Escribir

Has decidido participar más este año en el Club de Español. De hecho, ¡hasta has pensado en postularte para presidente! Todos los candidatos deben presentar un breve informe sobre sí mismos. ¿Qué escribirías tú? En el espacio que aparece en la hoja de respuestas, escribe una descripción de ti mismo/a. Usa todos los adjetivos que puedas, di qué te gusta hacer en tu tiempo libre, e incluye algunas opiniones de tus amigos sobre cómo eres.

Para evaluar tu escrito, se considerará:
- **la cantidad de información que das sobre ti mismo/a.**
- **la variedad del vocabulario que usas.**
- **el uso correcto del vocabulario y los puntos de gramática recién aprendidos.**

D. Hablar

¿Quién eres TÚ, en realidad? ¿Cómo eres, en lo más íntimo de ti mismo/a? Por ejemplo, algunas personas parecen muy seguras, pero muy adentro, resultan ser muy tímidas. Otras pueden parecer muy serias, pero cuando están en familia son de lo más divertidas. Aprovecha esta oportunidad para analizar cómo eres en realidad. Describe aspectos de tu personalidad y habla de las cosas que te gusta hacer.

Para evaluar tu escrito, se considerará:
- **la cantidad de información que das sobre ti mismo/a.**
- **la variedad del vocabulario que usas para describirte.**
- **la facilidad con que se te entiende.**

E. Cultura

Si buscaras la palabra **amigo** en un diccionario español-inglés, encontrarías la palabra *friend*. ¿Te parece que las dos palabras significan lo mismo? Explica los dos grados de amistad que reconocen las culturas hispanoamericanas y las palabras que se asocian con ellos.

HOJA DE RESPUESTAS

PARTE I: Vocabulario y gramática en uso

A. *(___ /___ puntos)*

1. ____________
2. ____________
3. ____________
4. ____________
5. ____________

B. *(___ /___ puntos)*

1. ____________
2. ____________
3. ____________
4. ____________
5. ____________
6. ____________
7. ____________
8. ____________
9. ____________

C. *(___ /___ puntos)*

1. ____.
2. ____.
3. ____.
4. ____.
5. ____.
6. ____.

PARTE II: Comunicación y cultura

A. Escuchar *(___ /___ puntos)*

		Lorena	Javier	Kiki	Nico	Loli	Beto
☺	 						

☹	 						

B. Leer (___/___ *puntos)*

Determina en cada caso: (a) si lo que se dice es cierto, (b) si es falso, o (c) si te falta información para poder decidir.

_____ **1.** El personaje que representa el Sr. Bandero es como él.

_____ **2.** El personaje que representa la Srta. Robles es como ella.

_____ **3.** El Sr. Bandero se considera talentoso.

_____ **4.** La Srta. Robles se considera reservada y romántica.

_____ **5.** Aunque su personaje es muy trabajador, el Sr. Bandero no lo es.

_____ **6.** Srta. Robles es impaciente con su compañero, el Sr. Bandero.

_____ **7.** El Sr. Bandero ve a su personaje como un tipo simpático.

_____ **8.** La Srta. Robles ve a su personaje como alguien que prefiere leer una revista buena en vez de ir a una fiesta.

_____ **9.** El Sr. Bandero se considera muy agradable.

_____ **10.** La Srta. Robles preferiría hacer cine que televisión.

C. Escribir (___/___ *puntos)*

D. Hablar (___/___ *puntos)*

E. Cultura *(___ /___ puntos)*

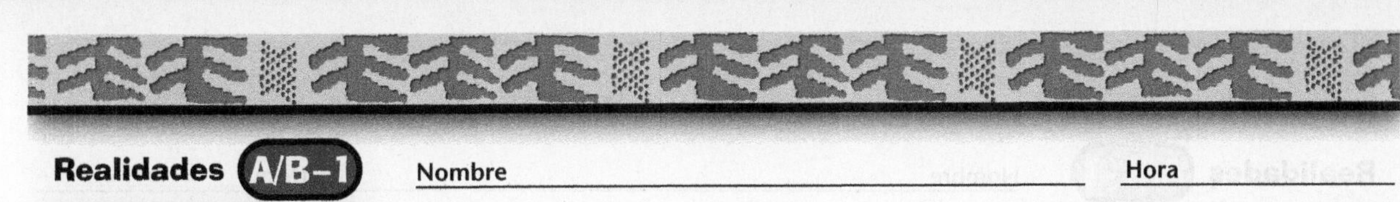

Prueba 2A-1

Comprensión del vocabulario

A. Escribe la letra de las horas de clase de la Columna B que corresponda a las horas dadas en la Columna A.

	A	B
_____ **1.**	8:00–8:50	**a.** novena hora
_____ **2.**	9:00–9:50	**b.** primera hora
_____ **3.**	10:00–10:50	**c.** séptima hora
_____ **4.**	11:00–11:30	**d.** octava hora
_____ **5.**	11:30–12:00	**e.** cuarta hora
_____ **6.**	12:00–12:50	**f.** sexta hora
_____ **7.**	1:00–1:50	**g.** segunda hora
_____ **8.**	2:00–2:50	**h.** décima hora
_____ **9.**	3:00–3:30	**i.** tercera hora
_____ **10.**	3:30–4:00	**j.** quinta hora

B. Lee las siguientes oraciones y determina cuál es **lógica** y cuál es **ilógica**, según tus conocimientos del vocabulario. Escribe una **L** si es **lógica** y una **I** si es **ilógica**.

1. Necesito una calculadora y una carpeta de argollas para la clase de matemáticas. _______
2. Tengo mucha tarea para el almuerzo. _______
3. Mi amigo Paquito enseña la clase de tecnología. _______
4. Necesito un diccionario para la clase de inglés. _______
5. Es importante estudiar para la clase de español. _______
6. La clase de matemáticas es divertida y aburrida. _______
7. El profesor Martín enseña la clase de español. _______
8. La clase de arte es mi clase favorita. _______
9. La clase de ciencias naturales es difícil y fácil. _______
10. La clase de educación física es divertida y no es aburrida. _______

C. Elige la palabra de la lista que mejor complete cada oración y escríbela en el espacio en blanco que corresponda.

inglés	diccionario	almuerzo	tecnología	horario	calculadora

1. "Me gusta mi ____________; tengo muchas clases interesantes."

2. "Necesito un ____________ para la clase de español."

3. "La clase de ____________ es práctica y divertida."

4. "Tengo mucha tarea en mi clase de ____________."

5. "Necesito una ____________ para la clase de matemáticas."

Prueba 2A-2

Uso del vocabulario

A. Escribe en la columna de la derecha del horario de Cristina el nombre de la clase que corresponda según el dibujo.

1.	
2.	
3.	
4.	
5.	
6.	

B. A la madre de Cristina le gustaría saber más sobre el horario de su hija. Completa las respuestas de Cristina en oraciones completas usando la información de la página anterior.

—Cristina, ¿qué clase tienes en la primera hora?

—____.

—¿Y qué clase tienes en la segunda hora?

—____.

—¿Tienes la clase de arte?

—____.

—En la cuarta hora, ¿tienes la clase de español?

—____.

—¿Y qué clase tienes en la sexta hora?

—____.

C. Lee las claves dadas y escribe la palabra del vocabulario que sugiere cada una.

1. No es fácil ________________
2. No es aburrida ________________
3. ______, segundo, tercero, ... ________________
4. tercera, cuarta, ______ ... ________________
5. octava, novena, ______ ... ________________
6. sexto, ______, octavo ... ________________
7. Necesito practicar deportes en la clase de ______. ________________
8. Me encanta la clase. Es mi clase ______. ________________
9. El profesor ______ la clase. ________________
10. Dice *Inglés-Español, Español-Inglés.*

    Es un ______. ________________

Prueba 2A-3

Pronombres personales que pueden funcionar como sujeto

A. Escribe el pronombre que usarías para hablar *sobre* las siguientes personas.

Modelo Francisco *él*

1. Marta ______
2. Raúl y yo ______
3. El profesor Piedra ______
4. José y Elisa ______
5. Julia y Ud. ______
6. Anita y Juana ______

B. Escribe el pronombre que usarías como sujeto (**tú**, **Ud.**, o **Uds.**) para dirigirte a cada una de las personas o grupos que aparecen en los dibujos.

1.  ______

2.  ______

3.  ______

4.  ______

5.  ______

6.  ______

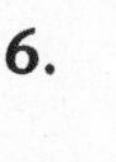

Prueba 2A-4

Presente de los verbos terminados en *-ar*

Completa las siguientes oraciones con la forma correcta del verbo entre paréntesis más apropiado.

1. El profesor Castro ________________ la clase de español. (patinar / enseñar)
2. Los estudiantes ________________ mucho para la clase de ciencias naturales. (hablar / estudiar)
3. Mis amigos y yo ________________ en clase. (hablar / necesitar)
4. Yo ______________ una calculadora para la clase de matemáticas. (necesitar / pasar)
5. ¿________________ (tú) mucho en la clase de arte? (usar / dibujar)
6. Sebastián y Puri ________________ en monopatín. (montar / bailar)
7. Tú ________________ en la clase de educación física. (cantar / nadar)
8. La profesora Martínez ________________ la computadora para la clase de español. (usar / esquiar)
9. Yo ________________ música en el almuerzo. (escuchar / hablar)
10. Nosotros ________________ deportes en la clase de educación física. (practicar / montar)
11. Tú ________________ muy bien. (usar / patinar)
12. Yo ________________ mucho tiempo con mis amigos. (pasar / escuchar)
13. Iván y Víctor ________________ mucho para la clase de ciencias naturales. (trabajar / bailar)
14. Natalia es talentosa. ________________ y ________________ muy bien. (cantar / necesitar / bailar)

EXAMEN DEL CAPÍTULO, 2A

PARTE I: Vocabulario y gramática en uso

A. Observa el horario de Susana. Luego, completa sus comentarios sobre sus clases siguiendo el modelo.

miércoles			
8:00	ciencias sociales	*almuerzo*	
9:00	ciencias naturales	1:00	inglés
10:00	matemáticas	2:00	arte
11:00	educación física	3:00	español

Modelo Tengo la clase de español en la *séptima* hora.

Me gustan mis clases. Mi clase favorita es la clase de matemáticas. Tengo la clase en la __1__ hora, a las diez. También me gusta el arte, que es la __2__ clase del día. En la __3__ hora tengo la clase de ciencias naturales. Me gusta, pero es difícil. La __4__ clase del día, la clase más aburrida, es la clase de ciencias sociales. No me gusta mucho. Pero sí me gusta la clase de educación física. Es la __5__ clase del día. La clase de inglés, en la __6__ hora, es muy interesante.

B. ¿A quién se refiere cada oración? Escribe en la hoja de respuestas el pronombre que corresponda según el sujeto. Las palabras claves están subrayadas. Sigue el modelo.

Modelo <u>Tengo</u> la clase de español en la segunda hora. *yo*

1. <u>Necesito</u> un libro para la clase de inglés.
2. <u>Lidia y Julio estudian</u> matemáticas.
3. <u>Hablas</u> con la profesora de ciencias naturales.
4. <u>Necesitamos</u> escribir la tarea de la clase de inglés.
5. <u>Adela, Ana y Olga hablan</u> de la clase de arte.
6. <u>Tú y Miguel necesitan</u> una carpeta de argollas para la clase de ciencias naturales.
7. <u>La profesora Sánchez enseña</u> la clase de español en la primera hora.
8. <u>Roberto practica</u> deportes en la clase de educación física.
9. <u>Tú y yo hablamos</u> español.

C. Linda está hablando de sus clases. Completa sus comentarios con las formas correctas de los verbos **estudiar, enseñar** y **hablar**.

¡Uy, tengo muchas clases! Hoy Marta y yo __1__ para un examen de matemáticas y mañana yo __2__ para un examen de español. El profesor López __3__ la clase de español. Me gusta la clase, pero él __4__ muy rápido. ¡Yo no __5__ rápido como él! El profesor Rodríguez y la profesora Navarra __6__ la clase de educación física. ¡No __7__ para esta clase! Y tú, ¿qué __8__ hoy?

D. Di qué hacen estas personas.

Modelo ella *Ella canta* .

1. él ____________.

2. ellos ____________.

3. yo ____________.

4. nosotros ____________.

5. ella ____________.

6. Ud. ____________.

7. tú ____________.

PARTE II: Comunicación y cultura

A. Escuchar

Listen as students talk to each other about the classes on their new schedules. Some students like their classes and others don't. As each student describes a class, place a check mark in each column that matches a reason he or she gives for either liking or disliking the class. You will hear each set of statements twice.

B. Leer

Estás hojeando una revista española y ves una sección en la que la gente manda mensajes para que otras personas los lean y respondan si les interesa. El tema de esta semana es "Tú y la escuela". Fíjate si entiendes lo que dice cada mensaje sobre la jornada escolar. Después de leer cada uno, elige la frase que mejor describa lo que el mensaje sugiere sobre la persona que lo escribió.

1. Me llamo Luis. En la escuela no tengo muchas clases interesantes. ¿Cómo es mi día típico? En la primera hora, estudio ciencias sociales. Es muy aburrida. La profesora habla y nosotros escuchamos, nada más. En la segunda y tercera hora, la tarea es muy fácil. ¡El almuerzo es mi clase favorita! Es divertido porque mis amigos comen el almuerzo también. No me gusta ir a la escuela.

2. Soy Victoria. ¡Tengo ocho clases en mi horario, y me gustan siete! Mis profesores son graciosos e interesantes. En la octava hora, tengo la clase de inglés con el Sr. Kraus. Es mi clase favorita. Él es el "Profesor del Año" de la Escuela Central este año. Es muy divertido y muy paciente. Me gusta leer y escribir cuentos en la clase. Para mí, es una clase ideal.

C. Escribir

Quieres mandarle un mensaje a tu ciberamigo de Costa Rica. Como él acaba de escribirte sobre sus nuevas clases, tú también decides escribirle sobre tu horario. Describe al menos tres de tus clases y explica por qué te gusta o no cada una. Incluye en tu mensaje:

- el nombre de cada clase.
- una descripción de la clase --dificultad, interés, aplicación práctica, etc.
- una descripción de la personalidad del profesor/a.
- la razón por la que te gusta o no esa clase.

Para evaluar tu mensaje, se considerará:
- **la cantidad de información que das.**
- **la exactitud con que expresas tus gustos.**
- **la variedad del vocabulario que usas.**

D. Hablar

Para conocerte un poco más, tu profesor/a de español quiere que le digas en qué te pareces y en qué te diferencias de tus amigos. Habla de las actividades que realizas con tus amigos Y de aquellas que cada cual realiza individualmente. Por ejemplo, podrías mencionar que tú y tus amigos estudian juntos, y luego decir que tú tocas la guitarra y que tus amigos cantan.

Mis amigos y yo

Yo...

y mis amigos ...

Para evaluar tu presentación, se considerará:
- **el número de diferencias y semejanzas que mencionas.**
- **el uso apropiado de los pronombres en función de sujeto y las formas verbales.**
- **el uso del vocabulario que acabas de aprender.**

E. Cultura

Explica qué deporte es considerado el más popular en los países de habla hispana, tanto entre los aficionados como entre los jóvenes que lo practican. ¿Qué aspectos de ese deporte se parecen a algún evento deportivo en los Estados Unidos?

HOJA DE RESPUESTAS

PARTE I: Vocabulario y gramática en uso

A. (___ /___ *puntos*)

1. ______
2. ______
3. ______
4. ______
5. ______
6. ______

B. (___ /___ *puntos*)

1. ______
2. ______
3. ______
4. ______
5. ______
6. ______
7. ______
8. ______
9. ______

C. (___ /___ *puntos*)

1. ______
2. ______
3. ______
4. ______
5. ______
6. ______
7. ______
8. ______

D. (___ /___ *puntos*)

1. ______.
2. ______.
3. ______.
4. ______.
5. ______.
6. ______.
7. ______.

PARTE II: Comunicación y cultura

A. Escuchar *(___ /___ puntos)*

1.						
2.						
3.						
4.						
5.						

B. Leer *(___ /___ puntos)*

	Luis	Victoria
1. Le gusta pasar tiempo con amigos en la cafetería.		
2. La profesora habla mucho en la clase.		
3. No le gusta una de las clases.		
4. Tiene muchas clases aburridas.		
5. Tiene un profesor muy popular en la escuela.		

C. Escribir *(____ /____ puntos)*

D. Hablar *(____ /____ puntos)*

E. Cultura *(____ /____ puntos)*

Prueba 2B-1

Comprensión del vocabulario

A. Empareja los dibujos con el nombre de cada objeto. Escribe la letra que corresponda a cada palabra en el espacio en blanco.

_____ 1.  **a.** la mesa

_____ 2.  **b.** el teclado

_____ 3.  **c.** la ventana

_____ 4.  **d.** la silla

_____ 5. 

e. el ratón

_____ 6.  **f.** la puerta

_____ 7.  **g.** la mochila

_____ 8.  **h.** el cartel

_____ 9.  **i.** el sacapuntas

_____ 10.  **j.** la pantalla

B. Encierra en un círculo la letra de la respuesta más lógica a cada una de las siguientes preguntas.

1. ¿Dónde está el reloj?
   - **a.** Está en la sala de clases.
   - **b.** Está encima de la sala de clases.
   - **c.** Está bien.
2. ¿Hay un sacapuntas en la sala de clases?
   - **a.** Hay una mochila en la sala de clases.
   - **b.** Sí, está al lado de la ventana.
   - **c.** Hay unos libros y unos pupitres.
3. ¿Qué es esto?
   - **a.** La silla está allí.
   - **b.** Soy de Puerto Rico.
   - **c.** Es una bandera de México.
4. ¿Cuántos pupitres hay en tu clase?
   - **a.** Mi pupitre está aquí.
   - **b.** Hay una bandera y dos ventanas.
   - **c.** Hay treinta y dos.
5. ¿Qué está al lado del escritorio?
   - **a.** La papelera.
   - **b.** Sí, está detrás del escritorio.
   - **c.** No, no está al lado de la puerta.
6. ¿Dónde está tu tarea?
   - **a.** No, es la tarea de Raquel.
   - **b.** No está bien.
   - **c.** Está aquí, encima del pupitre.
7. ¿Qué es esto? ¿Es tu mochila?
   - **a.** Sí, hace frío.
   - **b.** No, es la mochila de Pedro.
   - **c.** Aquí están las ventanas.
8. ¿Dónde está la computadora?
   - **a.** Está encima de la mesa.
   - **b.** Está al lado de la pantalla.
   - **c.** Está debajo de la silla.

Prueba 2B-2

Uso del vocabulario

A. Observa el dibujo del salón de clases. Completa las oraciones de abajo para indicar dónde está cada objeto.

1. Los pupitres están ____________ del escritorio.
2. La computadora está ____________ de la mesa.
3. La papelera está ____________ del escritorio.
4. El sacapuntas está ____________ de la puerta.
5. Los libros están ____________ de la mesa.
6. El reloj está ____________ de la silla.

B. Responde las siguientes preguntas con oraciones completas, según los dibujos.

1. —¿Qué es esto?

   ____

   ____

   ______________________________.

2. —¿Qué hay en la mochila?

   — ______________________________

   ____

   ______________________________.

3. —¿Cuántas sillas hay?

   — ______________________________

   ____

   ______________________________.

4. —¿Qué está al lado de la ventana?

   — ______________________________

   ____

   ______________________________.

5. —¿Qué hay en la mesa?

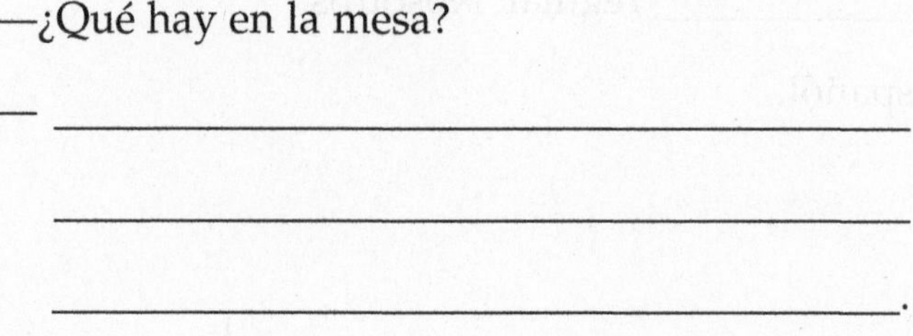

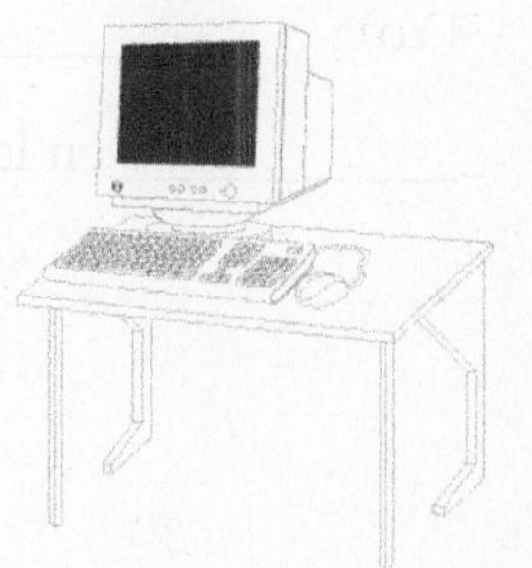

Prueba 2B-3

El verbo *estar*

Seguramente, hoy oíste muchas preguntas que incluían el verbo **estar**. Completa las siguientes oraciones con la forma correcta del verbo.

1. —¿Dónde ___________ mi mochila?

   — ___________ en la clase de tecnología.

2. —¿En qué clase ___________ Uds. en la segunda hora?

   —Nosotros ___________ en la clase de español.

3. —¡Hola, Juan! ¿Cómo ___________?

   —___________ bien, Jorge. ¿Y tú?

   —Regular.

4. —¿Dónde ___________ Luisita y María hoy? Ellas no ___________ en la cafetería.

   —Luisita ___________ en la clase de arte y María ___________ en la clase de inglés.

5. —¿Dónde ___________ la sala de clases de la profesora Williams?

   —___________ al lado de la sala de clases del profesor Charco.

6. —¿Cómo ___________ Ud. hoy, Sr. Pascual?

   —___________ muy bien, gracias, Selena. ¿Cómo ___________ tú?

   —Regular.

7. —¿Cómo ___________ tú y Juan?

   —(Yo) ___________ bien. Juan ___________ regular. Nosotros ___________ en la clase de español.

Prueba 2B-4

El plural de los sustantivos y los artículos

A. Escribe la forma plural de los siguientes sustantivos y artículos. Fíjate si el artículo es definido o indefinido antes de escribir el plural.

Modelo el libro *los libros*

1. la computadora ______
2. el reloj ______
3. una mesa ______
4. la bandera ______
5. una carpeta ______
6. una clase ______
7. el pupitre ______
8. un cuaderno ______
9. la pantalla ______
10. la papelera ______
11. el profesor ______
12. la pierna ______
13. un lápiz ______
14. un cartel ______
15. el bolígrafo ______
16. la estudiante ______
17. el señor ______
18. la señora ______
19. un sacapuntas ______
20. el mes ______

EXAMEN DEL CAPÍTULO, 2B

PARTE I: Vocabulario y gramática en uso

A. Escribe oraciones con **hay** para decir cuántos de cada objeto hay en el salón de clase.

1.

2.

3.

4.

B. Beti llega a la escuela y llama a su hermana por el teléfono móvil. Lee la conversación y completa las oraciones con las formas correctas del verbo **estar**.

SARA: ¡Hola, Beti! ¿Dónde ___1___?

BETI: ___2___ aquí delante de la escuela. Tengo mucha tarea para la clase de matemáticas. Pero, ¿dónde ___3___ mi libro?

SARA: ¡Ay, no! ¡Los libros ___4___ aquí, en mi mochila!

BETI: ¡Qué pena!

SARA: Oye, mamá y yo ___5___ en ruta (*en route*) a la escuela.

BETI: ¡Muchas gracias! Yo ___6___ al lado de la bandera, delante de la puerta de la escuela.

SARA: Muy bien. ¡Nos vemos!

BETI: ¡Hasta luego!

C. Di dónde está cada cosa en relación con el objeto indicado. Sigue el modelo.

Modelo la bandera / el reloj

La bandera está debajo del reloj .

1. la computadora / el escritorio

   ______________________________.

2. la papelera / el escritorio

   ______________________________.

3. la mesa / la ventana

   ______________________________.

4. la silla / el escritorio

   ______________________________.

5. el sacapuntas / la ventana

   ______________________________.

PARTE II: Comunicación y cultura

A. Escuchar

Listen as these students discuss something that they left behind in one of their classrooms. Their friends and teachers all have suggestions for places to look. As you hear their suggestions, fill in the grid on your answer sheet to indicate which item was lost and where it was eventually found. You will hear each conversation twice.

B. Leer

El consejero escolar te pide que le ayudes. Tienes que leer las notas que escribieron algunos nuevos estudiantes hispanohablantes. Después de leer cada nota, el consejero quiere que le presentes un informe. Lee la nota que escribió Paulina y luego responde si las preguntas que aparecen en la hoja de respuestas son ciertas o falsas. Escribe **cierto** o **falso** en los espacios dados.

ESTUDIANTE: *Paulina Escobar* GRADO: *10*

PROBLEMA: Tengo un problema con mi horario. Estoy en la clase de tecnología con la Sra. Chávez en la primera hora. Es una clase muy difícil para mí. ¡Soy trabajadora, pero no me gusta la clase! No es una clase práctica ni interesante. También hay treinta y tres estudiantes en la clase y sólo veinticinco computadoras. Es un problema, ¿no? Mi amiga y yo usamos una computadora. Me gusta ir a la escuela, pero hay mucha tarea en esta clase. Soy muy artística y me gusta dibujar. Y… no me gusta la persona que está enfrente de mí en la clase. Ella habla, habla y habla. Es difícil escuchar. Necesito una clase de arte en la primera hora. ¿Hay una clase diferente para mí en la primera hora?

Paulina Escobar

C. Escribir

Tus compañeros y tú están escribiendo preguntas para una encuesta escolar sobre horarios y clases. Escribe al menos cinco preguntas que podrías incluir en la encuesta.

Para evaluar tu escrito, se considerará:

- **el número de preguntas claras y comprensibles que escribes.**
- **la variedad del tipo de preguntas que escribes.**
- **el uso apropiado del vocabulario y los puntos de gramática que acabas de aprender.**

D. Hablar

¿Te gusta cómo está organizado tu salón de clases? Dile a tu profesor/a dónde están ubicadas al menos cinco cosas de tu salón de clases.

Para evaluar tu presentación, se considerará:

- **el número de cosas y la descripción correcta de su ubicación en el salón de clases.**
- **la facilidad con que se te entiende.**
- **el uso apropiado del vocabulario y los puntos de gramática que acabas de aprender.**

E. Cultura

La Cámara de Comercio de tu área te ha elegido para que representes a tu pueblo o ciudad en la Ciudad de México por todo un mes. Cuando llegues, será época de clases. Describe al menos tres cosas que hayas aprendido en este capítulo que te preparen para lo que esperarías encontrar en la escuela.

HOJA DE RESPUESTAS

PARTE I: Vocabulario y gramática en uso

A. *(___ /___ puntos)*

1. ______________________________.
2. ______________________________.
3. ______________________________.
4. ______________________________.

B. *(___ /___ puntos)*

1. __________ 4. __________
2. __________ 5. __________
3. __________ 6. __________

C. *(___ /___ puntos)*

1. ______________________________.
2. ______________________________.
3. ______________________________.
4. ______________________________.
5. ______________________________.

PARTE II: Comunicación y cultura

A. Escuchar *(___ /___ puntos)*

Persona que busca el objeto	a) Objeto	b) Clase	c) Lugar en la clase
Paco			
Ana			
Andrés			
Graciela			
Chucho			

B. Leer *(___ /___ puntos)*

1. Paulina está en la clase de arte en la primera hora. ______
2. Hay muchos estudiantes en la clase. ______
3. No hay treinta y tres computadoras en la clase. ______
4. Paulina usa una computadora con (*with*) la profesora. ______
5. A Paulina no le gusta ir a la escuela. ______
6. Paulina es una chica artística. ______
7. La persona enfrente de Paulina es la amiga de ella. ______
8. Es fácil escuchar en la clase. ______
9. A Paulina no le gusta trabajar. ______
10. No hay tarea en la clase de la Sra. Chávez. ______

C. Escribir (___ /___ *puntos)*

1. ¿ ____

____?

2. ¿ ____

____?

3. ¿ ____

____?

4. ¿ ____

____?

5. ¿ ____

____?

D. Hablar (___ /___ *puntos)*

E. Cultura (___ /___ *puntos)*

____

____

____

____

Prueba 3A-1

Reconocimiento de vocabulario

A. Empareja cada dibujo con el nombre que le corresponda en español. Escribe la letra de la respuesta correcta en los espacios en blanco.

_____ 1.  **a.** la ensalada de frutas

_____ 2.  **b.** el yogur de fresas

_____ 3.  **c.** los huevos

_____ 4.  **d.** el sándwich de jamón y queso

_____ 5.  **e.** el café

_____ 6.  **f.** la pizza

_____ 7.  **g.** los plátanos

_____ 8.  **h.** el jugo de manzana

_____ 9.  **i.** el queso

_____ 10.  **j.** la hamburguesa

_____ 11.  **k.** el tocino

_____ 12.  **l.** los perritos calientes

B. La familia Rivera está hablando de comidas y bebidas. Encierra en un círculo la letra de la palabra o frase que mejor complete cada oración.

1. Me encanta el desayuno, especialmente _______________.
   a. las papas fritas b. las salchichas
2. Como cereal en el desayuno _______________.
   a. todos los días b. más o menos
3. Me encanta el queso. Mi comida favorita es _______________.
   a. los plátanos b. la pizza
4. ¿Te gusta comer un sándwich de jamón y queso en _______________?
   a. el almuerzo b. el desayuno
5. ¿_______________ comida te gusta más, una hamburguesa o una ensalada?
   a. Qué b. Quién
6. Cuando hace calor, me gusta beber _______________.
   a. té helado b. café
7. Bebes muchos refrescos, ¿_______________?
   a. por supuesto b. verdad
8. ¿Qué te gusta más beber, jugo de manzana o _______________?
   a. galleta b. limonada

Nombre ______________________ Hora ______________

Fecha ______________________

Prueba 3A-2

Uso del vocabulario

A. La familia Cruz está compartiendo un magnífico almuerzo. Observa el dibujo y escribe el nombre de cada alimento en el espacio en blanco que corresponda. La primera respuesta ya está dada.

1. *la ensalada de frutas*
2. ______________________
3. ______________________
4. ______________________
5. ______________________
6. ______________________
7. ______________________
8. ______________________
9. ______________________
10. ______________________

B. Ana quiere saber cuáles son los hábitos de Rafael en las comidas. Usando los dibujos como guía, escribe en oraciones completas las respuestas de Rafael a las preguntas de Ana.

1. ANA: ¿Qué comes en el desayuno?

RAFAEL: ______________________________.

2. ANA: ¿Qué bebes en el desayuno?

RAFAEL: ______________________________.

3. ANA: ¿Qué compartes con Sara?

RAFAEL: ______________________________.

4. ANA: ¿Qué no bebes nunca en el almuerzo?

RAFAEL: ______________________________.

5. ANA: ¿Qué comes todos los días en el almuerzo?

RAFAEL: ______________________________.

Prueba 3A-3

El presente de los verbos terminados en *-er* y en *-ir*

A. Usando los dibujos como guía, di qué come o bebe cada uno de los sujetos dados.

1. Raúl ______________________.
2. María y yo ______________________.
3. Los profesores ______________________.
4. Tú y Raquel ______________________.
5. Yo ______________________.

B. Le estás escribiendo a una amiga un mensaje sobre la cafetería de tu escuela. Escoge el verbo más apropiado en cada caso, de los dos que se dan entre paréntesis, y escribe la forma correcta en los espacios en blanco.

Estimada Luisa:

Todos los días yo __________ (*correr* / *comer*) en la cafetería. Elena y yo __________ (*escribir* / *comer*) perritos calientes y __________ (*beber* / *leer*) limonada. Carlos y Miguel __________ (*beber* / *comer*) pizza o hamburguesas y __________ (*compartir* / *beber*) unas galletas. Los profesores no __________ (*escribir* / *comer*) en la cafetería con los estudiantes. ¿Tú __________ (*compartir* / *comer*) en la cafetería con los profesores? ¿Qué __________ (*beber* / *comer*) ellos, agua o refrescos? Me encantan los jugos, pero nunca __________ (*beber* / *correr*) refrescos. ¿Qué comida te gusta más? Mi comida favorita es el queso.

Adiós,

____

Prueba 3A-4

Me gustan, me encantan

A. María y Cristina están hablando de las comidas que les gustan. Completa sus oraciones escribiendo la forma correcta del verbo **gustar** o **encantar**, según se indica entre paréntesis.

1. A mí me ______ mucho el queso. (gustar)
2. ¿Te ______ los huevos? (gustar)
3. A ti te ______ la ensalada de frutas, ¿no? (encantar)
4. A mí me ______ las hamburguesas. (encantar)
5. ¡Qué asco! No me ______ las salchichas. (gustar)
6. A mí tampoco me ______ el tocino. (gustar)
7. ¿Te ______ los perritos calientes? (gustar)
8. Me ______ el pan. (encantar)
9. A mí no me ______ las manzanas. (gustar)
10. A mí también me ______ el pan tostado. (encantar)

B. Ahora escribe tus opiniones sobre las siguientes comidas, usando los verbos **(no) gustar** y **(no) encantar**. Sigue el modelo.

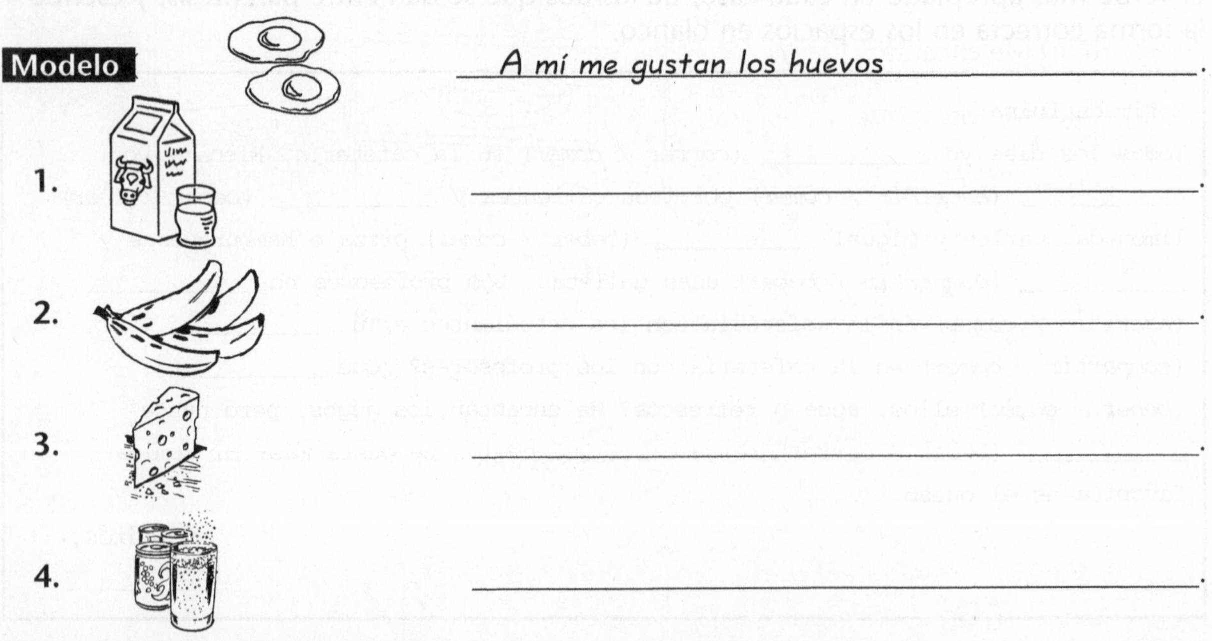

Modelo *A mí me gustan los huevos*.

1. ______.
2. ______.
3. ______.
4. ______.

EXAMEN DEL CAPÍTULO, 3A

PARTE I: Vocabulario y gramática en uso

A. Escribe el nombre de cada comida en la categoría correcta del cuadro que aparece en la hoja de respuestas para indicar si es más común comerlas en el desayuno o en el almuerzo.

B. Escribe cinco oraciones para mostrar tus reacciones a los alimentos que aparecen en el dibujo. Comienza tus oraciones con las palabras dadas.

1. Me gusta...
2. No me gusta...
3. (No) Me gustan...
4. (No) Me encanta...
5. (No) Me encantan...

C. Di qué comidas y bebidas comen o beben cada día distintas personas. Escribe las oraciones en la hoja de respuestas usando los verbos **comer** y **beber**. Sigue el modelo.

Modelo ellos / tres manzanas

Ellos comen tres manzanas.

1. usted / dos plátanos
2. ustedes / una ensalada de frutas
3. nosotras / jugo de naranja
4. yo / café
5. él / pizza
6. ellas / papas fritas
7. tú / dos hamburguesas
8. ella / jugo de manzana
9. tú y yo / té helado

PARTE II: Comunicación y cultura

A. Escuchar

Listen as students describe what they usually eat and drink for breakfast or lunch. As you hear their descriptions, check off the food items that each person mentions in the appropriate column. You will hear each set of statements twice.

B. Leer

Estás ayudándoles a ordenar el almuerzo a unos niños hispanohablantes de la tropa local de los Boy Scouts. Lee el menú. Cada niño tiene ciertos hábitos de comida. Según las preferencias que se indican abajo, marca en la hoja de respuestas las cosas que cada niño se negaría a comer.

- Hamburguesa
- Hamburguesa con queso
- Perrito caliente
- Sándwich de jamón
- Sándwich de jamón y queso
- Pizza
- Ensalada de frutas
- Sopa de verduras
- Yogur de fresas y plátanos
- Limonada
- Leche
- Jugo de naranja
- Jugo de manzana
- Refresco
- Té helado
- Agua

1. Miguel no come nunca las frutas.
2. A Paco no le gusta comer verduras.
3. A Nacho no le gusta el queso.
4. Ernesto no come nunca la carne.

C. Escribir

Tu Club de Español está organizando un Súper Sábado en Español. Una de las tareas más difíciles es elegir las comidas que les gustan a la mayoría de los estudiantes y evitar aquellas que no les gustan. Tu profesor/a te pide que escribas un párrafo corto describiendo tu desayuno ideal, incluyendo al menos tres comidas o bebidas que te gustan y tres que no te gustan. Luego describe tu almuerzo ideal, incluyendo tres cosas que te gusten y tres que no. No hagas sólo una lista; trata de escribir tu párrafo en oraciones completas.

Para evaluar tu escrito, se considerará:

- **el número de oraciones completas que escribes sobre las cosas que te gustan y las que no te gusta comer.**
- **la facilidad con que se entiende tu escrito y la organización con que lo presentas.**
- **el uso apropiado del vocabulario y los puntos de gramática que acabas de aprender.**

D. Hablar

¿Conoces el dicho: "Eres lo que comes"? ¿Qué comes tú todos los días? ¿Hay algo que nunca comes? ¿Hay algo que realmente te encanta comer todos los días? Háblale a tu profesor/a de tu "perfil" en materia de comidas. Incluye seis o más detalles sobre tus hábitos y preferencias.

Para evaluar tu presentación, se considerará:

- **el número de detalles que incluyes sobre tus hábitos y preferencias.**
- **la facilidad con que se te entiende.**
- **el uso apropiado del vocabulario y los puntos de gramática que acabas de aprender.**

E. Cultura

Tus tíos van a viajar a México el mes que viene y tú quieres recomendarles algo típicamente mexicano que por lo general se come por las mañanas. Piensa en lo que aprendiste en este capítulo y diles qué es, cómo lo describirías, y adónde les sugerirías que fueran para probarlo.

HOJA DE RESPUESTAS

PARTE I: Vocabulario y gramática en uso

A. *(___ /___ puntos)*

desayuno	almuerzo

B. *(___ /___ puntos)*

1. ______________________________
______________________________.
2. ______________________________
______________________________.
3. ______________________________
______________________________.
4. ______________________________
______________________________.
5. ______________________________
______________________________.

C. *(___ /___ puntos)*

1. ______________________________.
2. ______________________________.
3. ______________________________.
4. ______________________________.
5. ______________________________.
6. ______________________________.
7. ______________________________.
8. ______________________________.
9. ______________________________.

Realidades A/B-1 Nombre ____________ Hora ____________

Capítulo 3A Fecha ____________ Hoja de respuestas **3A**, Página 2

PARTE II: Comunicación y cultura

A. Escuchar *(___ /___ puntos)*

	Marta	Enrique	Kiki	Orlando
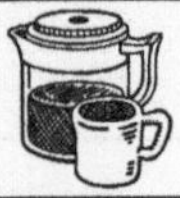				
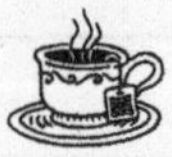				
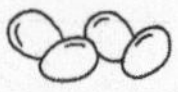				
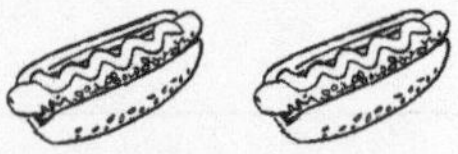				
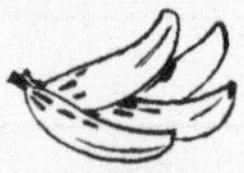				
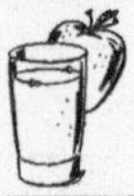				
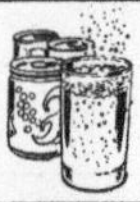				
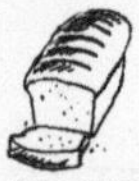				
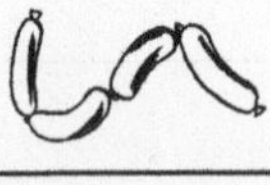				
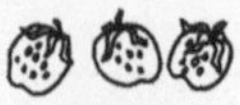				
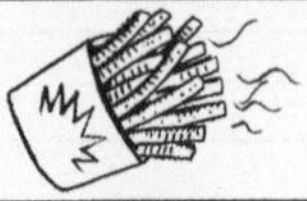				
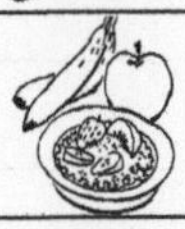				
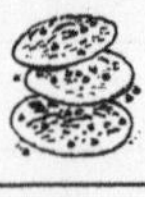				
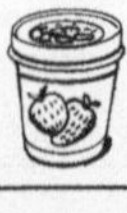				

B. Leer *(___ /___ puntos)*

	Miguel	Paco	Nacho	Ernesto
Hamburguesa				
Hamburguesa con queso				
Perrito caliente				
Sándwich de jamón				
Sándwich de jamón y queso				
Pizza				
Ensalada de frutas				
Sopa de verduras				
Yogur de fresas y plátanos				
Limonada				
Leche				
Jugo de naranja				
Jugo de manzana				
Refresco				
Té helado				
Agua				

C. Escribir *(___ /___ puntos)*

D. Hablar *(___ /___ puntos)*

E. Cultura *(___ /___ puntos)*

Prueba 3B-1

Comprensión del vocabulario

A. Empareja las oraciones sobre comidas que aparecen a la izquierda con los dibujos de la derecha. Escribe la letra que corresponda en los espacios en blanco.

_____ **1.** Me gustan los guisantes. **a.** 

_____ **2.** ¿Comes bistec? **b.**

_____ **3.** Yo también como uvas. **c.** 

_____ **4.** ¿Te gusta el pan con mantequilla? **d.** 

_____ **5.** Las zanahorias son buenas para los ojos. **e.** 

_____ **6.** No debemos comer muchos pasteles. **f.** 

_____ **7.** Me encanta la ensalada de lechuga y tomate. **g.** 

_____ **8.** Necesito más arroz, por favor. **h.** 

_____ **9.** ¿Te gustan las papas? **i.** 

_____ **10.** ¿Uds. comen mucho pescado? **j.** 

B. Determina si las siguientes oraciones sobre comidas son ciertas o falsas. Escribe una **C** si la afirmación es **cierta** o una **F** si es **falsa**.

_____ **1.** El bistec, el pollo y las uvas son carnes.

_____ **2.** Comer mucha mantequilla es bueno para la salud.

_____ **3.** Los tomates, la lechuga y las zanahorias son ingredientes de una ensalada.

_____ **4.** Normalmente comemos pescado en el desayuno.

_____ **5.** Los espaguetis son comida italiana.

_____ **6.** El helado es frío.

_____ **7.** Las papas son pasteles.

_____ **8.** Las salchichas son carnes.

C. Completa la siguiente conversación usando las palabras de la lista.

prefiero	**la salud**	**judías**	**hambre**
mantener	**hago ejercicio**	**pesas**	**de acuerdo**

—¡Me encantan las zanahorias! Son muy buenas para _______________.

—Estoy _______________. A mí también me gustan las _______________ verdes.

—Bien, comes verduras. ¿Qué más haces para _______________ la salud?

—Pues, cada día yo _______________. Levanto _______________ y practico deportes. ¿Y tú?

—Yo _______________ correr y caminar.

—¿Por qué no caminamos a la soda? Yo tengo _______________.

—Yo también.

Prueba 3B-2

Uso del vocabulario

A. Observa la pirámide nutritiva y escribe en los espacios en blanco el nombre de los alimentos que indican las flechas.

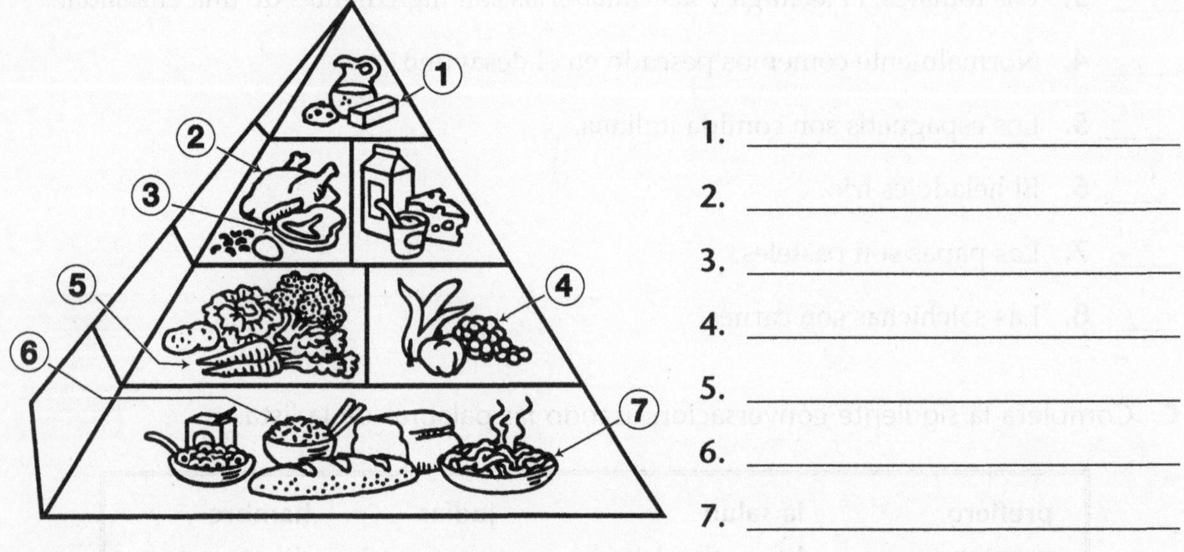

1. ______________
2. ______________
3. ______________
4. ______________
5. ______________
6. ______________
7. ______________

B. Ahora, completa las siguientes oraciones sobre los buenos hábitos de alimentación.

1. Para mantener la salud d __ __ __ s comer frutas y verduras todos los días.
2. Es __o r r__ __ __ __ __ comer muchos pasteles y helado.
3. Es importante comer de __ __d__s los grupos de comidas cada día.
4. En una ensalada de __ __chu__ __ y __o__ __t__ __ no hay muchas grasas.
5. El agua es una b__ __i__ __ muy buena para la salud.
6. Cuando __e__ __ __ __e__, bebo agua.

C. Antonio y Carlos son amigos, pero sus actitudes con respecto a la salud son muy diferentes. Lee las afirmaciones de cada uno. Luego, ordena las letras que aparecen entre paréntesis, y escribe las palabras correctas en los espacios en blanco para completar lo que dice cada muchacho.

Antonio

Para mí, es importante mantener la salud.

1. Cada día prefiero comer verduras—__________ (sstuenaig) o __________ __________ (adíjsu ervsed).
2. __________ __________ (ogah eorjiceci) todos los días. Corro o __________ (mancoi).
3. Cuando __________ __________ (gtoen rahbme) como una manzana o una naranja.

Carlos

Creo que mantener la salud es muy aburrido y difícil.

1. No estoy _____ __________ (ed ucrodea) con Antonio. No me gusta correr.
2. No me gusta nada __________ __________ (aarltven spaes).
3. Las papas fritas son malas para la salud pero me encantan __________ (uperoq) son muy __________ (rasasobs).

Prueba 3B-3

El plural de los adjetivos

Estás hablando por teléfono con un amigo que vive en España y va a venir a estudiar en tu escuela. Para ayudarlo a saber qué esperar cuando llegue, describe las personas o cosas que se indican abajo usando los plurales correctos de los adjetivos dados. Sigue el modelo.

Modelo profesoras de ciencias / divertido

Las profesoras de ciencias son divertidas.

1. tareas de inglés / fácil

_______________.

2. profesores / trabajador

_______________.

3. estudiantes / sociable

_______________.

4. clases en la primera hora / difícil

_______________.

5. computadoras / práctico

_______________.

6. pasteles / horrible

_______________.

7. carteles / artístico

_______________.

8. papas fritas / sabroso

_______________.

Prueba 3B-4

El verbo *ser*

Dos estudiantes están comentando cómo son las personas de su escuela. Completa la conversación con las formas correctas del verbo **ser**.

JULIA: —Juan ____________ muy artístico, ¿no?

PACO: —Sí, dibuja muy bien. Pero no ____________ deportista.

JULIA: —Verdad. Pero Marta y Vanesa ____________ muy deportistas. Y también ____________ trabajadoras; estudian por muchas horas todos los días.

PACO: —Qué bien. Nosotros no estudiamos mucho, pero no ____________ muy perezosos, ¿verdad?

JULIA: —Sí. ¿Cómo ____________ el profesor de español?

PACO: —¿El profesor Domínguez? ____________ muy inteligente y la clase ____________ un poco difícil.

JULIA: —¿____________(tú) estudiante de español este año?

PACO: —Sí, ¡____________ uno de los estudiantes más inteligentes de la clase!

JULIA: —¡Ja! Y, ¿qué más?

PACO: —Hay unos chicos divertidos en mi clase de matemáticas.

JULIA: —¿Sí? ¿Cómo ____________?

PACO: —Se llaman Tulio y Laura, y ____________ muy interesantes. Tulio ____________ de Nicaragua y Laura ____________ de Puerto Rico.

JULIA: —¿Ellos ____________ amigos de Antonio?

PACO: —Sí, pero nosotros ____________ amigos también.

EXAMEN DEL CAPÍTULO, 3B

PARTE I: Vocabulario y gramática en uso

A. Observa los siguientes dibujos. Luego, escribe el nombre de la comida o bebida en la columna que corresponda del cuadro que aparece en la hoja de respuestas. Incluye el artículo definido. Sigue el modelo.

1. 

4. 

2. 

5. 

3. 

6. 

B. Eduardo está hablando de las cosas que les gustan o no les gustan a él y a su amigo Luis. Completa sus comentarios con las formas correctas del verbo **ser**.

Luis y yo __1__ amigos. A Luis le gusta comer mucha carne. Cree que la carne __2__ muy sabrosa. Yo creo que la carne y los pescados __3__ malos. ¿Y tú? ¿__4__ una persona que come verduras o te gusta más comer carne? ¿Crees que la carne __5__ buena o que __6__ mala?

C. ¿Qué te parecen cada uno de los alimentos que se mencionan abajo? En cada caso, di si te gusta, si no te gusta, y por qué. Usa las palabras de la lista y sigue el modelo.

bueno	**malo**	**sabroso**	**horrible**
me gusta	**no me gusta**	**me gustan**	**no me gustan**

Modelo los tomates

Me gustan los tomates. Son sabrosos.

1. las judías verdes
2. la carne
3. el pollo
4. el arroz
5. las papas
6. las zanahorias
7. los tomates
8. la lechuga

PARTE II: Comunicación y cultura

A. Escuchar

All of these teens live busy lives. Listen to the interviews to find out each teen's habits. Listen for one thing each teen usually does, and one thing that each teen usually doesn't do. In the grid on your answer sheet, write **Sí** in one column that corresponds to something that the teen does. Write **No** in one column that corresponds to something that the teen doesn't do. You will hear each set of statements twice.

B. Leer

Antes de entrar en el salón de chat **La salud**, decides leer lo que escribió cada uno de los participantes. Basándote sólo en lo que ha escrito, determina si cada persona lleva una vida saludable o poco saludable. Marca tu opinión sobre cada persona en el cuadro que aparece en la hoja de respuestas. ¡Pero prepárate para defender tus opiniones!

Chico gracioso: ¿Qué hago yo? Yo corro una hora todos los días. En el desayuno, como cereal, yogur, huevos y un jugo.

Chica sociable: Yo hago mucho también. Todos los días me gusta jugar videojuegos y leo las revistas enfrente de la tele.

Chica estudiosa: En realidad, no hago mucho. Leo muchos libros de salud. Como muchas comidas todos los días: helado de chocolate, helado de vainilla, helado de fresas.

Chico atrevido: Yo corro también. En el gimnasio levanto pesas. Bebo cinco vasos de jugo al día porque necesito vitamina C.

Chica reservada: No tengo mucha hambre. Bebo café en el desayuno. No como nada. En el almuerzo bebo un refresco con unas galletas o un pastel.

C. Escribir

Tú y tus compañeros de clase están escribiendo una serie de consejos para llevar una vida saludable. Escribe un breve párrafo incluyendo al menos cinco sugerencias sobre cosas que piensas que la gente debería hacer para mantenerse en buen estado de salud. Trata de incluir una variedad de aspectos: comidas saludables, un buen programa de ejercicios físicos, y hábitos en general.

Para evaluar tu escrito, se considerará:
- **que hayas completado el ejercicio.**
- **la variedad de sugerencias que les haces a tus lectores.**
- **el uso apropiado del vocabulario y los puntos de gramática que acabas de aprender.**

D. Hablar

Desde que has estado estudiando las distintas opciones en materia de nutrición y comidas, en las últimas semanas, te sientes capaz de expresar con más seguridad tus opiniones acerca de cómo llevar una vida saludable. Tu profesor/a te pide que prepares una breve exposición sobre cómo mantenerse en buen estado de salud, para presentar ante los estudiantes hispanohablantes de la escuela primaria. ¿Qué les dirías? ¿Qué tipos de alimentos deberían comer? ¿Qué ejercicios físicos deberían hacer? ¿Qué NO deberían hacer?

Para evaluar tu presentación, se considerará:
- **que hayas completado el ejercicio.**
- **la variedad de sugerencias que les haces a los niños.**
- **el uso apropiado del vocabulario y los puntos de gramática que acabas de aprender.**

E. Cultura

Después de varios días en México probando nuevas comidas, a tu tío le empieza a doler el estómago. El hotel no tiene la medicina sin receta que suele tomar cuando se siente así, de modo que el recepcionista le recomienda **yerbabuena**. Basándote en lo que leíste en este capítulo, describe qué es. Luego, explica qué áreas de Sudamérica están colaborando con las empresas farmacéuticas para hallar nuevas curas.

HOJA DE RESPUESTAS

PARTE I: Vocabulario y gramática en uso

A. *(/ puntos)*

las grasas	la carne	las verduras	las frutas	el pan/los cereales
	el pollo			

B. *(___ /___ puntos)*

1. ______________ 3. ______________ 5. ______________

2. ______________ 4. ______________ 6. ______________

C. *(___ /___ puntos)*

1. ________________________________
2. ________________________________
3. ________________________________
4. ________________________________
5. ________________________________
6. ________________________________
7. ________________________________
8. ________________________________

PARTE II: Comunicación y cultura

A. Escuchar *(___ /___ puntos)*

Alejandra					
Chachis					
Catrina					
Nicolás					
Lorenzo					

B. Leer *(___ /___ puntos)*

	BUENO para la salud...	MALO para la salud...
1. Chico gracioso		
2. Chica sociable		
3. Chica estudiosa		
4. Chico atrevido		
5. Chica reservada		

C. Escribir *(___ /___ puntos)*

D. Hablar *(___ /___ puntos)*

E. Cultura *(___ /___ puntos)*

Prueba 4A-1

Comprensión del vocabulario

A. En los espacios en blanco, escribe el nombre del lugar que asocias con cada frase. Usa las palabras de la lista sólo una vez.

la biblioteca	**el gimnasio**	**la piscina**
el campo	**la iglesia**	**el restaurante**
el centro comercial	**las montañas**	**el trabajo**
el cine	**el parque**	

1. Me gusta ir de compras. ______
2. Necesito trabajar a las ocho. ______
3. Me gusta levantar pesas. ______
4. Estudio para mi examen de inglés. ______
5. Me encanta comer espaguetis. ______
6. Es domingo y soy religioso. ______
7. Te encanta nadar. ______
8. Me gusta caminar. ______
9. ¿Te gusta esquiar? ______
10. ¿Adónde vas para ver una película? ______

B. Lee las siguientes oraciones y escribe en los espacios en blanco si cada una es **lógica** o **ilógica**. Escribe una **L** si es **lógica** y una **I** si es **ilógica**.

1. Me quedo en casa para practicar para la lección de piano. ______
2. Me gusta esquiar en el café. ______
3. Voy al campo los fines de semana. ______
4. En mi tiempo libre yo voy a la playa con mis amigos. ______
5. Generalmente, voy a la sinagoga para ver una película. ______
6. Voy a la mezquita para ir de compras. ______

Ahora, determina si la respuesta dada a cada una de las siguientes preguntas es **lógica** o **ilógica**. Escribe una **L** si es **lógica** y una **I** si es **ilógica**.

7. —¿De dónde eres?
   —Soy de España. ______
8. —¿Con quién vas al cine?
   —Voy a la lección de piano. ______
9. —¿Cuándo vas al trabajo?
   —Después de las clases. ______
10. —En tu tiempo libre, ¿qué haces?
   —Voy al centro comercial para ir de compras. ______
11. —¿Qué haces los fines de semana?
   —Voy a la escuela. ______
12. —¿Adónde vas los lunes?
   —Voy a la piscina para nadar. ______

Prueba 4A-2

Uso del vocabulario

A. Completa las siguientes oraciones con la palabra más apropiada en cada caso. No uses ninguna respuesta más de una vez.

1. Para hacer ejercicio, me gusta esquiar en ________________.
2. En el invierno yo nado en ________________ de la escuela.
3. Mis amigos y yo vamos de compras en ________________.
4. Al profesor de educación física le gusta levantar pesas en ________________.
5. Cuando no voy ni a la escuela ni a casa voy a ________________ para hacer la tarea.
6. Para ver una película, me gusta ir al ________________.
7. Los fines de semana me quedo en ________________ para leer, ver la tele, jugar videojuegos y usar la computadora.
8. En el verano me gusta nadar y hacer surf en ________________.
9. Cuando no comemos en casa *(at home)*, comemos en ________________.
10. Los lunes mi hermana y yo corremos en ________________.

B. A ti te encanta hablar de las cosas que haces en tu tiempo libre. Observa los dibujos, y luego completa las oraciones diciendo adónde vas, con quién o quiénes vas, y qué actividad haces. Sigue el modelo.

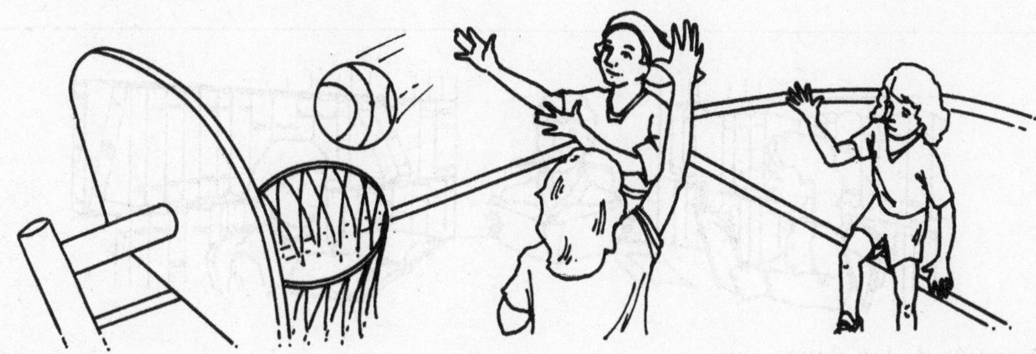

Modelo Los lunes, yo *voy al gimnasio para practicar deportes con mis amigos*.

1. Los viernes, yo ______________________________

______________________________.

2. Los fines de semana, yo ______________________________

______________________________.

3. A veces, yo ______________________________

______________________________.

4. Después de las clases, yo ______________________________

______________________________.

Prueba 4A-3

El verbo *ir*

A. Algunos de tus amigos están hablando sobre sus planes para las vacaciones. Completa lo que dicen con las formas correctas del verbo **ir**.

1. Mis amigos __________ a la playa.
2. (Nosotros) __________ al gimnasio todos los días.
3. Los fines de semana el profesor de español __________ a la biblioteca.
4. ¿Tú __________ al cine?
5. Mi familia y yo __________ a la piscina.
6. Sandra y Alisa __________ al parque Central.
7. Marta, ¿ __________ al campo?
8. ¿Ud. __________ a la escuela los fines de semana?
9. Yo __________ a la sinagoga.
10. ¿Uds. no __________ al restaurante con nosotros el domingo?

B. Completa cada una de las siguientes oraciones con una forma del verbo **ir** y el nombre del lugar más apropiado, de los que estudiaste en este capítulo. Usa **al** y **a la** correctamente. Sigue el modelo.

Modelo Cuando mi madre decide ir de compras, *va al centro comercial*.

1. Cuando yo necesito estudiar, ____________________. No me quedo en casa.
2. Cuando estoy en la escuela mis padres ____________________ para trabajar.
3. Después de la escuela, nosotros ____________________ para levantar pesas.
4. Para nadar, tú ____________________, no a la playa.
5. Cuando nieva, Alberto ____________________ para esquiar.

Prueba 4A-4

Hacer preguntas

Completa las siguientes conversaciones escribiendo la palabra interrogativa de la lista que corresponda en cada caso.

Cuándo	Cuál	Cuántas	Cómo	Quién
Adónde	De dónde	Dónde	Qué	Por qué

1. —¿__________ vas?

   —Voy al parque.

2. —Voy a la biblioteca.

   —¿__________?

   —Porque necesito estudiar.

3. —¿__________ clases tienes este año?

   —Tengo cinco.

4. —¿__________ estudias?

   —En la biblioteca.

5. —¿__________ es tu profesora de inglés?

   —Es inteligente y paciente.

6. —Mi familia y yo vamos a la playa.

   —¿__________?

   —Mañana.

7. —¿__________ es ella?

   —Es mi amiga Graciela.

8. —Necesito mi libro.

   —¿__________?

   —Mi libro de matemáticas.

9. —¿__________ eres?

   —Soy de Bogotá, Colombia.

10. —¿__________ es esto?

    —Es un ratón.

EXAMEN DEL CAPÍTULO, 4A

PARTE I: Vocabulario y gramática en uso

A. Este fin de semana vas a dar una fiesta sorpresa para tu mejor amigo. Necesitas saber dónde están tus familiares y amigos esta semana, así puedes contactarlos para hacer los planes. A continuación encontrarás la información sobre los planes para la semana de cada uno. Basándote en los dibujos, escribe dónde estarán tus familiares y amigos y qué estarán haciendo ese día. Usa el modelo como guía.

Modelo 

lunes *El lunes yo voy al centro comercial* .

B. Por casualidad, oíste parte de la conversación telefónica de tu amiga. Completa las preguntas que piensas que ella está respondiendo. Sigue el modelo.

Modelo —¿ *De dónde* eres?
—Soy de San Antonio, Texas.

1. —¿__________ estás?
   —Bien, gracias.
2. —¿__________ haces después de las clases?
   —Voy a la biblioteca.
3. —¿__________ vas allí?
   —Porque necesito estudiar.
4. —¿__________ vas después de ir a la biblioteca?
   —Al gimnasio.
5. —¿__________ vas al gimnasio?
   —Con Carmen y Lola.
6. —¿__________ vas a casa?
   —A las seis.

C. La familia de Mario está saliendo de casa, cada cual a sus actividades del día. Completa los comentarios de Mario con las formas correctas del verbo **ir** para decir adónde está yendo cada uno.

Bueno, hoy es sábado. ¿Adónde __1__ mi familia hoy? Martín, ¿tú __2__ a la biblioteca, no? Marcos y María __3__ al cine. ¡Qué bien! Mamá y papá, ustedes __4__ al centro comercial para ir de compras, ¿verdad? ¿Y yo? Bueno, yo no __5__ al centro comercial. Pero mi amiga Margarita y yo __6__ al gimnasio a las tres. Ella __7__ al gimnasio todos los días.

PARTE II: Comunicación y cultura

A. Escuchar

Listen as these teens invite a friend to do something. At first, each friend declines the invitation. However, after asking a question, each decides to accept the invitation after all. Decide whether each person changed his or her mind because of *who* was going, *when* the event was taking place, *where* the event was taking place, or *why* the event was taking place and place a check mark in the appropriate column on the grid. You will hear each conversation twice.

B. Leer

Varias personas dejaron sus agendas en tu casa este fin de semana. Lee sus anotaciones para el martes 12. Basándote en esa información, ¿puedes imaginarte qué tipo de personas son? Después de leer cada agenda, responde las preguntas.

MARTES, 12 de octubre

6:00	**Caminar con Elena en el parque**
7:30	**Desayuno en el restaurante Mariposa con el Club de tenis**
5:00	**Levantar pesas con Miguel**
7:00	**Correr con Juan**
8:00	**Hablar con Susi**
8:30	**Ir al gimnasio**

1. ¿Cómo es él?
   - a. Es muy reservado.
   - b. Es muy ordenado.
   - c. Es muy deportista.
2. ¿Qué le gusta hacer más?
   - a. hacer ejercicio
   - b. ir a la escuela
   - c. comer mucho

MARTES, 12 de octubre

7:00	**Estudiar en la biblioteca para el examen de historia**
7:45	**Desayuno en la cafetería con Alicia y Marta**
9:30	**¡El examen de historia!**
4:30	**Ir al trabajo en el centro comercial**
7:00	**Practicar el piano**
8:00	**Organizar mi carpeta de argollas**

3. ¿Cómo es ella?
   - a. Es muy reservada.
   - b. Es muy trabajadora.
   - c. Es muy desordenada.
4. ¿Qué le gusta hacer más?
   - a. ser buena estudiante
   - b. dibujar
   - c. practicar deportes

MARTES, 12 de octubre	
7:00	Caminar con Andrés a la escuela
7:30	Estudiar con Franco en la biblioteca
12:00	Almuerzo con Mauricio
4:00	Clase de baile con Sara y Alejandra
6:30	Ir al restaurante con Enrique
8:30	Hablar por teléfono con Carlos

5. ¿Cómo es ella?
   - a. Es muy reservada.
   - b. Es muy sociable.
   - c. Es muy impaciente.

6. ¿Qué le gusta hacer más?
   - a. practicar deportes
   - b. pasar tiempo con amigos
   - c. escribir cuentos

C. Escribir

Quieres dejarle una nota a un amigo que está haciendo un examen para decirle dónde vas a estar después de clases. Como no sabes a qué hora va a terminar, menciona al menos cuatro lugares en los que vas a estar, y a qué hora estarás. Dile qué vas a estar haciendo en cada lugar. Por ejemplo, puedes anotar que a las 4:00 vas a ir al gimnasio a levantar pesas.

Para evaluar tu nota, se considerará:
- **la variedad de lugares y actividades que mencionas.**
- **la cantidad de detalles que incluyes.**
- **el uso apropiado del vocabulario y los puntos de gramática que acabas de aprender.**

D. Hablar

A tus padres les gusta que les hables en español. Diles cuáles son tus planes para el fin de semana. Menciona por lo menos tres lugares adonde piensas ir el sábado y el domingo. Diles con quién y cuándo irás a cada lugar. Puedes empezar diciendo: **El sábado, voy...**

Para evaluar tu presentación, se considerará:
- **la cantidad de información que proporcionas.**
- **la organización de las ideas y la facilidad con que se te entiende.**
- **el uso apropiado del vocabulario y los puntos de gramática que acabas de aprender.**

E. Cultura

Mientras caminas por un parque de Ciudad de México, ves varios niños jugando. Un grupo está saltando la cuerda, otros se están dividiendo en equipos, y otros están jugando a la patineta. ¿En qué se parece y en qué se diferencia cada una de estas actividades a cómo juegan los niños en los Estados Unidos?

HOJA DE RESPUESTAS

PARTE I: Vocabulario y gramática en uso

A. (___ /___ *puntos)*

1. ______________________________.
2. ______________________________.
3. ______________________________.
4. ______________________________.
5. ______________________________.
6. ______________________________.
7. ______________________________.

B. (___ /___ *puntos)*

1. ______________
2. ______________
3. ______________
4. ______________
5. ______________
6. ______________

C. (___ /___ *puntos)*

1. __________ 4. __________ 6. __________
2. __________ 5. __________ 7. __________
3. __________

PARTE II: Comunicación y cultura

A. Escuchar *(___ /___ puntos)*

	Quién	Cuándo	Dónde	Por qué
Gabriel				
Susi				
Javier				
Ana				
Nacho				

B. Leer *(___ /___ puntos)*

1. ____________ 3. ____________ 5. ____________

2. ____________ 4. ____________ 6. ____________

C. Escribir *(___ /___ puntos)*

____

____

____

____

____

D. Hablar *(___ /___ puntos)*

E. Cultura *(___ /___ puntos)*

____

____

____

____

Prueba 4B-1

Comprensión del vocabulario

A. Escribe la letra que corresponda al deporte que representa el dibujo.

	A	B
_____ 1.		**a.** el fútbol americano
_____ 2.		**b.** el golf
_____ 3.		**c.** el básquetbol
_____ 4.		**d.** el vóleibol
_____ 5.		**e.** el béisbol
_____ 6.		**f.** el fútbol
_____ 7.		**g.** el tenis

B. Lee las siguientes descripciones y escribe la palabra de la lista que mejor complete cada una.

película	**concierto**
fiesta	**lección de piano**
partido	**baile**

1. A Juan le gusta escuchar música. Va a un _______________.
2. Pablo está en el gimnasio para ver un _______________ de básquetbol.
3. El 31 de diciembre, muchas personas van a una _______________ para celebrar el Año Nuevo.
4. María va a un _______________ para escuchar música, bailar y hablar con sus amigos.

C. Lee las siguientes invitaciones y di si las respuestas son **lógicas** o **ilógicas**. Escribe una **L** si la respuesta es **lógica**, y una **I** si es **ilógica**.

1. —¿Quieres ir de cámping conmigo esta noche?

   —No, no quiero ir de cámping porque estoy enfermo. ______

2. —¡Oye! ¿Puedes jugar al golf hoy?

   —No, no sé jugar al béisbol. ______

3. —¿Te gustaría ir al concierto de rock con nosotros?

   —¡Genial! No me gusta nada escuchar música. ______

4. —¿Te gustaría jugar al béisbol con nosotros esta tarde?

   —¡Qué pena! Tengo que ir a una lección de piano. ______

5. —¿Puedes ir de pesca con nosotros a las ocho de la mañana?

   —No, no puedo ir contigo porque voy de cámping. ______

6. —¿Quieres ir al café conmigo?

   —Lo siento, estoy demasiado cansada para ir al café. ______

7. —¿Te gustaría ir al gimnasio esta tarde?

   —Sí, porque no me gusta levantar pesas. ______

8. —¿Te gustaría estudiar conmigo en la biblioteca?

   —No, porque voy a estudiar con Elena en casa. ______

9. —¿Quieres ir a la playa con nosotros?

   —No, estoy demasiado ocupado para ir al gimnasio. ______

10. —¿A qué hora puedes jugar?

    —Puedo jugar a las tres de la tarde. ______

Prueba 4B-2

Uso del vocabulario

A. Tus amigos están en la escuela, pero todos están pensando en lo que quieren hacer esta tarde. Basándote en el dibujo, escribe la respuesta de cada persona a las preguntas que aparecen abajo. Sigue el modelo.

Modelo Ana, ¿qué quieres hacer esta tarde? *Yo quiero jugar al golf*.

1. José, ¿qué quieres hacer esta tarde? ______.
2. Pedro, ¿qué te gustaría hacer esta tarde? ______.
3. Miguel, ¿qué te gustaría hacer esta tarde? ______.
4. Julia, ¿qué quieres hacer esta tarde? ______.
5. Bernardo, ¿qué te gustaría hacer esta tarde? ______.
6. Marta, ¿qué te gustaría hacer esta tarde? ______.
7. Nora, ¿qué quieres hacer esta tarde? ______.

B. Completa cada pregunta con una actividad lógica. Luego, escribe la respuesta basándote en la hora que se indica entre paréntesis.

Modelo ¿A qué hora es la *película* *Una noche triste* este jueves? (7 p.m.)
A las siete de la noche.

1. ¿A qué hora es el ____ de basquétbol este sábado? (10 a.m.)
____
2. ¿A qué hora es la ____ de aniversario de los señores Ochoa este domingo? (2 p.m.)
____
3. ¿A qué hora es el ____ de rock este sábado? (8 p.m.)
____
4. ¿A qué hora es el ____ formal en el club este viernes? (8 p.m.)
____

C. Lee las descripciones de cada persona, y completa sus oraciones. Asegúrate de que la forma del adjetivo concuerde con la persona que habla en cada caso.

1. SANDRA: Tengo que ir a la escuela, hacer la tarea y comer esta tarde. Esta noche, tengo que ir al trabajo. Entonces no puedo ir al cine contigo, estoy demasiado ____.
2. CONCHITA: ¡Mis amigos y yo vamos a un concierto esta noche y mañana es sábado! ¡Me encantan los fines de semana! Estoy muy ____.
3. GUILLERMO: Yo trabajo todas las noches después de las clases. Ahora estoy demasiado ____ para ir a la fiesta.
4. FEDERICO: Todos mis amigos van a la fiesta, pero yo no puedo. ¡Quiero ir! Estoy muy ____.
5. DIANA: Me duele el estómago. Me duele la cabeza. Estoy muy ____.

Prueba 4B-3

Ir + *a* + infinitivo

Javier y sus amigos tienen grandes planes para este verano. Observa los dibujos para completar su conversación con su amiga Olivia. Sigue el modelo.

Modelo En julio, Felipe *va a ir de cámping* .

1. Todos los días, tú y yo ______________________.

2. Los viernes, tú ______________________ conmigo.

3. Los sábados, Mariana y Carlos ______________________ ____________ con nosotros.

4. Los fines de semana, yo ______________________.

5. Por la noche, Marta ______________________ con nosotros.

6. A veces tú y mis amigos ______________________.

7. El domingo, Vicente y Víctor ______________________ ____________ con nosotros.

8. Los lunes, Pepe ______________________ contigo.

9. Todos los días, mis amigos ______________________ ____________.

Prueba 4B-4

El verbo *jugar*

A. Completa la siguiente conversación con las formas apropiadas del verbo **jugar**.

ALONSO: Teresa, ¿puedes jugar al tenis conmigo esta tarde?

TERESA: No, siempre ____________ al fútbol después de las clases.

ALONSO: ¿No ____________ al vóleibol con Carolina los lunes?

TERESA: No, Carolina y yo ____________ al vóleibol los domingos.

ALONSO: Ah, entonces puedo ____________ al tenis con ella esta tarde.

TERESA: No, ella ____________ al fútbol conmigo lunes a viernes.

ALONSO: Entonces... nosotros ____________ este sábado y mi amigo Alejandro puede jugar también.

TERESA: Bien. ¡Hasta el sábado!

B. Escribe una oración completa usando la forma correcta del verbo **jugar** para cada uno de los siguientes sujetos. En las oraciones, di cómo o cuándo juega cada persona.

Modelo [un(a) profesor(a)] *La profesora Ramírez juega al tenis cada día*.

1. yo ____.
2. [dos amigos] ____.
3. [un(a) amigo(a)] ____.
4. [un(a) amigo(a) y yo] ____.
5. tú ____.
6. Uds. ____.

EXAMEN DEL CAPÍTULO, 4B

PARTE I: Vocabulario y gramática en uso

Observa el horario de Mario.

7:00 a.m.	9:00 a.m.	11:30 a.m.	2:30 p.m.
3:30 p.m.	**5:00 p.m.**	**7:00 p.m.**	**9:00 p.m.**

A. Di qué van a hacer Mario y otros estudiantes. Indica a qué hora harán cada cosa. Tus afirmaciones deben basarse en los dibujos que aparecen en la primera hilera. Sigue el modelo.

Modelo (yo) *Voy a ir a la escuela a las siete de la mañana*.

1. muchos estudiantes
2. mis amigos y yo
3. mi amigo Felipe

B. Escribe las preguntas que Mario podría hacer para invitar a sus amigos a ir con él a cada uno de los lugares que aparecen dibujados en la segunda hilera. Haz las preguntas de distintas maneras.

Modelo ¿ *Quieres ir conmigo al centro comercial esta tarde* ?

1. ¿_______________?
2. ¿_______________?
3. ¿_______________?

C. Tomás quiere encontrar a alguien que quiera ir al baile con él. ¿Cómo responden a su invitación las siguientes chicas? Escribe una palabra o un grupo de palabras que complete lógicamente cada respuesta.

TOMÁS: ¡Oye! ¿Quieres ir conmigo al baile mañana?

LAURA: ¡Ay! ¡Qué __1__! Me gustaría pero __2__ trabajar.

PATI: ¡Lo __3__! Estoy demasiado __4__. Necesito trabajar y estudiar para un examen importante este fin de semana.

ANA: Tomás, me gustaría ir __5__ al baile pero no __6__ porque estoy __7__. Me duele la cabeza y el estómago también.

RAQUEL: ¡Qué buena idea! ¿A __8__ el baile—a las siete o a las ocho?

D. Basándote en los dibujos, di qué deporte juega cada una de las personas que se indican.

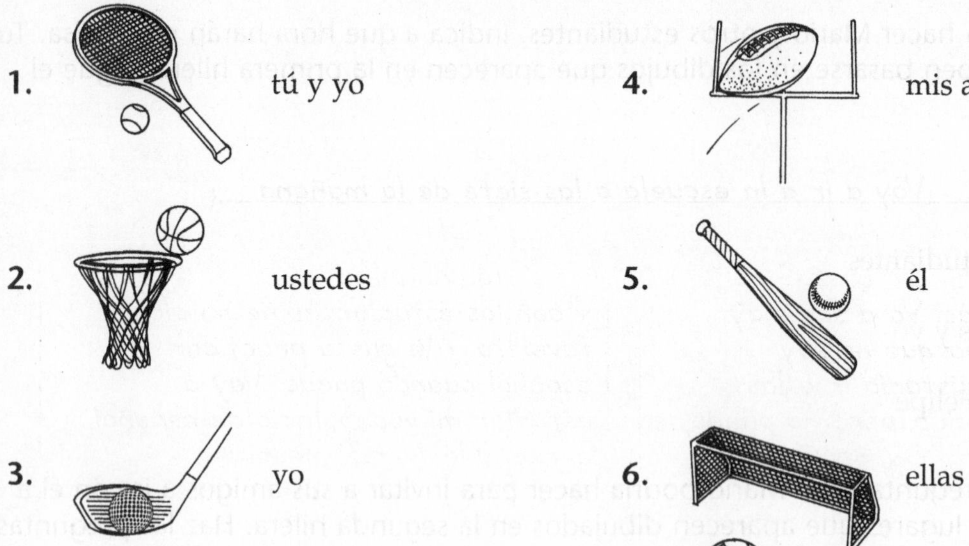

1. tú y yo
2. ustedes
3. yo
4. mis amigos
5. él
6. ellas

PARTE II: Comunicación y cultura

A. Escuchar

Víctor has several messages on his answering machine from friends asking if he can go somewhere this Saturday. Listen to each message to find out where the person wants to go and what time he or she wants to go. Place a check mark in the column that corresponds to the place, and write the time underneath the check mark. You will hear each set of statements twice.

B. Leer

La comisión directiva del Club de Español quiere saber cuántos estudiantes irán esta noche a la fiesta del Club. La profesora les pide a todos los estudiantes que escriban una nota diciendo si van a ir a la fiesta. Lee las siguientes notas y responde las preguntas que aparecen en la hoja de respuestas.

Lo siento. Tengo que trabajar esta noche en el restaurante de mi familia. Siempre estoy muy cansada después de trabajar. Luego necesito estudiar para un examen de ciencias sociales. ¡Qué pena! Me encantan las fiestas, pero es importante estudiar.

Victoria

¿Tengo que hablar español en la fiesta? No puedo hablar bien y soy demasiado reservado. También estoy un poco enfermo. Es mi estómago. Pero... ¿hay mucha comida para la fiesta–pasteles, helado, refrescos? Claro que sí. Voy a la fiesta.

Marco

Estoy muy ocupada esta noche. Tengo que escribir un cuento para mi clase de inglés. Va a ser muy difícil para mí porque no soy estudiosa. Me gustaría ir a las actividades del club, pero no puedo esta noche. Tengo demasiada tarea hoy.

Sara

¡Genial! Una fiesta de mi club favorito con mi profesora favorita y con los estudiantes de mi clase favorita. Me gusta practicar español cuando puedo. Voy a estudiar mi vocabulario de español ahora. ¡Nos vemos, señora!

Guillermo

C. Escribir

Estás trabajando en un programa de actividades extraescolares para niños pequeños. Tu supervisor quiere que les escribas una nota a todos los padres hispanohablantes informándoles sobre las actividades de la semana. Escribe por lo menos tres cosas distintas que van a hacer los niños esta semana. Usa tu imaginación y el vocabulario que has aprendido hasta ahora.

Para evaluar tu escrito, se considerará:
- **el número de actividades programadas que describes.**
- **la variedad del vocabulario que usas.**
- **el uso apropiado del vocabulario y los puntos de gramática que acabas de aprender.**

D. Hablar

Tu profesor/a te asignará un compañero o compañera para trabajar en esta parte del examen. Uno será el o la **Estudiante A** y el otro será el o la **Estudiante B**. Según qué papel te toque, sigue las instrucciones dadas en las siguientes tarjetas.

Estudiante A: Invita a tu compañero/a a participar en alguna actividad. (Usa los dibujos como guía.)	**Estudiante B:** Haz por lo menos dos preguntas sobre la actividad. Luego, rehúsa la invitación con una excusa lógica. Sugiere otra actividad/hora.
Estudiante A: Haz por lo menos dos preguntas sobre la actividad que te propone tu compañero/a como alternativa. Rehúsa con una excusa. Sugiere OTRA actividad/hora.	**Estudiante B:** Acepta la invitación.

Para evaluar tu conversación, se considerará:
- **la interacción que mantienes con tu compañero/a.**
- **el número de preguntas y excusas comprensibles que le presentas a tu compañero/a.**
- **el uso apropiado del vocabulario y los puntos de gramática que acabas de aprender.**

E. Cultura

Si fueras como estudiante de intercambio a un país de habla hispana, ¿qué cosas piensas que tú y tus amigos harían después de clase y los fines de semana? ¿En qué se diferenciarían esas actividades de las que haces ahora?

HOJA DE RESPUESTAS

PARTE I: Vocabulario y gramática en uso

A. (___ /___ *puntos*)

1. ______.
2. ______.
3. ______.

B. (___ /___ *puntos*)

1. ______.
2. ______.
3. ______.

C. (___ /___ *puntos*)

1. ______
2. ______
3. ______
4. ______
5. ______
6. ______
7. ______
8. ______

D. (___ /___ *puntos*)

1. ______.
2. ______.
3. ______.
4. ______.
5. ______.
6. ______.

PARTE II: Comunicación y cultura

A. Escuchar *(____/____ puntos)*

	Centro comercial	Café Caliente	Jugar al tenis	Cine	Concierto de Toni Tela
Esteban					
Angélica					
Pablo					
Mónica					
Lorena					

B. Leer *(____/____ puntos)*

Responde las preguntas encerrando en un círculo la letra de la mejor respuesta.

1. ¿Cuántos NO van a la fiesta del club en total? ¿Victoria? ¿Marco? ¿Sara? ¿Guillermo? ¿Todos?

a. cuatro **b.** diez **c.** dos **d.** tres

2. ¿A quién le gusta hablar español con la profesora y con los estudiantes de la clase?

a. a Victoria **b.** a Marco **c.** a Sara **d.** a Guillermo

3. ¿Quiénes tienen que hacer algo para una clase mañana?

a. Victoria y Guillermo **b.** Sara y Marco **c.** Sara y Victoria **d.** Todos

4. ¿A quién le gusta comer mucho?

a. a Guillermo **b.** a Victoria **c.** a Sara **d.** a Marco

5. ¿Quién va a estudiar después de trabajar?

a. Guillermo **b.** Victoria **c.** Sara **d.** Marco

Nombre ______________________ Hora __________

Fecha ______________ **Hoja de respuestas 4B, Página 3**

C. Escribir *(____ /____ puntos)*

D. Hablar *(____ /____ puntos)*

E. Cultura *(____ /____ puntos)*

Prueba 5A-1

Comprensión del vocabulario

A. Empareja los verbos de la Columna A con las palabras que mejor completen cada frase. Usa cada palabra o expresión de la Columna B sólo una vez.

A		B
1. hacer	________	**a.** la piñata
2. sacar	________	**b.** 15 años
3. decorar	________	**c.** un video
4. abrir	________	**d.** las fotos
5. romper	________	**e.** los regalos
6. celebrar	________	**f.** con papel picado
7. tener	________	**g.** el cumpleaños

B. Encierra en un círculo la palabra que mejor complete cada oración.

1. Mi padre es el (esposo / abuelo) de mi madre.

2. Tu madrastra es la esposa de (tu tío / tu padre).

3. Mis abuelos son los padres de (mis tíos / mis hermanos).

4. La hija de mi padre es mi (prima / hermana).

5. El hijo de mi tía es mi (primo / hermano).

6. Hay (dulces / luces) en la piñata.

7. En la fiesta me gusta comer (pastel / papel picado).

8. Mi hermano (rompe / saca) fotos con la cámara.

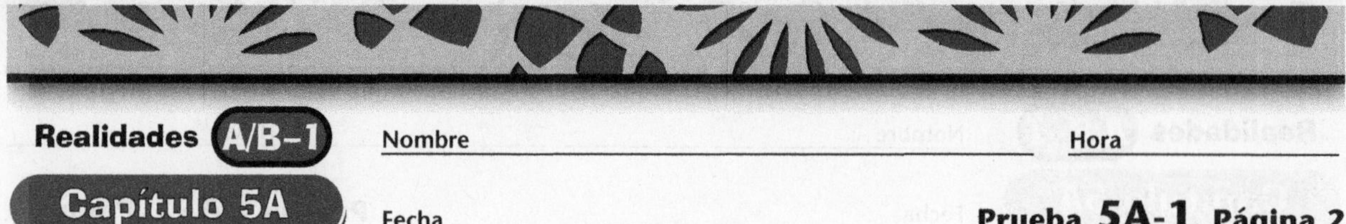

C. Junto a cada una de las siguientes oraciones, escribe una **C** si la afirmación es **cierta** o una **F** si es **falsa**.

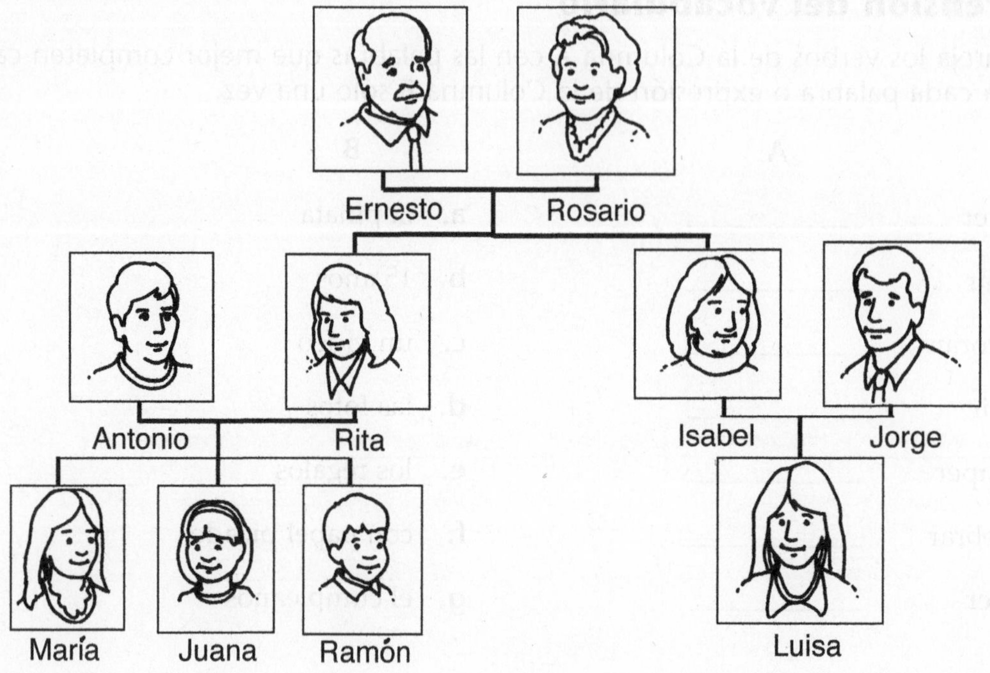

1. Luisa es la hermana de Juana. ________

2. Isabel y Jorge son los tíos de Ramón. ________

3. Los abuelos de Luisa son Rosario y Ernesto. ________

4. María no tiene hermanos. ________

5. Luisa es la prima de Juana, Ramón y María. ________

6. Los padres de Luisa son Antonio y Rita. ________

7. Isabel y Jorge no tienen hijos. ________

8. Ernesto es el padre de Isabel. ________

9. Jorge es el padre de Juana. ________

10. Rita es la tía de Luisa. ________

Prueba 5A-2

Uso del vocabulario

A. Escribe el nombre de las siguientes cosas que se verían en una fiesta de cumpleaños. Incluye los artículos definidos (**el, la, los, las**).

1. ____________________
2. ____________________
3. ____________________
4. ____________________
5. ____________________
6. ____________________
7. ____________________
8. ____________________

B. Nombra a cada miembro de la familia basándote en las definiciones dadas. Sigue el modelo.

Modelo El hermano de mi papá *el tío*

1. La madre de mi mamá ____________
2. La hija de mis padres ____________
3. Los hijos del hermano de mi mamá ____________
4. El esposo de mi madre ____________
5. La esposa de mi padre (no es mi madre) ____________
6. La hermana de mi padre ____________
7. Los padres de mis padres ____________
8. La hermana de mi mamá ____________

C. Escribe en los espacios en blanco la forma correcta del verbo que corresponda. Usa cada verbo de la lista sólo una vez.

abrir	**celebrar**	**decorar**	**hacer**
preparar	**sacar**	**romper**	

1. Mi madre va a ____________ el pastel con mi hermana mayor.
2. El Sr. Manzo va a ____________ fotos de nuestra familia.
3. Me gustaría ____________ mis regalos hoy y no mañana.
4. Roberto y Patricia pueden ____________ con papel picado.
5. La fiesta es para Catalina, así que ella va a ____________ la piñata.
6. Miguel tiene cámara. Él puede ____________ el video.
7. ¿Vamos a ____________ el cumpleaños con tus amigos o con tu familia?

Prueba 5A-3

El verbo *tener*

A. Escribe la forma del verbo **tener** que corresponda a cada sujeto.

1. Yo ______________ dieciséis años.
2. María ______________ que trabajar los fines de semana.
3. Héctor y Óscar ______________ hambre y van a comer con nosotros.
4. ¿Cuántos años ______________ tú?
5. ¿______________ Ud. los dulces para la piñata?
6. Mis amigos y yo ______________ que ir a la escuela para las siete.
7. Tú y Catrina ______________ los regalos, ¿verdad?

B. Responde las siguientes preguntas con oraciones completas usando las formas correctas del verbo **tener**.

1. ¿Cuántos años tienes? ______________________________
____.
2. ¿Cuántos años tiene tu mejor amigo(a)? ______________________________
____.
3. ¿Qué tienen que hacer ustedes en la clase de español? ______________________________
____.
4. ¿Qué tienen que hacer tus padres cuando hay una fiesta de cumpleaños? ______________
____.

Prueba 5A-4

Adjetivos posesivos

A. Tú y tu nueva amiga Sara están empezando a conocerse. Completa sus oraciones encerrando en un círculo el adjetivo posesivo que corresponda en cada caso.

1. Tenemos muchos tíos. (Nuestros / Nuestras) tíos son de California.
2. (Mi / Nuestra) padre es de México, pero ahora estamos en Nueva York.
3. (Sus / Su) hermano es doctor.
4. (Nuestra / Nuestras) madre es muy trabajadora y sociable.
5. ¿Cómo es (tu / tus) familia?
6. Yo tengo todos (mi / mis) libros y (mi / mis) papel para la escuela.

B. En la escuela, algunos estudiantes están conversando sobre la fiesta de cumpleaños a la que van a ir el sábado. Completa la conversación con los adjetivos posesivos que correspondan.

1. —¿Vas a la fiesta de Susana Ramos?

   —Sí. ¡____________ fiestas siempre son fantásticas!

2. —¿Cómo vas a la fiesta?

   —Mi hermana y yo vamos con ____________ madre. ¿Quieres ir con nosotras?

3. —Susana, ¿quién va a tu fiesta?

   —Pues, mi madre, ____________ padre y todos ____________ amigos, abuelos y primos van.

4. —Ramón, ¿vas al centro comercial con ____________ padres para comprar un regalo?

   —Sí, vamos hoy.

5. —Sra. Ramos, ____________ casa es muy interesante.

   —¡Muchas gracias!

6. —¿Carlos y Manuel van a comer ____________ pastel?

   —No, sólo van a comer ____________ dulces.

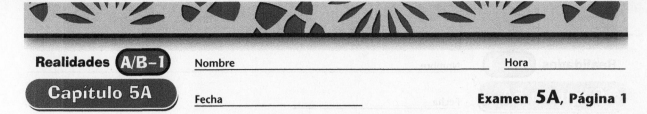

EXAMEN DEL CAPÍTULO, 5A

PARTE I: Vocabulario y gramática en uso

A. Observa el árbol familiar. Luego responde las preguntas con oraciones completas.

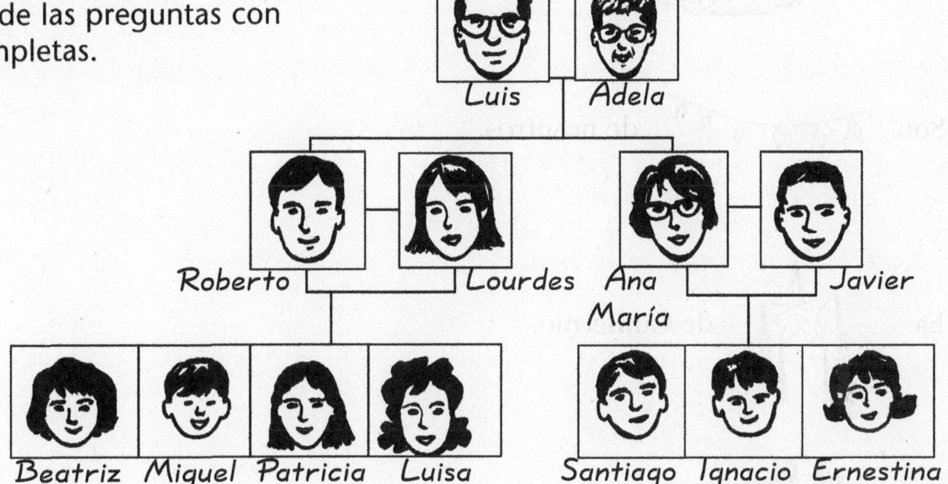

1. ¿Quién es la madre de Ernestina?
2. ¿Quiénes son los primos de Luisa?
3. ¿Quiénes son los tíos de Santiago?
4. ¿Quién es la madre de Ana María?
5. ¿Quién es el abuelo de Patricia?
6. ¿Quiénes son los hermanos de Santiago?
7. ¿Quién es el esposo de Lourdes?
8. ¿Quiénes son los hijos de Javier?

B. Lee la lista de los miembros de la familia de Renata y sus fechas de cumpleaños. Luego, escribe oraciones completas diciendo qué edad va a tener cada persona en el año 2020.

Persona	Día del cumpleaños
1. la abuela de Renata	18 de abril de 1960
2. el abuelo de Renata	11 de marzo de 1957
3. la madre de Renata	19 de noviembre de 1988
4. el padre de Renata	25 de febrero de 1986
5. Renata	5 de septiembre de 2008
6. la hermana de Renata	19 de julio de 2014

C. Escribe cada oración de otra manera e identifica qué es cada cosa. Sigue el modelo.

Modelo Es 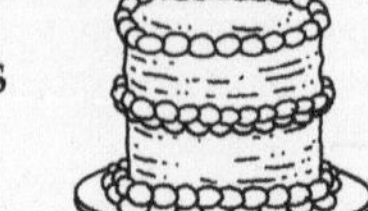 de Ud. *Es su pastel*.

1. Son de nosotros. ____________________.

2. Es 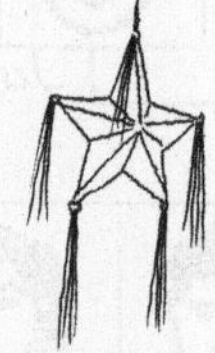 de Guillermo. ____________________.

3. Es  de mí. ____________________.

4. Es  de ti. ____________________.

5. Son  de la tía Magdalena. ____________________.

6. Son 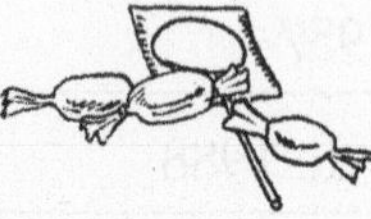 de ellos. ____________________.

PARTE II: Comunicación y cultura

A. Escuchar

You are going to your friend's house for a family birthday party. When you arrive, your friend points out his family members and tells you a little about each of them. Look at the picture as you listen to his descriptions. Match the description of each family member to the corresponding person in the drawing and write the correct letter in the grid on your answer sheet. You will hear each set of statements twice.

B. Leer

De vez en cuando, todos tenemos un problema con un familiar o un amigo. Lee esta carta a la página de consejos "Querida Cristina". ¿Comprendes cuál es el problema? En la hoja de respuestas, pon una √ en la columna donde dice PROBLEMA si la oración describe el problema que se plantea en la carta, o en la columna que dice SOLUCIÓN si la oración describe la solución que propone la carta de respuesta.

Querida Cristina:

Me llamo Diana. Yo soy una chica **muy** frustrada. Muchas chicas de quince años, como yo, tienen problemas con sus padres, pero yo no. Mis padres son muy simpáticos y generosos. Ellos trabajan mucho y siempre tienen tiempo para la familia. Somos una familia de seis personas y yo soy la hermana mayor. Tengo muchas amigas divertidas y me encanta estar con ellas. ¡Pero no tengo la vida perfecta! ¿Por qué? Tengo un problema enorme con mi hermana menor. Se llama Loli y ella **siempre** está conmigo. Tiene doce años. ¡Yo soy muy sociable y me gusta estar con mis amigas, pero a mi hermana le gusta estar con nosotras **veinticuatro horas al día, siete días a la semana**! A ella le encanta escuchar nuestras conversaciones privadas y nuestros secretos. Según mis padres, yo no soy paciente y mi hermana es "normal". ¿**Ella es normal**? Imposible. ¿Qué debo hacer?

Cordialmente,

Una "hermana frustrada"

Querida "hermana frustrada":

Estoy de acuerdo con tus padres. Es un problema normal en una familia. A tu hermana le encanta la idea de ser mayor. Le gusta estar con tus amigas porque es una oportunidad de ser como una chica de dieciséis años. Debes ser más paciente. Creo que la solución es muy fácil. Uds. no deben hablar de chicos, ni de música, ni de fiestas enfrente de ella. Deben hablar de **matemáticas** o de **ciencias**. ¡Después de cinco minutos, tu hermana va a preferir la tele! También, debes pasar treinta minutos con tu hermana todos los días. Puedes ver la tele, escuchar música o simplemente hablar con ella. Va a ser muy diferente contigo después de una semana, SIN tus amigas.

Atentamente,

Cristina

C. Escribir

El empleado que organiza las fiestas en el restaurante mexicano de tu área, te está ayudando a planear una fiesta de cumpleaños para tu primo. Como sabes que el empleado del restaurante habla español, decides escribirle una nota para darle el nombre de tu primo, la edad, las cosas que le gusta o no le gusta hacer, el tipo de adornos o decorados que prefiere, y su tipo de personalidad. Usa tu imaginación. Y recuerda: cuanto más detalles incluyas, mejor saldrá la fiesta.

Para evaluar tu escrito, se considerará:

- **el número de características personales que incluyes.**
- **el número de cosas que mencionas que le gustan y no le gustan a tu primo.**
- **el uso apropiado del vocabulario y los puntos de gramática que acabas de aprender.**

Nombre _______________ Hora _______

Fecha _______________

D. Hablar

En la primera reunión del Club de Español, el profesor les pide que todos traten de hablarse en español. Como tú sabes bien cómo hablar sobre la familia, decides hablar sobre tus propios familiares. Una vez que decidas a quiénes vas a describir, incluye la siguiente información sobre cada persona: (a) cuál es la relación de esa persona contigo, (b) qué edad tiene, (c) qué le gusta o no le gusta hacer, y (d) su personalidad.

Para evaluar tu presentación, se considerará:

- **el número de familiares que describes; debes describir dos por lo menos.**
- **la precisión con que describes cuál es la relación de cada familiar contigo.**
- **la cantidad de información que das sobre tus familiares.**

E. Cultura

Una compañera mexicana te invita a celebrar su 15 cumpleaños con su familia. Te comenta que va a ser una "típica" celebración familiar. Basándote en lo que sabes sobre algunas tradiciones familiares, nombra por lo menos cinco cosas que podrías predecir sobre la fiesta.

HOJA DE RESPUESTAS

PARTE I: Vocabulario y gramática en uso

A. *(/ puntos)*

1. ____.
2. ____.
3. ____.
4. ____.
5. ____.
6. ____.
7. ____.
8. ____.

B. *(___ /___ puntos)*

1. ____.
2. ____.
3. ____.
4. ____.
5. ____.
6. ____.

C. *(___ /___ puntos)*

1. ____.
2. ____.
3. ____.
4. ____.
5. ____.
6. ____.

PARTE II: Comunicación y cultura

A. Escuchar (___ /___ puntos)

1	2	3	4	5	6	7	8

Ahora, responde las siguientes preguntas.

9. ¿Quién celebra su cumpleaños? ______________________

10. ¿Cómo se llama el perro? ______________________

B. Leer (___ /___ puntos)

	Problema	Solución
1. A Loli le gusta estar con su hermana siempre.		
2. Diana debe pasar más tiempo con su hermana menor.		
3. A Loli le gusta escuchar las conversaciones de las chicas mayores.		
4. Diana debe ser paciente.		
5. Diana debe hablar de las ciencias delante de Loli.		

C. Escribir *(___ /___ puntos)*

D. Hablar *(___ /___ puntos)*

E. Cultura *(___ /___ puntos)*

Prueba 5B-1

A. Comprensión del vocabulario

Encierra en un círculo la respuesta que mejor complete cada oración.

1. Lucille Ball y Little Orphan Annie no son rubias. Son

a. pelirrojas. **b.** camareras.

2. Las personas con el pelo canoso generalmente no son

a. jóvenes. **b.** viejas.

3. En general, los hombres tienen

a. el pelo largo. **b.** el pelo corto.

4. Mi abuelo tiene 85 años. Es

a. rubio. **b.** viejo.

5. Muchas mujeres prefieren tener

a. el pelo largo. **b.** el pelo canoso.

6. Mis tías Elisa y Margarita son

a. hombres. **b.** mujeres.

7. Mi pelo es rubio pero yo quiero un color diferente, como

a. negro. **b.** corto.

8. ¿Tu primo es modelo? Es muy

a. castaño. **b.** guapo.

9. El postre es delicioso.

a. ¡Qué rico! **b.** ¿Qué desean Uds.?

10. Camarero, la ___, por favor.

a. cuenta **b.** azúcar

B. Empareja las cosas que aparecen en el dibujo con sus nombres, escribiendo en los espacios en blanco la letra que corresponda en cada caso.

1. el azúcar ______
2. el plato ______
3. la sal ______
4. el tenedor ______
5. el vaso ______
6. el menú ______
7. la cuchara ______
8. el cuchillo ______
9. la taza ______
10. la servilleta ______
11. la pimienta ______

Prueba 5B-2

Uso del vocabulario

A. Lee las siguientes conversaciones y completa las palabras de las preguntas y las respuestas.

1. —¡Oye, camarero! Me __a__ __a un tenedor.

   —¡Ah, sí! En un momento le __r__ __ __o un tenedor.

2. —¿Qué va a p__ __ i__ usted de plato principal?

   —Quiero el arroz con pollo.

3. —¿Y qué quiere usted de bebida?

   —Tengo __ __lo__. Para mí, un té helado.

4. —¿Necesita usted __l__ __ __á__?

   —Sí, la __u__n__ __, por favor.

5. —Yo quiero un café.

   —¿Por qué? ¿T__ __n__ usted frío?

   —Sí, hace frío hoy.

6. —Y ahora, ¿qué __e__ __a usted de postre?

   —¿Me __ __a__ un helado, por favor?

7. —¿Usted quiere otra taza de café?

   —No, gracias, no tengo __r__ __.

8. —¡Muchas gracias!

   —__e __a__ __.

B. En una fiesta de cumpleaños, los invitados juegan a una "cacería de objetos" Basándote en los dibujos, escribe oraciones completas diciendo qué encontró cada invitado. Sigue el modelo.

Modelo

Mariela *tiene el tenedor*.

1. Paco y Saúl ______________________.

2. Yo ______________________.

3. Mauricio ______________________.

4. Tú ______________________.

5. Isabel ______________________.

6. Nosotras ______________________.

Prueba 5B-3

El verbo *venir*

Los Borges han organizado una gran reunión familiar. Observa el horario de llegadas que aparece abajo y completa las oraciones diciendo a qué hora va a llegar a la reunión cada miembro de la familia. Usa las formas correctas del verbo **venir** y sigue el modelo.

¿Quién?	¿De dónde?	¿A qué hora?
los abuelos	Cincinnati	12:00
Ud.	San Antonio	5:00
nosotros	Nueva York	10:00
Rodolfo y Susana	Chicago	2:30
tú	México, D.F.	4:15
el primo Ramón	San Francisco	7:00
yo	Boston	9:30
Uds.	Los Ángeles	1:00
tía Micaela	San Juan, PR	3:30
la prima Carmela	Boise	2:00

Modelo A las doce *los abuelos vienen de Cincinnati* .

1. A las tres y media ______.
2. A las diez ______.
3. A las dos y media ______.
4. A las cuatro y cuarto ______.
5. A las siete ______.
6. A las nueve y media ______.
7. A las cinco ______.
8. A la una ______.
9. A las dos ______.

Prueba 5B-4

Los verbos *ser y estar*

Enrique está en México, en un café, escribiéndole una carta a su amigo Francisco. Completa su carta escribiendo las formas correctas de los verbos **ser** y **estar**.

Querido Francisco:

Aquí __________ yo en el restaurante Los Arcos, en Cuernavaca. Los pasteles de aquí __________ muy ricos y la limonada siempre __________ muy sabrosa. Ahora __________ las once de la noche pero yo no __________ cansado. Yo __________ un poco triste porque hoy __________ el cumpleaños de mi mamá y ella __________ en Nueva York. Pero, generalmente yo __________ muy contento.

Voy a hablar con María por teléfono mañana. Ella __________ mi prima y __________ muy divertida. Ella __________ en Cuernavaca porque __________ estudiante de la universidad aquí, pero su familia __________ de Veracruz. Veracruz __________ muy interesante y bonita y __________ en el Golfo de México.

Hasta luego, mi amigo.

Enrique

EXAMEN DEL CAPÍTULO, 5B

PARTE I: Vocabulario y gramática en uso

A. Describe a las personas que aparecen en los dibujos usando las formas correctas de **ser** o **estar** y los adjetivos de la lista. Usa cada adjetivo sólo una vez.

alto	bajo	enfermo	contento
joven	ocupado	viejo	triste

1. 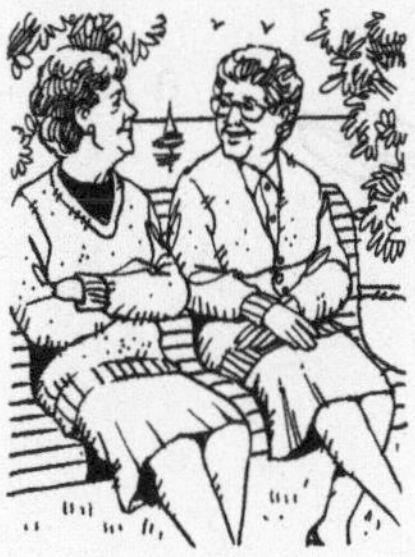 las mujeres

2. 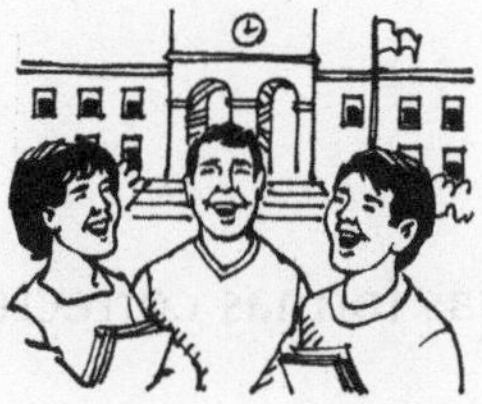 los jóvenes

3. 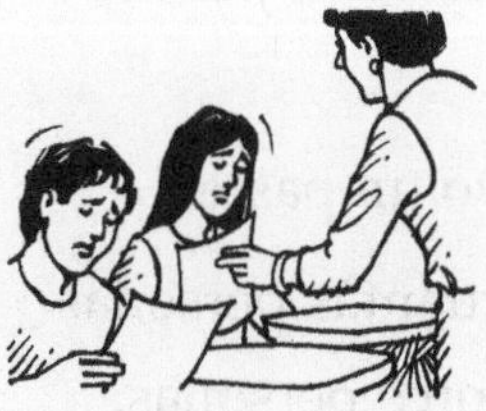 los estudiantes

4. 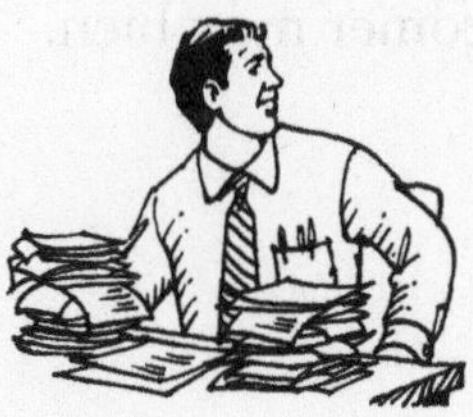 el hombre

5. 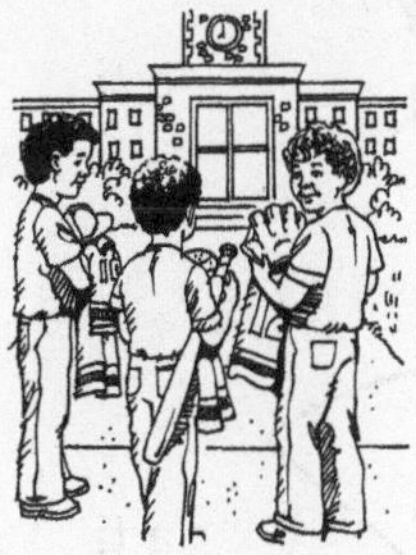 los primos

6. 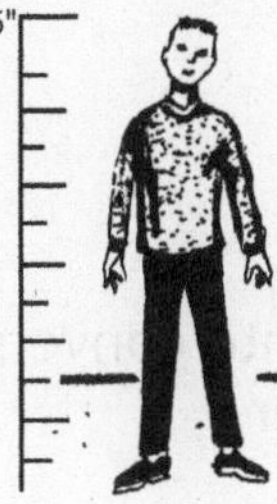 6'5" el joven

7. 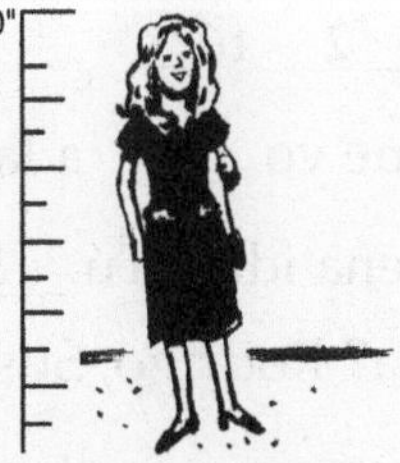 5'0" la mujer

8. 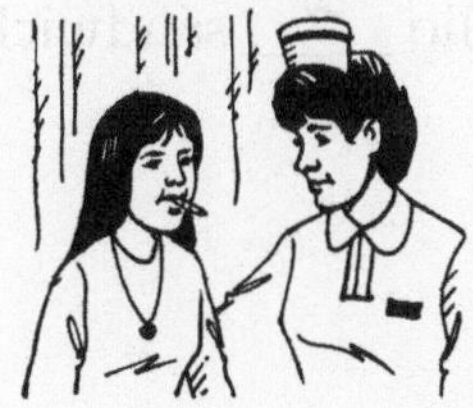 la chica

B. Observa los dibujos. Escribe oraciones con **faltar** para decir qué cosas faltan en cada situación.

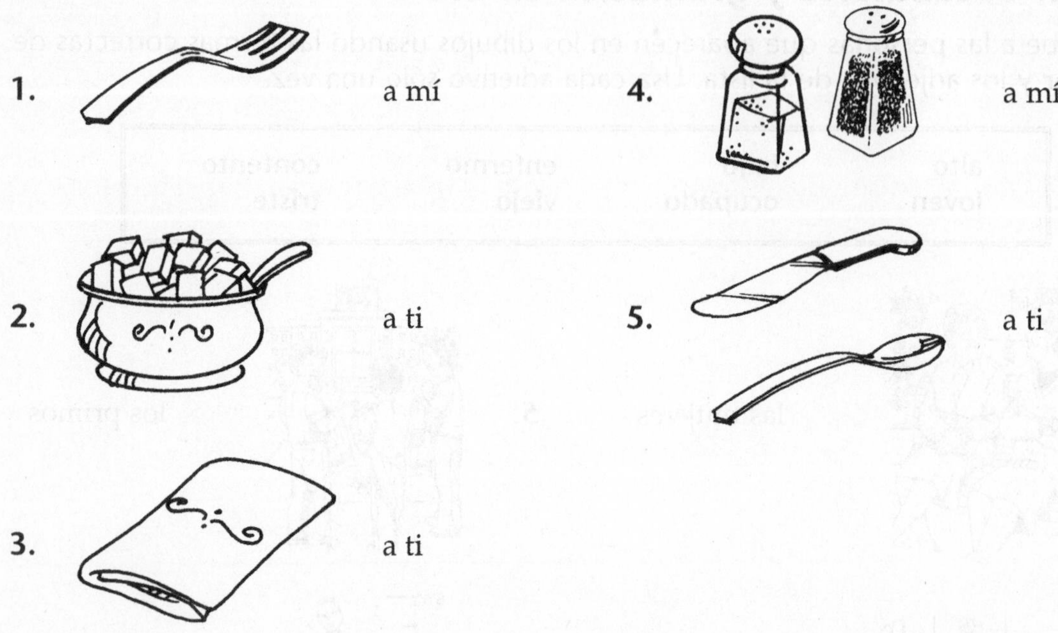

1. a mí
2. a ti
3. a ti
4. a mí
5. a ti

C. Completa la siguiente conversación entre Lidia y Roque con las formas correctas de los verbos **venir** o **traer**.

LIDIA: Oye, Roque, vamos a tener una fiesta. Marcos, Cecilia, Esteban y muchos otros __1__. ¿__2__ tú?

ROQUE: ¡Claro que yo __3__ a la fiesta! ¿Qué necesitas? ¿__4__ yo un pastel?

LIDIA: ¡Qué buena idea! Tú __5__ el pastel. ¡Gracias! A ver... ¿cuántas personas __6__ a la fiesta? Rodrigo, Susana... Emilio... en fin, somos catorce personas.

ROQUE: Pues entonces necesitamos un pastel grande.

LIDIA: Sí, y Emilio __7__ sándwiches como siempre. Vamos a comer muy bien.

PARTE II: Comunicación y cultura

A. Escuchar

Listen to the complaints the receptionist at the Hotel Duquesa receives about room service. Determine if the problem is that (a) something is wrong with the food order; (b) some condiments are missing; (c) the silverware and/or napkin is missing; or d) the order was not delivered at the correct time. Fill in the grid with the letter that corresponds to the complaints. Be careful, there may be more than one kind of complaint! If so, fill in the blanks with more than one letter. You will hear each set of statements twice.

B. Leer

Lee la carta que la prima de Alicia le escribió desde México, sobre su próxima visita a Santa Fe, Nuevo México. ¿Qué parece que le ilusiona mucho hacer? ¿Quiere saber más sobre algún tema? ¿Parecería que le preocupa algo? Después de leer su carta, completa las oraciones que aparecen en la hoja de respuestas.

Hola Rosario:

¿Qué hay de nuevo en Nuevo México? Soy muy graciosa, ¿verdad? ¡En una semana voy a estar contigo en Santa Fe! ¡Qué divertido! Me encanta la idea de visitar a mi familia en los Estados Unidos.

Tengo mucho interés en practicar mi inglés contigo y con tus amigos. Estudio mucho inglés en clase, pero me gustaría tener una conversación de verdad. ¿Qué hablan las personas en Santa Fe? ¿Inglés o español? Mi madre dice que tus abuelos hablan en español y tus padres hablan en inglés. ¿Es verdad?

Santa Fe es una ciudad muy artística, ¿verdad? Hay un museo de la artista americana Georgia O'Keefe en Santa Fe. Me encanta su arte. Ella dibuja flores muy grandes. Son fantásticas. ¿Vamos al museo?

Gracias por el menú del Fandango. No me gustan los garbanzos, pero me encanta la sopa de arroz. Yo como mucho pollo aquí en México; me gustaría comer chile con carne y queso. ¿Hay chocolate mexicano en Santa Fe? ¡Qué bueno!

Nos vemos en siete días.

Tu prima,

Alicia

C. Escribir

Como miembro del Club de Español, estás ayudando a organizar "La Cena Internacional", que es mañana a la noche. Necesitas saber (a) quiénes van a ir a la cena; (b) qué va a traer cada persona, si un plato principal o un postre; (c) qué tipo de comida va a traer cada persona; y (d) cuándo va a traerla cada uno. Usa tu imaginación, y piensa en cinco compañeros de clase y qué van a traer. No incluyas ninguna comida más de una vez. Por ejemplo, puedes anotar que David viene a la cena a las 5:30 y que va a traer pastas.

Para evaluar tu escrito, se considerará:
- **que hayas completado el ejercicio.**
- **la variedad del vocabulario que usas.**
- **el uso correcto del vocabulario y los puntos de gramática que acabas de aprender.**

D. Hablar

Eres la primera persona que llega a un nuevo restaurante mexicano para la cena de cumpleaños de tu tío. Decides esperar en la mesa hasta que lleguen los demás. Piensa en cinco de tus familiares o amigos. ¿Cómo se los describirías al camarero para que supiera que debe mandarlos a tu mesa? Describe las características físicas de cada persona, incluyendo la altura, el color y el largo del pelo, y la edad aproximada.

Para evaluar tus descripciones, se considerará:
- **fluidez, es decir, que no dudes mucho al hablar.**
- **que hayas completado el ejercicio.**
- **la pronunciación**

E. Cultura

Un amigo de México te está visitando y tú quieres que se sienta muy cómodo en tu casa. ¿Cómo planearías el horario de comidas durante su visita? Explica por qué no sugerirías pasar por un restaurante de comida rápida de camino al cine para ver una película que piensas que le gustaría.

HOJA DE RESPUESTAS

PARTE I: Vocabulario y gramática en uso

A. *(___ /___ puntos)*

1. ____________.
2. ____________.
3. ____________.
4. ____________.
5. ____________.
6. ____________.
7. ____________.
8. ____________.

B. *(___ /___ puntos)*

1. ____________.
2. ____________.
3. ____________.
4. ____________.
5. ____________.

C. *(___ /___ puntos)*

1. ____________
2. ____________
3. ____________
4. ____________
5. ____________
6. ____________
7. ____________

PARTE II: Comunicación y cultura

A. Escuchar *(___ /___ puntos)*

Name	Problem
1. el Sr. Robles	
2. la Sra. Martín	
3. la Srta. Muñoz	
4. el señor	
5. el Sr. Lenis	

B. Leer *(___ /___ puntos)*

Encierra en un círculo la letra de la palabra o palabras que mejor complete cada oración.

1. Cuando está en Santa Fe, Alicia quiere
   - a. comer comida mexicana
   - b. hablar inglés
   - c. dibujar
2. Los abuelos de Rosario hablan
   - a. inglés
   - b. español
   - c. inglés y español
3. La artista americana dibuja
   - a. familias
   - b. casas
   - c. flores
4. Cuando Alicia está en Santa Fe, quiere comer
   - a. chile con carne y queso
   - b. pollo
   - c. garbanzos con chile
5. Alicia va a Santa Fe
   - a. mañana
   - b. en una semana
   - c. en un mes

Nombre ____________________ Hora __________

Fecha ______________

C. Escribir *(___/___ puntos)*

____

____

____

____

____

D. Hablar *(___/___ puntos)*

E. Cultura *(___/___ puntos)*

____

____

____

____

Prueba 6A-1

Comprensión del vocabulario

A. Escribe en los espacios en blanco el nombre del objeto que se describe en cada caso. Usa cada palabra de la lista sólo una vez.

la alfombra	**las cortinas**	**el espejo**
el armario	**el cuadro**	**la lámpara**
el baño	**el despertador**	**la mesita**
la cama	**el dormitorio**	**la pared**

1. La cosa que uso para ver cómo tengo el pelo. _______________
2. Cosas que uso para decorar las ventanas. _______________
3. Obra (*Work*) de arte, como un dibujo, que usas para decorar la pared.
   ____
4. Adónde vas para dormir. _______________
5. Una luz. _______________
6. La mesa donde hay cosas como el despertador y un vaso de agua.
   ____
7. Donde hay mucha ropa. _______________
8. Un reloj que uso en la mañana. _______________
9. Hay cuadros, relojes y carteles aquí. En _______________
10. Donde duermes (la cosa). _______________

B. Encierra en un círculo la letra de la respuesta que mejor complete cada oración.

1. Escucho música en mi **a.** equipo de sonido. **b.** estante.
2. Veo videos con el **a.** disco compacto. **b.** lector DVD.
3. Mis libros están en **a.** el video. **b.** el estante.
4. Veo mis programas favoritos en **a.** el televisor. **b.** el equipo de sonido.
5. Tengo mis películas favoritas en **a.** unos videos. **b.** un disco compacto.

C. Lee las siguientes oraciones sobre colores. Escribe una **C** si la afirmación es **cierta** o una **F** si es **falsa**.

_____ **1.** La bandera de los Estados Unidos es roja, blanca y azul.

_____ **2.** El pelo canoso es azul.

_____ **3.** Anaranjado es el color de los guisantes.

_____ **4.** Muchos zapatos *(shoes)* son marrones.

_____ **5.** Los tomates son rojos.

_____ **6.** El jugo de manzana es amarillo.

_____ **7.** Las fresas son moradas.

_____ **8.** La ciudad es gris; el campo es verde.

_____ **9.** Muchas plantas son negras.

_____ **10.** El jamón es blanco.

_____ **11.** Las manzanas son rosadas.

Prueba 6A-2

Uso del vocabulario

A. La familia Bolívar se está preparando para mudarse a una casa nueva y están tomando nota de todo lo que tienen que llevar. Observa los dibujos y escribe en los espacios en blanco el nombre de las cosas que van apuntando. Sigue el modelo.

Modelo Tienen dos *equipos de sonido*.

1. Tienen tres ______________________.
2. Tienen un ______________________.
3. Tienen cuatro ______________________.
4. Tienen nueve ______________________.
5. Tienen un ______________________.
6. Tienen tres ______________________.
7. Tienen cinco ______________________.

B. Escribe el opuesto de cada una de las siguientes palabras.

1. feo ______________
2. grande ______________
3. mejor ______________
4. negra ______________
5. la derecha ______________

C. Completa las siguientes oraciones para describir las posesiones más importantes de cada estudiante, y en qué lugar de su cuarto están.

1. Necesito ir al trabajo a las seis de la mañana todos los días de la semana, pero me gusta dormir. Para mí la posesión más importante es mi _______________. Está encima de una _______________ que está al lado de mi cama. También hay una _______________ allí que uso en la noche cuando leo.
2. Para mí, es muy importante tener un dormitorio atractivo. Tengo _______________ bonitas en las ventanas y un cuadro fantástico en la _______________ al lado de la ventana.
3. Tengo muchos libros y mucha ropa *(clothes)*, y soy muy ordenado. Para mí las cosas más importantes son mi _______________ para los libros y mi _______________ para mi ropa.
4. Me encanta ver las películas. Tengo los discos de todas mis películas favoritas en mi dormitorio. Para mí las cosas más importantes son mi _______________ y mis _______________.
5. Me encanta ver programas y películas en casa. Paso ocho horas todos los días enfrente de mi posesión favorita, que es el _______________.

D. Completa cada oración con el color más lógico. ¡OJO! Recuerda que los colores son adjetivos y que, por lo tanto, deben concordar en género y número con los sustantivos que modifican.

1. El sol es _______________.
2. El agua del océano es _______________.
3. La lechuga y los guisantes son _______________.
4. Las uvas generalmente son _______________ o _______________.
5. La naranja es _______________.
6. La flor es _______________ (una combinación de blanco y rojo).
7. El escritorio es _______________ (una combinación de blanco y negro).

Prueba 6A-3

Hacer comparaciones

Marta y su padre son muy diferentes. Observa los dibujos y compáralos. Sigue el modelo.

Marta

El Sr. Camacho

Modelo Sr. Camacho / alto *El Sr. Camacho es más alto que Marta*.

1. Marta / bajo ______.
2. Sr. Camacho / mayor ______.
3. Marta / deportista ______.
4. Marta / alto ______.
5. Sr. Camacho / artístico ______.
6. Sr. Camacho / deportista ______.
7. Marta / atrevido ______.
8. Marta / menor ______.
9. Marta / artístico ______.

Prueba 6A-4

El superlativo

A. En este cuadro, se clasifican libros según cinco criterios diferentes, en una escala de 1 a 5 (1 es el puntaje más alto; 5, el más bajo). Observa el cuadro con los títulos de los libros y responde las preguntas que aparecen abajo. Sigue el modelo.

	Interesante	Divertido	Artístico	Práctico	Largo
1	*Geraldo Potter*	*Huevos verdes con jamón*	*El arte de Picasso*	*La cocina española*	*Guerra y paz*
2	*Guerra y paz*	*Geraldo Potter*	*Huevos verdes con jamón*	*El arte de Picasso*	*Geraldo Potter*
3	*Huevos verdes con jamón*	*La cocina española*	*La cocina española*	*Huevos verdes con jamón*	*El arte de Picasso*
4	*El arte de Picasso*	*El arte de Picasso*	*Guerra y paz*	*Geraldo Potter*	*La cocina española*
5	*La cocina española*	*Guerra y paz*	*Geraldo Potter*	*Guerra y paz*	*Huevos verdes con jamón*

Modelo (práctico) *Guerra y paz* *es el libro menos práctico*.

1. (interesante) *Geraldo Potter* ______________________.
2. (interesante) *La cocina española* ______________________.
3. (largo) *Huevos verdes con jamón* ______________________.
4. (largo) *Guerra y paz* ______________________.
5. (divertido) *Guerra y paz* ______________________.
6. (divertido) *Huevos verdes con jamón* ______________________.
7. (artístico) *El arte de Picasso* ______________________.
8. (artístico) *Geraldo Potter* ______________________.
9. (práctico) *La cocina española* ______________________.

B. Ahora, escribe una oración completa diciendo qué libro te parece el mejor (o el peor) de la colección.

____

Prueba 6A-5

Verbos con cambio de raíz: *poder y dormir*

A. Tu escuela ha organizado una colecta de dinero y tú y tus amigos están viendo cómo pueden contribuir. Lee la conversación y escribe en los espacios en blanco la forma del verbo **poder** que corresponda en cada caso.

ELENA: María ____________ cantar en el concierto. Ella canta muy bien.

RAMÓN: ¿Sí? Y yo ____________ tocar el piano. Nosotros ____________ invitar a nuestro amigo David a venir también.

ELENA: Buena idea. Él ____________ traer sus famosas galletas de chocolate. Mmmmm.

RAMÓN: ¿Quién ____________ traer los refrescos?

ELENA: Mis padres ____________ preparar su limonada favorita.

RAMÓN: ¿Y tú, Jorge? ¿____________ traer a todos tus amigos al concierto?

JORGE: ¡Claro que sí! Todos ____________ venir.

B. En una clase sobre la salud, los estudiantes deben informar cuántas horas duermen por lo general cada noche. Observa los relojes y escribe oraciones completas diciendo cuánto duerme cada persona. Sigue el modelo.

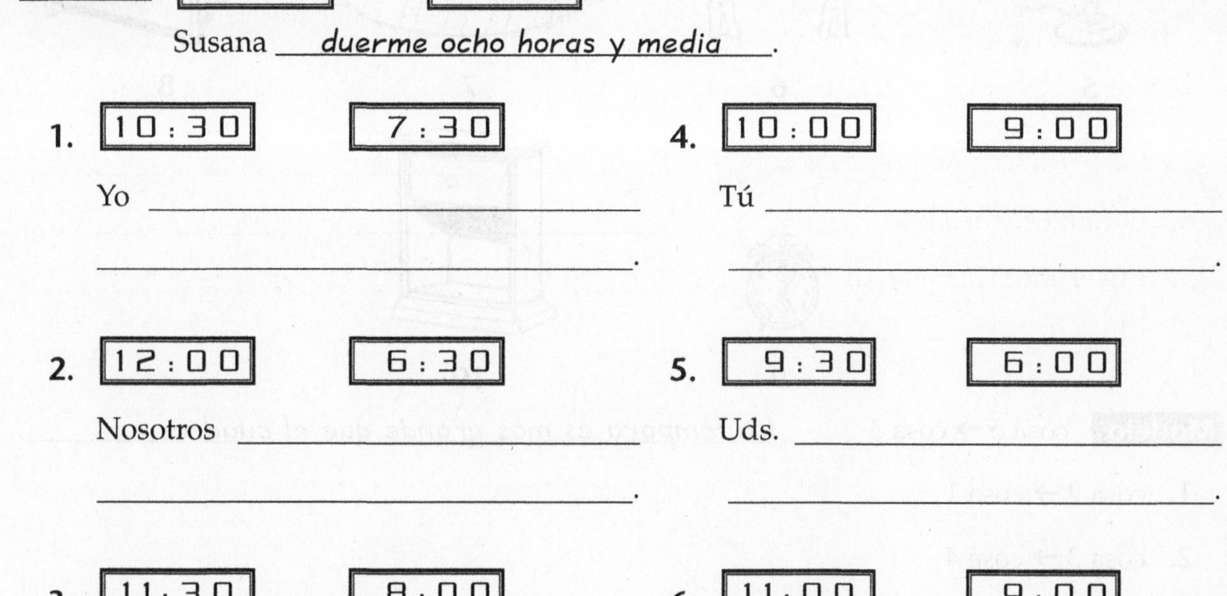

EXAMEN DEL CAPÍTULO, 6A

PARTE I: Vocabulario y gramática en uso

A. Observa las cosas indicadas con números. Luego escribe oraciones completas comparando los pares de cosas que aparecen abajo. En tus oraciones, usa las expresiones **más grande(s)** o **menos grande(s)**, como indica el modelo.

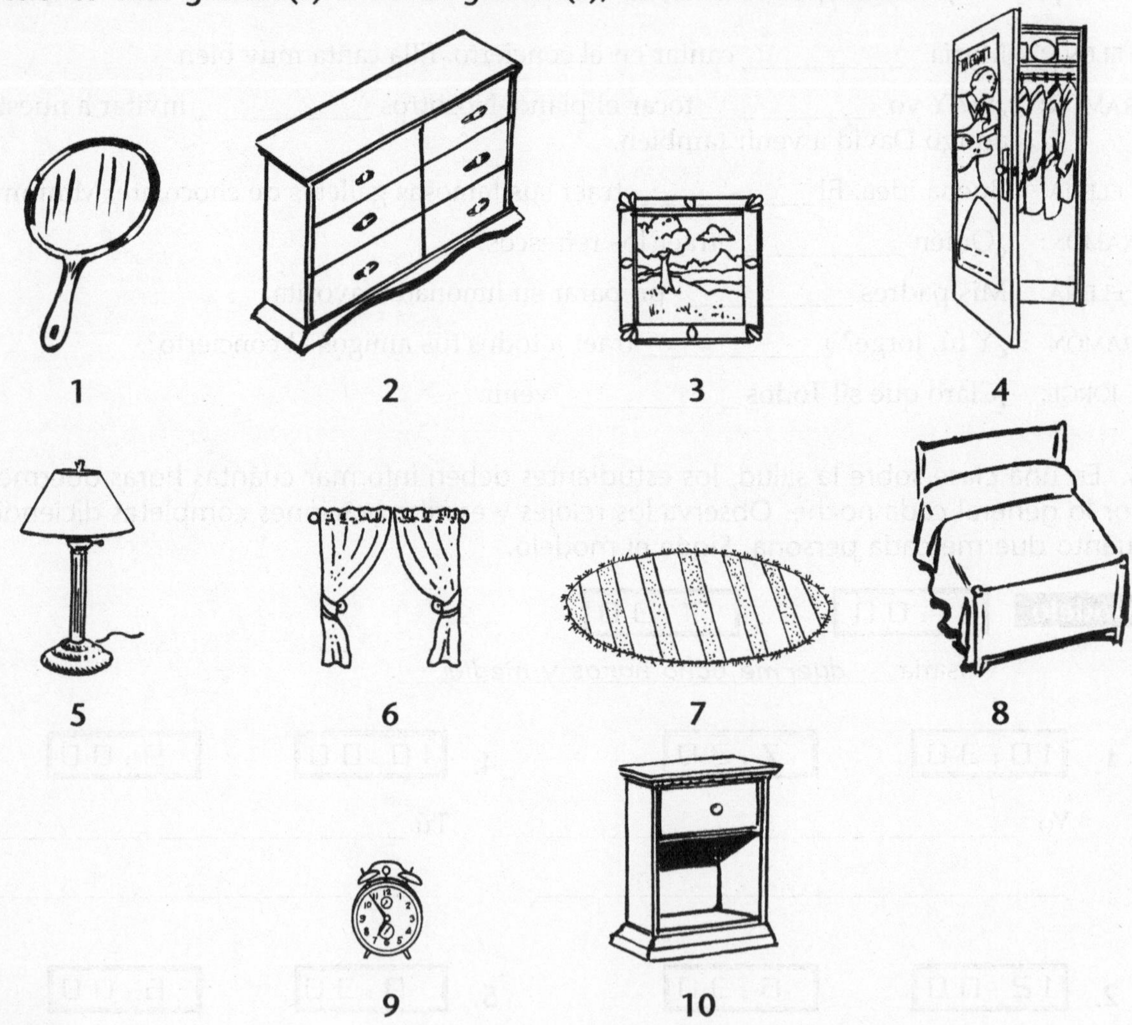

Modelo cosa 5 → cosa 3 *La lámpara es más grande que el cuadro*.

1. cosa 2 → cosa 1
2. cosa 3 → cosa 4
3. cosa 9 → cosa 10
4. cosa 6 → cosa 8

B. Escribe una oración completa diciendo qué cosa de cada grupo representa la categoría que se indica entre paréntesis, según tu opinión. Sigue el modelo.

Modelo la alfombra / el video / el libro (posesión / grande)
La alfombra es la posesión más grande .

1. la cama / el video / el cuadro (cosa / práctica)
2. el armario / el cuadro / el libro (cosa / bonita)
3. el televisor / el lector DVD / el despertador (posesión / importante)
4. el video / el disco compacto / la revista (posesión / interesante)

C. Carmen le está mostrando su nueva casa a Marilena. Completa sus comentarios con las formas correctas de los verbos **poder** y **dormir**.

Aquí estamos en mi dormitorio. Mis padres __1__ en el dormitorio a la izquierda y mi hermanita __2__ en el dormitorio a la derecha. Todos nosotros __3__ muy bien. ¿__4__ en tu propio dormitorio también? Me gusta tener mi propio dormitorio, porque entonces yo __5__ leer hasta muy tarde. Mi hermanita no __6__ dormir si hay luz. Es bueno tener dos dormitorios, porque así nosotras __7__ leer o dormir cuando queremos.

PARTE II: Comunicación y cultura

A. Escuchar

You will be spending a month in a Spanish Immersion Camp next summer. You go to their Web site to find out what the accommodations are like. As you listen to the audio descriptions, determine which items are provided and which items you would have to bring with you. Fill in the grid on your answer sheet. You will hear each set of statements twice.

B. Leer

Un artículo publicado recientemente en una revista propone que el color de las paredes del cuarto debería corresponder al tipo de personalidad de quien duerme en él. Lee el artículo, y luego responde las preguntas del "decorador de interiores" que aparecen en la hoja de respuestas.

¿Es importante el color de la pared? Unos colores son menos populares que otros. Según un estudio de la Universidad Nacional, es MUY importante. ¿Una pared roja para una persona nerviosa? ¡Horrible! ¿Una pared verde para una persona muy natural? ¡Perfecto! A las personas sociables les gustan los dormitorios con paredes amarillas. El amarillo es un color muy popular para las personas a quienes les gusta hablar por teléfono. ¿Qué color para los jóvenes estudiosos? El color anaranjado es mejor. Una persona puede concentrarse y estudiar mejor con las paredes anaranjadas. ¿Para quién es un dormitorio con paredes azules? El color azul es para las personas que necesitan todo tranquilo y calmado. Es el mejor color para las personas que no duermen bien. El color morado es mejor para las personas misteriosas. Es difícil comprender a las "personas moradas". Un día están contentas, pero otro día están muy tristes. Pueden ser sentimentales y prácticas al mismo tiempo. Las personas románticas prefieren las paredes rosadas. Pueden escribir poemas románticos y les gusta leer novelas románticas. A las personas deportistas les gusta un dormitorio marrón. Es otro color de la naturaleza. ¿Cuál es el color perfecto para ti?

C. Escribir

Escoge el cuarto de uno de tus hermanos o de un programa de televisión que conozcas muy bien. Escribe un párrafo describiendo en qué se parece ese cuarto al tuyo, y en qué se diferencia. Escribe por lo menos cuatro comparaciones. Puedes comparar el color y el tamaño de los cuartos, el tipo de muebles en cada uno, y las distintas cosas que hay en las paredes. Antes de escribir, organiza tus ideas en el diagrama de Venn que aparece en la hoja de respuestas. Luego, escribe tu párrafo debajo del diagrama.

Para evaluar tu escrito, se considerará:
- **que hayas completado el diagrama de Venn.**
- **el número de comparaciones que incluyes.**
- **el uso apropiado del vocabulario y los puntos de gramática que acabas de aprender.**

D. Hablar

Con el compañero o compañera que se te asigne, haz y responde preguntas sobre tu cuarto. Hazle a tu compañero/a por lo menos cuatro preguntas y reacciona apropiadamente a sus respuestas. Puedes dar tus propias opiniones sobre lo que dice. Cuando sea tu turno, responde las preguntas de tu compañero/a, tratando de darle tantos detalles como puedas. Puedes describir el tamaño y color del cuarto, las cosas que hay en la pared, los muebles y otros objetos. También puedes comentar si compartes el cuarto con alguien, qué puedes o te gusta hacer allí, etc.

Para evaluar tu presentación, se considerará:
- **el número de preguntas que haces y que respondes.**
- **la cantidad de detalles que incluyes en tus respuestas.**
- **la interacción que mantienes con tu compañero/a (es decir, tus reacciones a sus comentarios y las preguntas que le haces).**

E. Cultura

Un amigo te muestra las fotos que sacó en México en sus vacaciones de Navidad. Claro está, no te sorprende ver las **luminarias**, sobre las que leíste en este capítulo. ¿Qué podrías decirle a tu amigo sobre la historia de estos adornos?

HOJA DE RESPUESTAS

PARTE I: Vocabulario y gramática en uso

A. *(___ /___ puntos)*

1. ____________________.
2. ____________________.
3. ____________________.
4. ____________________.

B. *(___ /___ puntos)*

1. ____________________.
2. ____________________.
3. ____________________.
4. ____________________.

C. *(___ /___ puntos)*

1. __________
2. __________
3. __________
4. __________
5. __________
6. __________
7. __________

PARTE II: Comunicación y cultura

A. Escuchar *(___ /___ puntos)*

	No tengo que traer...	Tengo que traer...
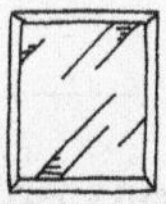		

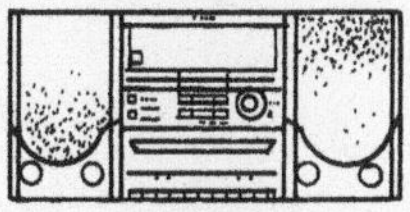		

 BARCELONA		

B. Leer *(___ /___ puntos)*

¿Cuál es el color perfecto para...

1. una joven a quien le gusta practicar muchos deportes? ______
2. una mujer a quien le gusta conversar y que tiene muchas amigas? ______
3. un hombre que no puede dormir bien y que tiene muchos problemas en la oficina?
   ______
4. una joven que cree que el Día de San Valentín es el mejor día del año?
   ______
5. un joven que puede ser gracioso y serio al mismo tiempo? ______
6. una joven a quien le gusta estudiar en su dormitorio? ______

C. Escribir *(___ /___ puntos)*

Mi dormitorio

Los dos dormitorios

Su dormitorio

______

______

______

______

D. Hablar *(___ /___ puntos)*

E. Cultura *(___ /___ puntos)*

___

___

___

___

Prueba 6B-1

Comprensión del vocabulario

A. Encierra en un círculo la letra de la respuesta que mejor complete cada oración.

1. Si estoy al lado de la mesa, estoy ____________ la mesa.

a. cerca de **b.** lejos de

2. Mi padre prepara la comida en ____________

a. el dormitorio. **b.** la cocina.

3. Cuando entras en la casa, estás en ____________

a. el segundo piso. **b.** la planta baja.

4. Veo la tele en ____________

a. la sala. **b.** la escalera.

5. La computadora y el fax están en ____________

a. el despacho. **b.** el garaje.

6. La familia almuerza en ____________

a. el comedor. **b.** el sótano.

7. El coche está en ____________

a. el baño. **b.** el garaje.

8. La casa de Felipe es grande; tiene muchos ____________

a. sótanos. **b.** pisos.

9. Para ir al primer piso, tienes que usar ____________

a. la escalera. **b.** la sala.

10. Para mí, una hora de quehaceres es ____________

a. bastante. **b.** lejos.

B. Completa las siguientes oraciones con el quehacer de la lista que corresponda.

lavar el coche	**lavar los platos sucios**	**dar de comer**
limpiar el baño	**hacer la cama**	**poner la mesa**
arreglar el cuarto	**pasar la aspiradora**	

1. Para comer la cena, tienes que ______________ en el comedor.
2. Si las cosas en tu dormitorio están desordenadas, tienes que ______________.
3. Si la alfombra está sucia, es necesario ______________.
4. Después de comer, es importante ______________.
5. Si tienes un coche sucio, tienes que ______________.
6. Todos los días debes ______________ al perro.

C. Completa cada conversación encerrando en un círculo la mejor opción.

1. —¿Vives cerca de la escuela?

   —No, vivo (al lado de / lejos de) la escuela.

2. —¿Vives en una casa?

   —No, vivo en (un apartamento / una escalera).

3. —¿Cuáles son (los quehaceres / los cuartos) que necesito hacer?

   —Necesitas poner la mesa, lavar los platos sucios y quitar el polvo de la sala.

4. —¿Cuándo (doy / recibo) mi dinero?

   —Después de limpiar tu dormitorio.

5. —¿Generalmente tú das de comer al perro?

   —Sí, (da / doy) de comer al perro todos los días.

6. —¿Cómo ayudas en la casa?

   —Pues, (hago / pongo) la cama y (hago / pongo) la mesa.

7. —¿Qué haces cuando el césped está largo?

   —(Lavo / Corto) el césped cuando está largo.

8. —Yo tengo hambre. ¿Quién va a (limpiar / cocinar)?

   —Tu padre.

Prueba 6B-2

Uso del vocabulario

A. Mañana tus padres vuelven de viaje, y tú y tus hermanos tienen varios quehaceres que terminar. Tu hermana mayor te está diciendo a ti y a tu hermano menor cómo van a hacer sus quehaceres para terminarlos antes de que lleguen sus padres. Completa cada oración con la expresión apropiada. Asegúrate de usar las formas correctas de los verbos.

¡Marta! ¡Carlitos! Hay muchos ________ que tenemos que hacer hoy. Voy a ________ la ropa y también el coche. Tengo que lavar los platos ________ y después yo ________ la mesa para la cena. Marta, tú pasas la ________ y ________ el cuarto. También tienes que ________ las camas. Carlitos, tú ________ al perro y sacas la ________. Después debes ________ el polvo en la ________. Marta, ¿tú vas a ________ los baños? Carlitos, tú puedes ________ porque hay tres baños. Si la casa está muy limpia cuando regresen *(return)* papá y mamá, todos vamos a ________ dinero.

B. Responde las siguientes preguntas acerca del dibujo.

1. ¿Está el despacho lejos o cerca del comedor?

____.

2. ¿Qué hay cerca del baño?

____.

3. ¿Qué cuartos están en la planta baja?

____.

4. ¿En qué piso está el baño?

____.

5. ¿Qué parte de la casa está debajo de la planta baja (que no vemos en el dibujo)?

____.

6. ¿Dónde vives tú? Describe tu casa o apartamento.

____

____

____

Prueba 6B-3

Mandatos afirmativos con *tú*

A. Escribe los mandatos afirmativos para la segunda persona informal (tú) de cada uno de los siguientes verbos.

1. comer ______ **6.** hacer ______
2. montar ______ **7.** leer ______
3. escribir ______ **8.** poner ______
4. jugar ______ **9.** escuchar ______
5. hablar ______ **10.** compartir ______

B. Escribe el mandato del quehacer que corresponda, según las oraciones. Sigue el modelo.

Modelo Vamos a comer. *Pon la mesa*.

1. Los platos no están limpios. ______.
2. El baño está sucio. ______.
3. Hay mucha basura. ______.
4. El perro tiene hambre. ______.
5. Hay mucho polvo en la sala. ______.
6. El dormitorio está desordenado. ______.
7. Las alfombras no están limpias. ______.
8. La cama está desordenada. ______.
9. El césped está largo. ______.
10. Quiero comer la cena. ______.

Prueba 6B-4

El presente progresivo

A. Al salir de la escuela, los estudiantes han ido a sus actividades favoritas. Escribe oraciones completas diciendo qué están haciendo las personas que aparecen en los dibujos. Usa el presente progresivo. Sigue el modelo.

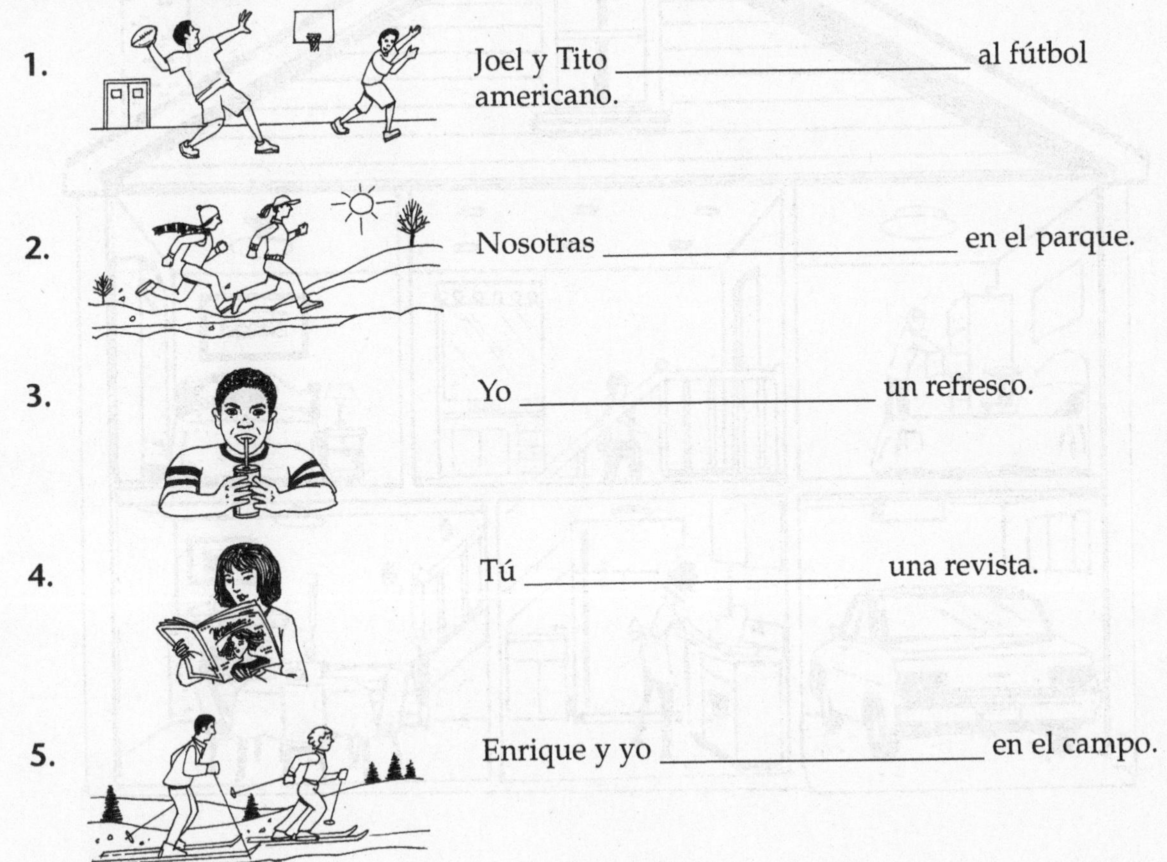

Modelo Marisol *está comiendo* una manzana.

1. Joel y Tito _______________ al fútbol americano.
2. Nosotras _______________ en el parque.
3. Yo _______________ un refresco.
4. Tú _______________ una revista.
5. Enrique y yo _______________ en el campo.

B. Imagina lo que distintos amigos y miembros de tu familia están haciendo en este momento. Escribe tres oraciones sobre distintas personas que conozcas.

1. ____.
2. ____.
3. ____.

Nombre ______________________ Hora ______________

Fecha ______________________

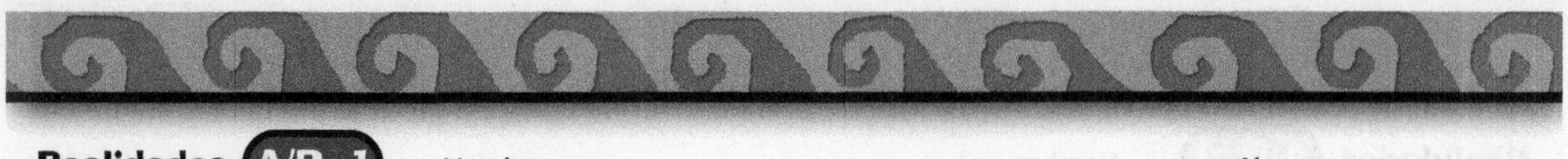

EXAMEN DEL CAPÍTULO, 6B

PARTE I: Vocabulario y gramática en uso

A. Observa el dibujo de la casa. Luego, escribe cinco oraciones diciendo qué cuartos hay en la planta baja y qué cuartos hay en el primer piso.

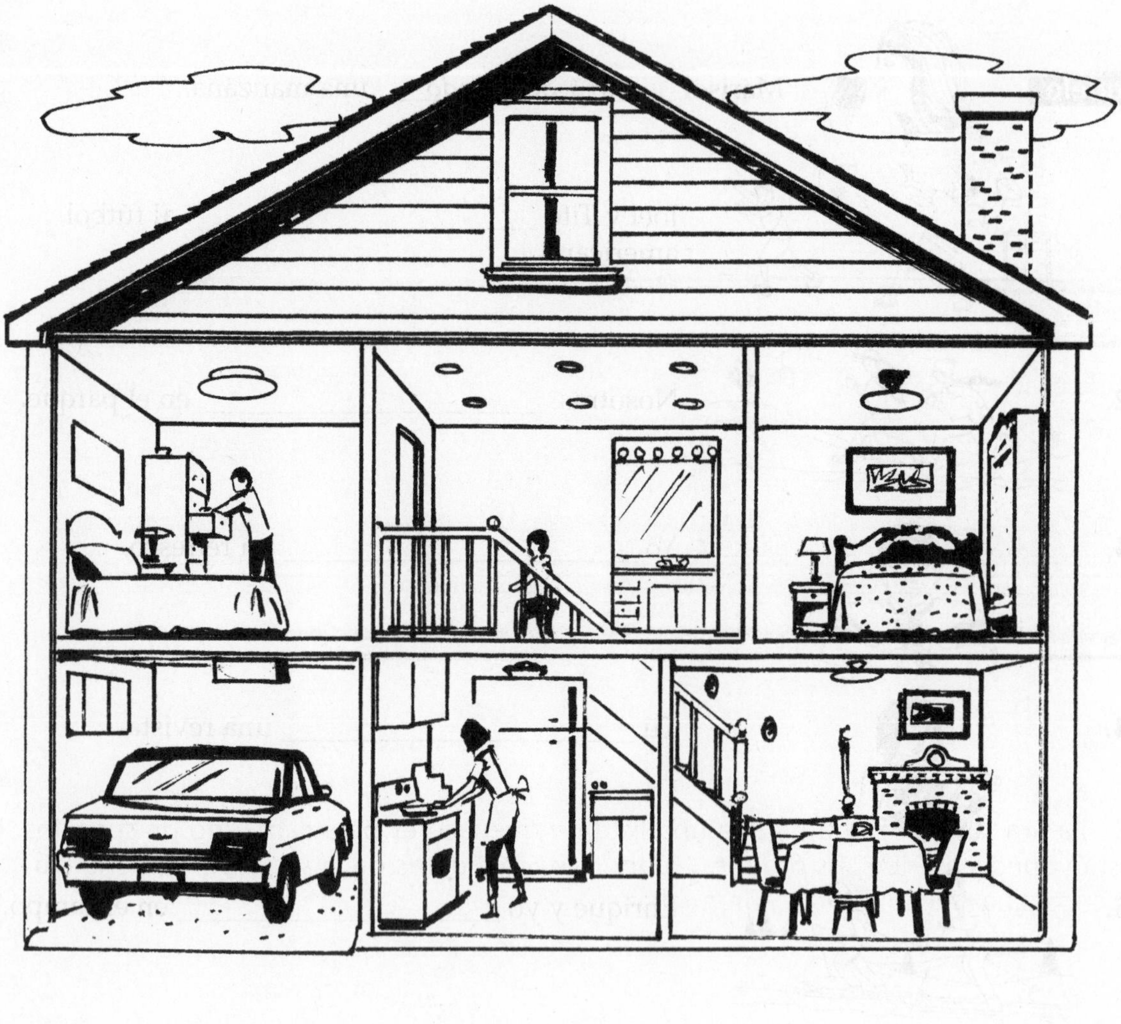

B. Observa los dibujos y las personas que se indican al lado. Luego, escribe una oración diciendo que esas personas están haciendo el quehacer necesario. Usa las formas del presente progresivo.

1.  nosotros

2.  tú

3.  Uds.

4.  Uds.

C. La Sra. Mendoza ha dejado una lista de quehaceres para cada uno de sus hijos. Lee la lista y luego escribe sus órdenes, usando los mandatos de la segunda persona (**tú**). Escribe una oración para cada quehacer.

Los quehaceres para hoy

Alberto: cortar el césped, cocinar el almuerzo

Enrique: hacer las camas, pasar la aspiradora en la sala

Marta: poner la mesa, quitar el polvo

PARTE II: Comunicación y cultura

A. Escuchar

Listen as these inventive teens give reasons for not doing what their moms have asked them to do. In the grid on your answer sheet, place a check mark in the column that has a picture of the chore that the teen is asked to do. Then, place a check mark in the column that has a picture of the reason that the teen thinks he or she shouldn't do the chore. You will hear each conversation twice.

B. Leer

Unos amigos de tu familia se están mudando a España por un año y te piden que los ayudes a buscar el apartamento perfecto. Cada uno te ha dicho qué tipo de apartamento quiere. Lee los siguientes anuncios y escribe en los espacios en blanco de la hoja de respuestas la letra del apartamento más apropiado, según las preferencias de cada persona.

A

B

C

#1	#2	#3
Maravilloso para una persona que trabaja en casa. Tiene un despacho al lado del dormitorio. Está muy cerca de la biblioteca pública. Tiene un piso con un dormitorio y una cocina grande. Es perfecto para preparar las cenas especiales y los almuerzos informales. Si le gusta nadar, hay una piscina al lado.	Este lugar fantástico de dos pisos es ideal para una persona a quien le gusta vivir bien. Hay un café muy famoso muy cerca, con comida española y americana. Si le gusta leer, la ventana principal es perfecta, especialmente en la primavera. Puede ver el parque perfectamente desde allí. Hay dos dormitorios y una cocina pequeña.	¿Está Ud. cansado de vivir en un lugar demasiado pequeño? ¿Tiene muchos amigos a quienes les gusta visitarlo? Este lugar es perfecto para Ud. Para las fiestas hay una sala muy grande y dos baños. Hay un cine muy cerca. También tiene garaje.

C. Escribir

Tú y tus compañeros de clase están diseñando un cartel para ofrecer sus servicios de ayuda con los quehaceres domésticos. Haz una lista de por lo menos ocho quehaceres que podrías hacer. Arriba de cada quehacer, haz un dibujo rápido para que las personas que no hablan español entiendan qué quehaceres harías.

Para evaluar tu escrito, se considerará:
- **el número de quehaceres que incluyes en la lista.**
- **el número de dibujos que corresponden a los quehaceres que mencionas.**
- **el uso apropiado del vocabulario y los puntos de gramática que acabas de aprender.**

D. Hablar

Hay algunos quehaceres que por lo general nadie quiere hacer y otros que por lo general a la gente no le molesta llevar a cabo. Dile a tu profesor/a qué quehaceres domésticos prefieres y cuáles son los que menos te gustan. Menciona por lo menos cinco quehaceres, y di si te gusta o te molesta hacerlos. Da razones de por qué te gustan o te molestan. Podrías empezar diciendo algo como: "Me gusta darle de comer al perro, porque..."

Para evaluar tu presentación, se considerará:
- **el número de quehaceres que describes.**
- **la variedad del vocabulario que usas.**
- **la fluidez con que te expresas (es decir, que hables sin dudar mucho) y la pronunciación.**

E. Cultura

Estás ayudando a una familia de un país hispanohablante a comunicarse con un agente inmobiliario con el fin de comprar una casa en este país. Basándote en lo que has leído en este capítulo, describe cómo es probable que quieran la casa. ¿Te parece que en tu pueblo o ciudad podrán encontrar la casa que buscan?

HOJA DE RESPUESTAS

PARTE I: Vocabulario y gramática en uso

A. *(___ /___ puntos)*

1. ______________________________.
2. ______________________________.
3. ______________________________.
4. ______________________________.
5. ______________________________.

B. *(___ /___ puntos)*

1. ______________________________.
2. ______________________________.
3. ______________________________.
4. ______________________________.

C. *(___ /___ puntos)*

1. ______________________________.
2. ______________________________.
3. ______________________________.
4. ______________________________.
5. ______________________________.
6. ______________________________.

PARTE II: Comunicación y cultura

A. Escuchar (___/___ *puntos)*

Los quehaceres						
Jorge						
Susi						
Paco						
Clara						
Miguel						
José						
Las excusas						
Jorge						
Susi						
Paco						
Clara						
Miguel						
José						

Ahora, nombra tres quehaceres que se les pidió que hicieran a los jóvenes de esta actividad.

____

____

____

B. Leer (___/___ *puntos)*

1. ________ **2.** ________ **3.** ________

C. Escribir *(___ /___ puntos)*

1.

5.

2.

6.

3.

7.

4.

8.

D. Hablar *(___ /___ puntos)*

E. Cultura *(___ /___ puntos)*

Prueba 7A-1

Comprensión del vocabulario

A. Escribe el número que corresponda en cada caso. Sigue el modelo.

Modelo trescientos treinta y tres 333

1. ciento uno ______
2. trescientos sesenta y siete ______
3. quinientos setenta y seis ______
4. novecientos tres ______
5. setecientos quince ______
6. doscientos noventa y cuatro ______
7. cuatrocientos ochenta y ocho ______
8. seiscientos catorce ______
9. ochocientos cuarenta y nueve ______
10. ciento cincuenta y dos ______

B. Cristina y Susi están haciendo compras. Completa con las palabras de la lista la conversación que tienen mientras van de una tienda a otra.

estoy buscando	llevar	piensas	queda	ropa	servirle

CRISTINA: Vamos a esta tienda de ropa. Aquí tienen ______ elegante.

SUSI: Bien. ¿Qué ______ comprar?

CRISTINA: Necesito un vestido para la fiesta de mi prima.

DEPENDIENTA: ¿En qué puedo ______, señorita?

CRISTINA: ______ un vestido elegante.

DEPENDIENTA: ¿Va Ud. a ______ el vestido a una fiesta o un baile formal?

CRISTINA: A una fiesta. Me gusta este vestido.

SUSI: ¿Cómo te ______?

CRISTINA: ¡Fantástico! Quiero comprarlo.

C. Observa los siguientes dibujos y escribe la palabra de la lista que mejor describa cada prenda de vestir numerada en el dibujo.

la falda	los zapatos	los calcetines
el vestido	la camiseta	la sudadera
los pantalones cortos	las botas	el abrigo
la blusa	el suéter	la gorra

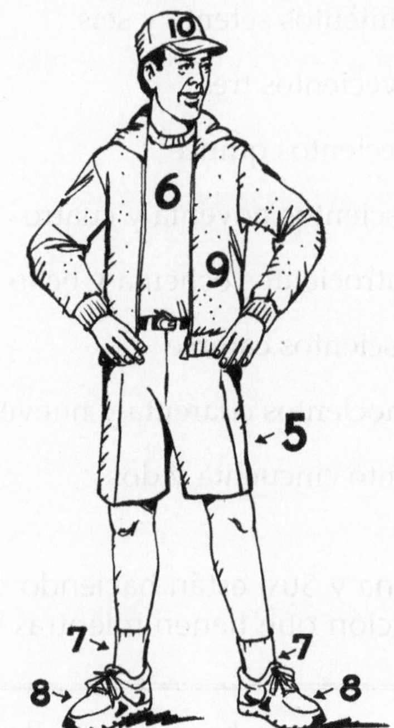

1. ______________________ 6. ______________________
2. ______________________ 7. ______________________
3. ______________________ 8. ______________________
4. ______________________ 9. ______________________
5. ______________________ 10. ______________________

Prueba 7A–2

Uso del vocabulario

A. Escribe el nombre de la prenda de vestir que asocias con cada una de las siguientes oraciones.

1. Pedro juega al béisbol. En su cabeza, tiene una ______________.
2. La camisa formal que Julia lleva con una falda es una ______________.
3. Los pantalones que Juan lleva cuando trabaja en el campo son ______________.
4. Con su traje y camisa, mi papá lleva una ______________.
5. Cuando nieva mucho, Fernanda lleva ______________ altas en los pies.
6. Hace frío pero quiero correr. Voy a llevar una ______________ sobre *(over)* mi camiseta.
7. Cuando nado, llevo un ____________________.
8. En el verano no llevo pantalones largos. Prefiero llevar ________________________.
9. Cuando practico deportes siempre llevo ______________ blancos con mis zapatos deportivos.
10. Hace mucho frío hoy. Debes llevar un ______________ sobre tu suéter.

B. Marisol está haciendo compras con su amiga Carmen. Completa sus preguntas con las palabras apropiadas.

1. —Me gusta la ropa en esta tienda. ¿Quieres ______________ para ver qué ropa nueva tienen?

   —Sí, vamos.

2. —¿En qué ____________________?

   —Estoy buscando algo para llevar a una fiesta.

3. —¿____________________ los suéteres?

   —Veinte dólares.

4. —Marisol, ¿______________ bien la falda?

   —Sí, está perfecta. Debes comprarla.

5. —______________, señorita, ¿cuál es el ______________ de esta falda?

   —Veinticinco dólares.

C. Las Grandes Tiendas Márquez está haciendo el inventario de la ropa que tiene en venta. Observa los dibujos y lee los números que aparecen al lado. Luego, escribe oraciones completas diciendo cuántas unidades de cada prenda hay en la tienda. Sigue el modelo.

Modelo  trescientos trece

Hay 313 suéteres.

1.  ciento sesenta y cuatro

______.

2.  cuatrocientos cuatro

______.

3. 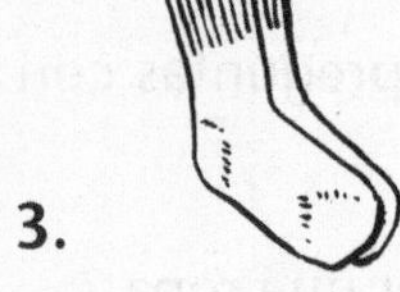 setecientos cincuenta

______.

4.  doscientos ochenta y tres

______.

5.  quinientas quince

______.

Prueba 7A-3

Verbos con cambio de raíz: *pensar, querer y preferir*

Un grupo de amigos está conversando sobre sus planes para el fin de semana. Lee la conversación y escribe en los espacios en blanco las formas correctas de los verbos que se indican a la izquierda.

A. pensar: —Yo ______________ ir al cine. ¿Qué ______________ hacer Uds. este fin de semana?

—Nosotros ______________ ir a las montañas.

—Ignacio y Julio ______________ jugar al golf con sus amigos el viernes.

—¿Qué ______________ hacer tú?

B. querer: —Nosotros ______________ ir a la fiesta de Rolando.

—Tú y Alejandro ______________ ver una película nueva.

—¡Yo ______________ ir de compras!

—¿Qué ______________ hacer hoy, Mauricio?

—Jorge ______________ estudiar con Isabel.

C. preferir: —¿ ______________ (tú) ir a la piscina o a la playa?

—Yo ______________ ir de compras este fin de semana.

—Gabriel y yo ______________ ir de pesca el sábado.

—¿Qué ______________ hacer Uds., ir al cine o al teatro?

—Pancho ______________ ir al restaurante Hidalgo.

Prueba 7A-4

Adjetivos demostrativos

Basándote en los dibujos, escribe en los espacios en blanco el adjetivo demostrativo que corresponda en cada caso. Recuerda que los demostrativos, como la mayoría de los adjetivos, concuerdan en género y número con los sustantivos a los que modifican. Sigue el modelo.

Modelo —¿Cuánto cuestan *estas* botas negras?

—Cincuenta dólares.

1. —¿Qué hacen ______ hombres?

   —Ellos trabajan.

2. —______ bicicletas son fantásticas.

   —Tienes razón. ¿Adónde quieres ir ahora?

3. —______ hombre es el nuevo profesor de inglés.

   —¿Sí? ¿Es el profesor Vargas?

4. —Hijo, tienes que estudiar. ¿Por qué no lees ______ libro?

   —Porque ______ libro es más interesante.

5. —¿Quieres ir a ______ tienda aquí?

   —No, quiero ir a ______ tienda allí.

   —¿Por qué?

   —Porque en ______ tienda tienen ropa más interesante.

EXAMEN DEL CAPÍTULO, 7A

PARTE I: Vocabulario y gramática en uso

A. Estás frente a la vidriera de una tienda, con un amigo. Señalas algunas de las prendas y comentas cuánto cuestan. Habla de las prendas que se indican abajo, según el precio. Escribe oraciones completas usando las formas apropiadas de los adjetivos demostrativos, explicando cuánto cuesta cada cosa. Sigue el modelo.

Modelo ($15) *Esa camisa cuesta quince dólares*.

1. ($35)
2. ($200)
3. ($80)
4. ($50)
5. ($18)
6. ($25)

B. Observa las prendas de vestir que aparecen en los dibujos. Para cada par de cosas, escribe una oración usando las claves dadas y la forma apropiada del adjetivo demostrativo. Las flechas indican cuál de las dos prendas del par quiere o prefiere cada persona. Imagina que la prenda más grande está más cerca, y la más pequeña más lejos.

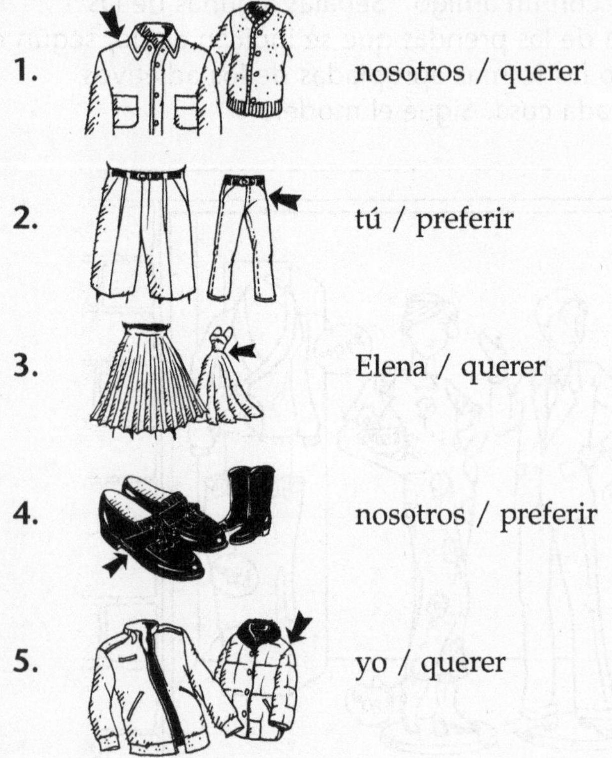

1. nosotros / querer
2. tú / preferir
3. Elena / querer
4. nosotros / preferir
5. yo / querer

C. Mario es un estudiante de Panamá que está visitando a su prima Sara, que vive en los Estados Unidos. Los dos están hablando sobre lo que se van a poner para la fiesta de esta noche. Completa su conversación con las formas correctas de los verbos **querer, preferir** o **pensar**.

MARIO: Oye, Sara, ¿qué ___1___? ¿Te gusta este suéter?

SARA: Sí, me gusta, pero es un poco formal para la fiesta. Yo ___2___ esta camiseta roja para ti.

MARIO: Bueno, tienes razón. ¡No ___3___ estar demasiado elegante!

SARA: Marta y yo ___4___ que no es necesario llevar un vestido o pantalones formales. Nosotras ___5___ llevar jeans.

MARIO: Entonces, aquí Uds. ___6___ llevar ropa informal a las fiestas, ¿no?

SARA: Sí, generalmente. Marta viene a las ocho y ella ___7___ llegar (*arrive*) a la fiesta a las ocho y media. ¿Tú ___8___ ir a la fiesta con nosotras?

MARIO: Pues, si Uds. ___9___ que no es un problema entonces yo voy con Uds.

SARA: ¡Claro que sí!

PARTE II: Comunicación y cultura

A. Escuchar

Listen as people explain to a clerk in a department store why they are returning or exchanging items they received as gifts. Identify what they are returning (**la ropa**) and the reason (**la razón**) they are returning it. It could be because (a) it doesn't fit; (b) it's the wrong color or style; (c) it's too expensive; or (d) they just didn't like it. In the chart on your answer sheet, write in the name of the item each person is returning and the letter that corresponds to the reason he or she is returning it. You will hear each conversation twice.

B. Leer

Acabas de conseguir un trabajo después del horario de clases en la oficina de catálogos de una tienda de ropa. Tu trabajo consiste en procesar los pedidos de los clientes hispanohablantes. Lee el cuadro y luego responde las preguntas que aparecen en la hoja de respuestas.

EL PEDIDO *(THE ORDER)*

Descripción del artículo	Talla	Cantidad	Color	Precio
suéter	grande	uno	gris	trescientos pesos
sudadera	pequeña	dos	roja/azul	cuatrocientos pesos
traje de baño	grande	uno	amarillo	trescientos cincuenta pesos
vestido	extra grande	uno	negro	quinientos pesos
calcetines	pequeños	dos	blancos	ciento cincuenta pesos
falda	extra pequeña	tres	negra/roja/gris	setecientos pesos

C. Escribir

Encuentras en Internet un catálogo de servicios de México. Piensas que sería divertido pedirle a esta empresa los regalos de Navidad para tus familiares y amigos. Completa el formulario para pedir los siguientes regalos:

1. Un abrigo rojo, talla pequeña.
2. Un par de botas negras, talla grande.
3. Tres pares de calcetines grises, talla grande.
4. Una gorra de béisbol amarilla y negra, talla pequeña.
5. Dos camisas, una azul y una blanca, talla grande.
6. Una chaqueta morada, talla grande.
7. Otra prenda a elección tuya.
8. Otra prenda a elección tuya.

Para evaluar tu escrito, se considerará:

- **que hayas completado correctamente la lista.**
- **la concordancia de sustantivos y adjetivos.**
- **que hayas descrito apropiadamente las dos prendas a tu elección.**

D. Hablar

Para tu cumpleaños, algunos de tus familiares te han regalado órdenes de compra *(gift certificates)* de tu tienda de ropa favorita. Describe por lo menos cinco prendas que te gustaría comprar. Debes mencionar el tipo de prenda, el color, la talla, y el precio aproximado de cada una.

Para evaluar tu presentación, se considerará:

- **el número de prendas de vestir que describes apropiadamente.**
- **la cantidad de información que das sobre cada prenda.**
- **el uso apropiado del vocabulario y los puntos de gramática que acabas de aprender.**

E. Cultura

Después de ver una muestra de arte folklórico con unos amigos, entran a la tienda del museo. Lo que inmediatamente te llama la atención es una **mola**. A tus amigos les sorprende mucho que sepas lo que es. Explícales qué es una **mola**, cómo está hecha, y qué representan sus coloridos diseños.

HOJA DE RESPUESTAS

PARTE I: Vocabulario y gramática en uso

A. *(___ /___ puntos)*

1. ____.
2. ____.
3. ____.
4. ____.
5. ____.
6. ____.

B. *(___ /___ puntos)*

1. ____.
2. ____.
3. ____.
4. ____.
5. ____.

C. *(___ /___ puntos)*

1. ____________________
2. ____________________
3. ____________________
4. ____________________
5. ____________________
6. ____________________
7. ____________________
8. ____________________
9. ____________________

PARTE II: Comunicación y cultura

A. Escuchar *(___ /___ puntos)*

Respuestas posibles: (a) no le queda bien; (b) prefiere otro color o estilo; (c) es demasiado cara; o (d) simplemente, no le gusta.

	1	2	3	4	5
La ropa					
La razón					

B. Leer *(___ /___ puntos)*

¿Cierto o falso?

1. Probablemente todos los artículos en este pedido son para un hombre. ___________
2. Una falda cuesta más que un vestido. ___________
3. La persona que quiere la falda es más pequeña que la persona que quiere el vestido. ___________
4. Probablemente los calcetines son para un chico. ___________
5. Toda la ropa es para la misma persona. ___________
6. Probablemente el suéter y las sudaderas son para la misma persona. ___________

Contesta las preguntas

7. ¿Cuáles de estas cosas NO están en el pedido? _______________

A B C D E F G H I

C. Escribir (___ /___ *puntos)*

EL PEDIDO

	ARTÍCULO Y COLOR	CANTIDAD	TALLA
Modelo	*Una blusa blanca / una blusa azul*	*Dos*	*Grandes*
1.			
2.			
3.			
4.			
5.			
6.			
7.			
8.			

D. Hablar (___ /___ *puntos)*

E. Cultura (___ /___ *puntos)*

Prueba 7B-1

Comprensión del vocabulario

A. Empareja los dibujos de la izquierda con el nombre de la derecha que corresponda. Escribe la letra de la respuesta correcta en los espacios en blanco.

_____ 1.		**a.** el perfume
_____ 2.		**b.** la corbata
_____ 3.		**c.** los guantes
_____ 4.		**d.** los anteojos de sol
_____ 5.		**e.** el bolso
_____ 6.		**f.** la cartera
_____ 7.		**g.** el llavero
_____ 8.		**h.** los aretes
_____ 9.		**i.** la cadena
_____10.		**j.** el reloj pulsera

B. Escribe la letra de la tienda donde podrías comprar las siguientes cosas. Usa cada letra sólo una vez.

_____ **1.** unas botas
_____ **2.** un anillo
_____ **3.** 500 servilletas por un dólar
_____ **4.** un equipo de sonido
_____ **5.** un diccionario
_____ **6.** ropa, discos compactos y perfume

a. la tienda de descuentos
b. la zapatería
c. la librería
d. el almacén
e. la tienda de electrodomésticos
f. la joyería

C. Unos amigos están hablando de compras. Lee sus oraciones y escribe en los espacios en blanco las palabras de la lista que mejor las complete. Usa cada palabra sólo una vez.

barata	**ayer**	**venden**
en la Red	**caro**	**pagué**
novio	**¡Mira!**	**anoche**

1. ________________ por la tarde, yo compré una falda bonita.

2. Yo ________________ sólo 10 dólares por este suéter fantástico.

3. Quiero comprar botas nuevas. ¿________________ botas en la zapatería El Grande?

4. Trabajé en una tienda en el centro comercial ________________ por cuatro horas.

5. El software que quiero cuesta mucho dinero. Es muy ________________.

6. Las tiendas no tienen el vestido que quiero. Voy a buscar uno ________________.

7. Compré una camisa para mi ________________ Rafael porque mañana es su cumpleaños.

8. ________________ Venden ropa nueva en esa tienda.

9. Me gusta comprar ropa en esa tienda porque la ropa es ________________ y no tengo mucho dinero.

Prueba 7B-2

Uso del vocabulario

A. Cristina y Felipa se están preparando para ir a la escuela de danza. Para completar su conversación, escribe en los espacios en blanco la palabra que corresponda a lo que indica cada dibujo.

CRISTINA: —Felipa, ¡qué guapa estás!

FELIPA: —Gracias, Cristina. Pero no sé qué joyas necesito con este vestido.

CRISTINA: —Pues, me encanta ese ________________ que tienes en la mano.

FELIPA: —No sé... no me gusta con estos ________________.

CRISTINA: —¿Vas a llevar tu ________________ nuevo?

FELIPA: —No. Vamos a un baile formal. ¿Qué piensas de esta ________________?

CRISTINA: —Me encanta. Es muy bonita.

FELIPA: —Gracias. A ver... necesito un poco de ________________, ¿no?

CRISTINA: —Mmmm. Me encanta Chanel #5.

FELIPA: —Bueno, ahora sólo necesito el ________________ perfecto. ¿Te gusta éste?

CRISTINA: —Sí, Felipa. Es perfecto.

FELIPA: —Creo que prefiero el negro.

CRISTINA: —¿Vamos?

FELIPA: —Sí. ¡Oh! Necesito una cosa más: mi ________________.

CRISTINA: —Y ahora, ¿vamos al baile?

FELIPA: —Sí, ¡vamos!

B. Escribe la palabra sugerida por cada una de las claves dadas.

1. Este año es el 2010. El 2009 fue *(was)* el ______.
2. Ayer por la noche: ______.
3. No es caro, es ______.
4. Él es más que un amigo para ella. Es el ______ de ella.
5. Una parte de la ropa formal para un hombre: traje, camisa y ______.
6. Cuando hace frío, necesitas éstos para tus manos: ______.
7. Cuando hace mucho sol, necesitas éstos para tus ojos: ______.
8. Generalmente, un chico pone su dinero en una ______.

C. Le estás diciendo a una estudiante de intercambio dónde puede comprar las cosas que necesita. Escribe el nombre del tipo de tienda a la que debería ir para comprar cada cosa.

1. Para comprar botas nuevas, debes ir a ______.
2. Para buscar revistas o libros, puedes ir a ______.
3. Si necesitas un despertador o discos compactos, es mejor ir a ______.
4. Si quieres comprar unos aretes nuevos, debes ir a ______.
5. Si tienes poco dinero pero necesitas muchas cosas para la escuela, puedes ir a ______.
6. Para comprar muchas cosas diferentes en la misma tienda, debes ir al ______.

Prueba 7B-3

El pretérito de los verbos terminados en *-ar*

Escribe la forma correcta del verbo apropiado para cada una de las siguientes oraciones.

1. Mi hermano _________________ con globos en la fiesta de ayer. (comprar / decorar)
2. Mis amigos y yo _________________ pesas la semana pasada. (patinar / levantar)
3. El año pasado Vanesa _________________ en un grupo musical. (cantar / pagar)
4. Yo _________________ la aspiradora hace una hora. (pasar / ayudar)
5. ¿Qué _________________ (tú) en la tienda de descuentos ayer? (comprar / pasar)
6. Ud. _________________ el vestido más bonito anoche. (llevar / estudiar)
7. ¿Por qué no _________________ tus amigos a preparar la cena? (cortar / ayudar)
8. Yo _________________ el baño ayer. (limpiar / quitar)
9. Mis primos _________________ sus cuartos la semana pasada. (arreglar / tocar)
10. Nosotros _________________ treinta kilómetros la semana pasada. (usar / caminar)
11. Tú no _________________ el coche ayer; entonces lo vas a lavar hoy. (lavar / bailar)
12. Angélica _________________ el polvo de toda la casa ayer. (comprar / quitar)
13. Mis hermanos y yo _________________ para nuestros padres anoche. (cocinar / necesitar)
14. Mis padres no _________________ anoche. (usar / trabajar)
15. Yo _________________ mi cumpleaños ayer. (celebrar / montar)

Prueba 7B-4

El pretérito de los verbos terminados en *-car* y *-gar*

Un lunes por la mañana, tú y tus amigos están hablando de lo que hicieron durante el fin de semana. Lee las siguientes conversaciones y escribe en los espacios en blanco el pretérito correcto de uno de estos verbos: **jugar, pagar, practicar, tocar, buscar.**

1. —¿Cuánto ________________ (tú) por el vestido?

—¡________________ sólo 20 dólares!

—Elena ________________ 20 dólares también.

2. —Betina, ¿________________ la guitarra en el concierto el domingo pasado?

—No, yo ________________ el sábado.

—Laura y Lena también ________________ el sábado.

3. —Tino, ¿qué hiciste tú?

—Yo ________________ un partido de béisbol el sábado.

—¿________________ bien?

—Sí, muy bien. ¿Uds. ________________ el domingo?

4. —¿Uds. ________________ un deporte el fin de semana pasado?

—Sí, ________________ el fútbol.

—Yo no ________________ el fútbol.

5. —¿Ud. ________________ algo interesante en la joyería ayer?

—Sí, ________________ un anillo para mi novia.

—Nosotros ________________ uno juntos.

Prueba 7B-5

Pronombres de objeto directo

Tu familia y tú están revisando la lista del supermercado. Si un artículo está marcado en la lista, significa que ya lo compraron. Si el artículo no está marcado, no lo han comprado todavía. Responde las siguientes preguntas usando los pronombres de objeto directo que corresponda en cada caso. Sigue el modelo.

✓ POLLO
MANZANAS
✓ PERRITOS CALIENTES
✓ FRESAS
GUISANTES
BISTEC
✓ ZANAHORIAS
LIMONADA
✓ PAN
HELADO
✓ MANTEQUILLA

Modelo —¿Marcos, compraste pollo?
—Sí, lo compré.

1. —¿Compraste helado?
—______.
2. —¿Compraste fresas?
—______.
3. —¿Compraste perritos calientes?
—______.
4. —¿Compraste limonada?
—______.
5. —¿Compraste zanahorias?
—______.
6. —¿Compraste guisantes?
—______.
7. —¿Compraste pan?
—______.

EXAMEN DEL CAPÍTULO, 7B

PARTE I: Vocabulario y gramática en uso

A. Observa los dibujos y las claves dadas. Escribe una oración diciendo si las personas que se indican compraron o no los artículos que muestran los dibujos.

tú / sí

Tú compraste las botas .

1.  yo / sí
2.  nosotros / no
3.  Uds. / no
4.  ella / sí
5.  ellos / no

B. Ahora, lee las oraciones que escribiste en la Parte A, y reemplaza el nombre de cada artículo por el pronombre de objeto directo que corresponda. Rescribe la oración completa en la hoja de respuestas.

Modelo *Tú las compraste* .

C. Observa los dibujos. Luego, usa las claves para decir qué hizo ayer cada una de las personas indicadas.

1. 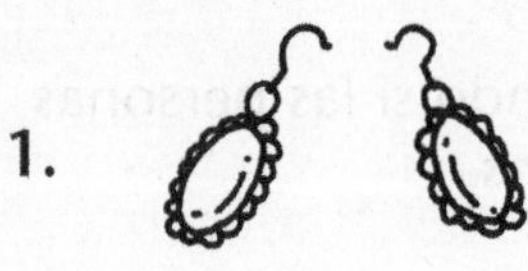 Luisa / comprar

2.  yo / buscar

3. 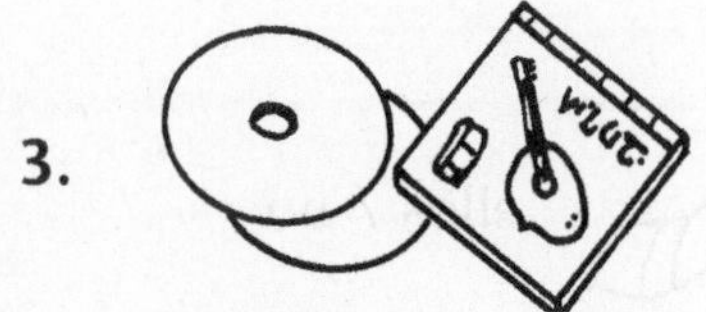 nosotros / escuchar

4.  yo / jugar

5.  Sebastián / sacar

PARTE II: Comunicación y cultura

A. Escuchar

Listen as people discuss the presents they bought for Cristina's **quinceañera** celebration in Mexico City. As you listen, identify what each person bought and how much it cost. On the grid on your answer sheet, write the price (in numbers) that the person paid for the gift in the column that goes with the gift that he or she bought. You will hear each set of statements twice.

B. Leer

Navegando en Internet, ves la página principal de dos tiendas virtuales. Lee sus anuncios y responde las preguntas que aparecen en la hoja de respuestas encerrando en un círculo la letra que corresponda.

TIENDA GALERÍAS

¿Buscan Uds. ropa deportiva? Este mes todos nuestros clientes reciben un regalo de una gorra de béisbol cuando compran una chaqueta deportiva. Cuando compran una chaqueta y una sudadera con pantalones cortos, reciben también unos calcetines de su color favorito. Tenemos un descuento del 20% en los anteojos de sol y las carteras. ¡Gracias por comprar en nuestra tienda!

TIENDA GALDÓS

¿Busca Ud. algo especial para una fiesta? Tenemos vestidos elegantes para combinar con zapatos fabulosos y bolsos maravillosos. Todos nuestros clientes reciben un descuento del 10% por todo. Si compra Ud. unos aretes en el mes de noviembre o diciembre, va a recibir un frasco de nuestro perfume nuevo, "Medianoche". Tenemos todo para su noche especial.

C. Escribir

¿En qué gastaste tu dinero en los últimos meses? En un párrafo breve, describe por lo menos dos accesorios o prendas de vestir que hayas comprado. ¿Los compraste para alguna ocasión especial? ¿Los compraste para regalárselos a alguien? Menciona también dónde los compraste y cuánto pagaste por cada cosa.

Para evaluar tu párrafo, se considerará:
- **que hayas completado el ejercicio.**
- **la cantidad de detalles que das sobre la ropa o los accesorios.**
- **la ortografía y el uso correcto del vocabulario y los puntos de gramática que acabas de aprender.**

D. Hablar

Tu profesor/a te asignará un compañero o compañera. Conversen sobre algún regalo que le hayan comprado a alguien recientemente. Uno de ustedes va a empezar la conversación preguntándole al otro qué compró, para quién era el regalo, dónde lo compró y cuánto le costó. Luego, intercámbiense los papeles, de modo que la persona que respondió pueda hacer las preguntas. Trata de hacer comentarios a partir de las respuestas de tu compañero/a. Por ejemplo, puedes decir si te parece que el regalo fue caro o barato.

Para evaluar tu presentación, se considerará:

- **tu habilidad para hacer y responder las preguntas.**
- **tu habilidad para mantener la conversación de modo natural.**
- **el uso correcto del vocabulario y los puntos de gramática que acabas de aprender.**

E. Cultura

A las 4:00 de la tarde, vas a encontrarte con un estudiante chileno del programa de intercambio. Te sorprende que le haya dicho a su familia que iba a estar de vuelta en la casa a las 5:00. Basándote en lo que aprendiste en este capítulo, ¿cómo explicarías que él haya pensado que podría estar de vuelta en su casa en una hora?

HOJA DE RESPUESTAS

PARTE I: Vocabulario y gramática en uso

A. (___ /___ *puntos)*

1. ______.
2. ______.
3. ______.
4. ______.
5. ______.

B. (___ /___ *puntos)*

1. ______.
2. ______.
3. ______.
4. ______.
5. ______.

C. (___ /___ *puntos)*

1. ______.
2. ______.
3. ______.
4. ______.
5. ______.

PARTE II: Comunicación y cultura

A. Escuchar *(___ /___ puntos)*

¿Cuánto pagó por el regalo?					

B. Leer *(___ /___ puntos)*

1. Probablemente, La Tienda Galdós es una tienda para
   a. las mujeres **b.** los hombres **c.** las personas deportistas
2. Probablemente, La Tienda Galerías es una tienda para
   a. las personas talentosas **b.** las personas intelectuales **c.** las personas deportistas
3. ¿Qué tienes que comprar para recibir de regalo un perfume?
   a. un vestido **b.** unos zapatos **c.** unos aretes
4. ¿Qué tienes que comprar para recibir de regalo una gorra de béisbol?
   a. una cartera **b.** una chaqueta deportiva **c.** unos anteojos de sol
5. Hay un descuento por todo en
   a. la Tienda Galerías **b.** la Tienda Galdós **c.** las dos tiendas

C. Escribir *(___ /___ puntos)*

____
____
____
____
____

D. Hablar *(___ /___ puntos)*

E. Cultura *(___ /___ puntos)*

____
____
____
____

Prueba 8A-1

Comprensión del vocabulario

A. La familia Junio está de vacaciones y se detiene en el centro de información turística para preguntar cómo llegar a distintos puntos de la ciudad. Completa sus oraciones encerrando en un círculo la palabra o frase que corresponda, según indica cada dibujo.

1. ¿Dónde está _____?

a. el parque de diversiones

b. el estadio

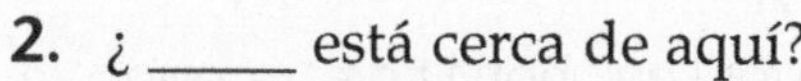

2. ¿ _____ está cerca de aquí?

a. El lago

b. El jardín zoológico

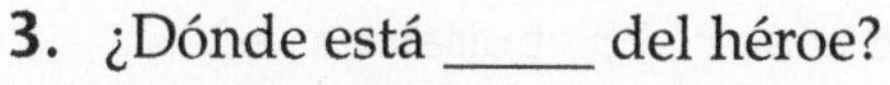

3. ¿Dónde está _____ del héroe?

a. el teatro

b. el monumento

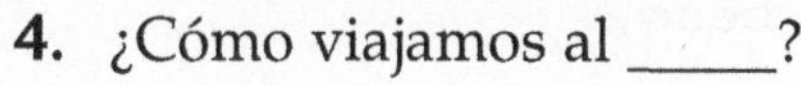

4. ¿Cómo viajamos al _____?

a. estadio

b. parque de diversiones

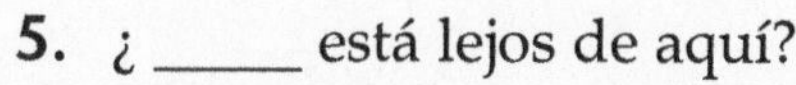

5. ¿ _____ está lejos de aquí?

a. El lago

b. El jardín zoológico

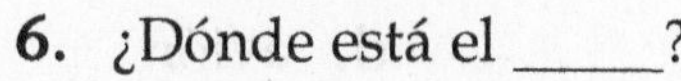

6. ¿Dónde está el _____?

a. monumento

b. museo

B. Rosa acaba de volver de vacaciones y le está escribiendo a su abuela una carta sobre su viaje. Lee la carta y encierra en un círculo la palabra o frase entre paréntesis que mejor complete cada oración.

Martes, 9 de abril

Querida abuelita:

¡Me encantó (*ir de vacaciones* / *aprender*) a Europa! Viajé a muchos (*países* / *recuerdos*) diferentes, como España, Italia y Francia. Mis padres y yo (*regresamos* / *hicimos*) muchas cosas fantásticas allí también. Por ejemplo, un día fui a un (*parque nacional* / *desastre*) en Italia donde hay un jardín zoológico. (*Vi* / *Salí*) muchos animales bonitos, como unos (*barcos* / *monos*) muy graciosos. Otro día compramos unos (*boletos* / *pájaros*) para entrar en el museo donde está la Mona Lisa. ¡(*Me gustó* / *Salí*) mucho!

También fue necesario (*viajar* / *descansar*); tomamos el sol junto al (*mar* / *museo*) y yo aprendí a (*visitar* / *bucear*). En total, fue un (*viaje* / *avión*) magnífico. Y, ¡compré un (recuerdo / país) para ti! ¡Nos vemos pronto!

Un beso,

Rosa

C. Empareja las oraciones de la izquierda con los medios de transporte de la derecha, según corresponda.

1. Si quieres viajar por el mar, viajas en ______. **a.** coche
2. Cuando quieres viajar muy rápidamente, viajas en ______. **b.** autobús
3. Para ir a la escuela, muchos estudiantes van en ______. **c.** barco
4. En Europa las personas que no viajan en avión para ir de un país a otro generalmente viajan en ______. **d.** avión

Prueba 8A-2

Uso del vocabulario

A. Tú y un amigo están mirando folletos turísticos. Los dos comentan los lugares adonde les gustaría ir de vacaciones y las cosas que les gustaría hacer y ver allí. Escribe la parte que falta en cada expresión para completar la idea **"En mis vacaciones, me gustaría..."**

1. 

ver un partido en el _ _ _ _ a _ _ _ _.

2. 

_ _ u _ _ _ _ en el _ _ _ r.

3. 

ver muchos _ o _ _ _ _ _ _ _ _ _ s.

4. 

ir a un _ _ s _ _ de arte.

5. 

ver una o _ _ _ _ de _ _ _ _ _ _ _ _.

6. 

p _ _ _ _ _ _ _ _ en _ _ _ _ e en el _ a _.

7. 

comprar _ _ _ c _ _ _ r _ _ _ s en el parque de _ _ _ v _ _ _ _ _ _ n _ _ _.

8. 

d _ _ _ c _ _ _ _ _ s _ _ _ en el _ _ _ t _ _ _.

B. Lee lo que escribió un estudiante y escribe la información que falta, basándote en los dibujos.

Yo quiero ir de vacaciones. Pienso ir al ______________. Pienso ir en avión. De aquí ______________ es de tres horas más o menos. Me gusta este lugar porque es posible ver mucho. Hay varias especies de ______________ que viven en los ______________.

El año pasado mi mejor amigo visitó el parque Yellowstone y le gustó mucho. Sólo tengo que comprar ______________ para el avión y lo tengo todo para mis vacaciones. Van a ser tremendas.

C. Acabas de volver de un viaje a Puerto Rico. Completa las respuestas a las preguntas que te hicieron algunos amigos, ordenando las letras de las palabras de la lista.

seltooéml	**sóutg**	**mneeirsoinatp**	**fonatsáict**	**duacid**	**raocb**	**blloaac**

1. ¿Cómo viajaste? En avión y en ______________.
2. ¿Cómo fue el viaje? ______________. Muy divertido.
3. ¿Cómo lo pasaste? Muy bien. Me ______________ mucho.
4. ¿Qué hiciste en el campo? Monté a ______________.
5. ¿Qué hiciste en la playa? ______________ y nadé.
6. ¿Qué otro lugar visitaste durante el viaje? San Juan. Es una ______________ muy ______________.

Prueba 8A-3

El pretérito de los verbos terminados en *-er* y en *-ir*

Julio acaba de volver a casa después de su primer día en una nueva escuela. Completa las preguntas de sus padres escribiendo la forma del pretérito que corresponda del verbo entre paréntesis. Luego, completa las respuestas de Julio con el mismo verbo, para tener toda la conversación.

1. —¿Qué ______________ hoy, hijo? (aprender)

   —______________ mucho, especialmente en la clase de matemáticas.

2. —¿Qué ______________ en el almuerzo? (comer)

   —______________ un sándwich de jamón y queso, unas papas fritas y una manzana.

3. —¿Los otros estudiantes ______________ sus almuerzos contigo? (compartir)

   —Sí, ______________ sus pasteles.

4. —¿Uds. ______________ algo? (beber)

   —Sí, ______________ limonada.

5. —¿Emilio ______________ un cuento hoy? (escribir)

   —No, no ______________ un cuento.

6. —¿Uds. ______________ mucho en la clase de inglés? (aprender)

   —Sí, ______________ mucho.

7. —¿A qué hora ______________ Uds. de la escuela? (salir)

   —______________ a las 3.

8. —Hijo, ¿______________ todas las lecciones hoy? (comprender)

   —Sí, las ______________ todas.

Prueba 8A-4

El pretérito de *ir*

Carolina le está escribiendo un mensaje a su amigo de México, contándole un viaje a Costa Rica que hizo con su clase. Completa su mensaje con las formas correctas del verbo ir.

Querido Gustavo:

La semana pasada, yo ______ de vacaciones a Costa Rica con los otros estudiantes de mi clase de español. Mi madre también ______ con nosotros para ayudar a la profesora. El primer día, nosotros fuimos a la gran ciudad de San José y ______ a muchos lugares interesantes. Unas personas ______ al museo de arte costarricense, otras ______ al zoológico, pero mi amiga Lolis y yo ______ al centro de la ciudad, donde vimos el parque y los lugares más viejos de San José.

Otro día, todo el grupo ______ en una excursión por el río *(river)*. Nosotros ______ en barco y nos gustó mucho. La profesora ______ a un café cerca del río para comprarnos el almuerzo y más tarde todos nosotros ______ a unas ruinas *(ruins)* al lado del río. ¡Yo ______ al punto más alto de las ruinas, donde vi unos pájaros tremendos!

Al final de la semana, yo ______ a la tienda para comprar unos recuerdos del viaje. Lolis y mi mamá ______ al hotel. Después, nosotros ______ al aeropuerto.

¿Y tú? ¿______ de viaje durante tus vacaciones? ¿Adónde ______?

Cariños,

Carolina

Prueba 8A-5

La *a* personal

Mariana va a dar una fiesta. Lee las siguientes oraciones y escribe la **a** personal en los espacios en blanco, según corresponda. Cuando la **a** personal no sea necesaria, haz una (—) en el espacio en blanco.

1. Mi amiga Selena va a ayudar ______ mi mamá.
2. Compré ______ los refrescos.
3. No veo ______ las servilletas. ¿Dónde están?
4. Vamos a invitar ______ todos nuestros amigos.
5. ¿No ves ______ Ramón? Me tiene que ayudar.
6. Tengo que comprar ______ la comida.
7. Busco ______ los platos grandes.
8. Busco ______ Rafael para cocinar la carne.
9. ¿Quién trae ______ la ensalada?
10. Me gusta escuchar ______ la música española durante mis fiestas.
11. También me encanta escuchar ______ Teresa cuando canta porque es muy talentosa.
12. Veo ______ María. Viene temprano.
13. ¿Ves ______ toda la comida que hay aquí? ¡Es tremenda!

EXAMEN DEL CAPÍTULO, 8A

PARTE I: Vocabulario y gramática en uso

A. Observa los dibujos y di adónde fueron de vacaciones las personas que se indican. Usa las formas del pretérito del verbo **ir**.

1. mi familia y yo

4. tú

2. Miguel

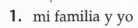

5. yo

3. mis amigos

B. La clase de Nina ha hecho un cuadro para indicar lo que cada estudiante aprendió durante sus vacaciones. Lee el cuadro, y luego escribe oraciones completas indicando las actividades que aprendió a hacer cada persona. Usa las formas del pretérito del verbo **aprender**.

Persona o personas	Actividad
1. Nina y su hermana	en el mar
2. yo	en un parque nacional
3. Rebeca	en un lago
4. tú	de monumentos
5. Ud.	en las montañas

C. Di qué hicieron ayer las personas que aparecen en los dibujos. Usa las palabras de la lista.

jugar al fútbol	correr	descansar	comer el pan	pasear en bote

1. la chica con la bicicleta
2. los tres amigos
3. los pájaros
4. el hombre y la mujer
5. la joven y los dos jóvenes

D. Laura acaba de volver de sus vacaciones. Escribe oraciones completas diciendo qué personas, animales y cosas vio. Usa las claves dadas.

1. un actor famoso
2. unos monos en el zoológico
3. un monumento grande en el centro de la ciudad
4. dos amigos de Los Ángeles
5. unas personas que tocan en una banda de música rock

PARTE II: Comunicación y cultura

A. Escuchar

Listen as people talk about their most recent vacation. On the grid on your answer sheet, look at the pictures of each vacation and write the name of the person that went on that vacation in the appropriate column. You will hear each set of statements twice.

B. Leer

Lee la tarjeta que le mandó Miguel a un amigo durante un viaje a Costa Rica que hizo con su familia. Presta atención a los detalles sobre los lugares que visitó, lo que le gustó y lo que no le gustó hacer, y algunas de las cosas que vio. Luego, responde las preguntas que aparecen en la hoja de respuestas.

¡Hola! Estoy aquí en Costa Rica con mi familia para visitar a mis abuelos. Salimos de Houston hace una semana y estamos aquí por una semana más. Anoche mi abuelo y yo compramos unos boletos para ver una comedia en el Teatro Nacional en San José. Fue una comedia muy graciosa. Ayer durante el día salí de la ciudad a las seis de la mañana para montar a caballo por las montañas. Vi un lago magnífico y un volcán activo. Es una parte del parque nacional. Los turistas no pueden ir ni en coche ni en autobús. No me gustó mi caballo porque no corrió mucho, pero el parque nacional fue muy impresionante.

Chau,
Miguel

C. Escribir

Vas a escribir un cuento infantil sobre un animal y sus viajes. Usa tu imaginación y escoge el animal que te gustaría que protagonizara el relato. Ponle un nombre –por ejemplo, el Oso Oscar– y escribe el cuento con tanto detalle como puedas. Incluye los siguientes elementos: dónde fue el animal, qué hizo allí, qué vio, y qué comió durante su viaje.

Para evaluar tu cuento, se considerará:
- **la cantidad de detalles que das.**
- **que hayas incluido todos los elementos indicados.**
- **el uso apropiado del vocabulario y los puntos de gramática que acabas de aprender.**

D. Hablar

Tu profesor/a te asignará un compañero o compañera. Los dos van a conversar sobre sus vacaciones. Uno va a empezar la conversación diciendo dónde pasó sus mejores vacaciones, qué actividades tuvo allí y qué cosas vio. El otro va a hacer por lo menos un comentario sobre lo que dice y le va a hacer por lo menos una pregunta sobre ese viaje. Luego, intercámbiense los papeles para que la otra persona pueda contar su mejor viaje de vacaciones. Si lo prefieres, puedes describir un viaje imaginario.

Para evaluar tu presentación, se considerará:
- **la pronunciación y fluidez (es decir, la capacidad de hablar sin dudar mucho y con la pronunciación correcta).**
- **tu habilidad para mantener la conversación de modo natural, con comentarios y preguntas.**
- **el uso correcto del pretérito y el vocabulario que acabas de aprender.**

E. Cultura

Un maestro de la escuela primaria te ha invitado a su clase para que les hables a los niños sobre una artesanía tradicional mexicana. Basándote en lo que aprendiste en este capítulo, ¿qué llevarías para mostrarles a los niños? Nombra por lo menos dos cosas que podrías decirles sobre esta expresión del arte popular.

HOJA DE RESPUESTAS

PARTE I: Vocabulario y gramática en uso

A. *(/ puntos)*

1. ______.
2. ______.
3. ______.
4. ______.
5. ______.

B. *(___ /___ puntos)*

1. ______
2. ______
3. ______
4. ______
5. ______

C. *(___ /___ puntos)*

1. ______.
2. ______.
3. ______.
4. ______.
5. ______.

D. *(___ /___ puntos)*

1. ______.
2. ______.
3. ______.
4. ______.
5. ______.

Realidades A/B-1 Nombre ______ Hora ______

Capítulo 8A Fecha ______ **Hoja de respuestas 8A, Página 2**

PARTE II: Comunicación y cultura

A. Escuchar *(___ /___ puntos)*

LUGAR	NOMBRE
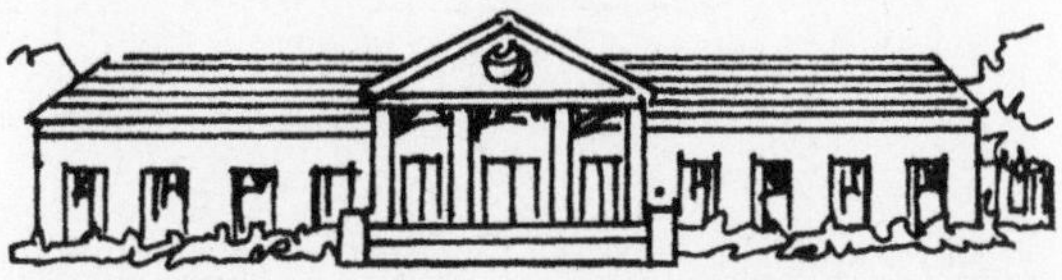	
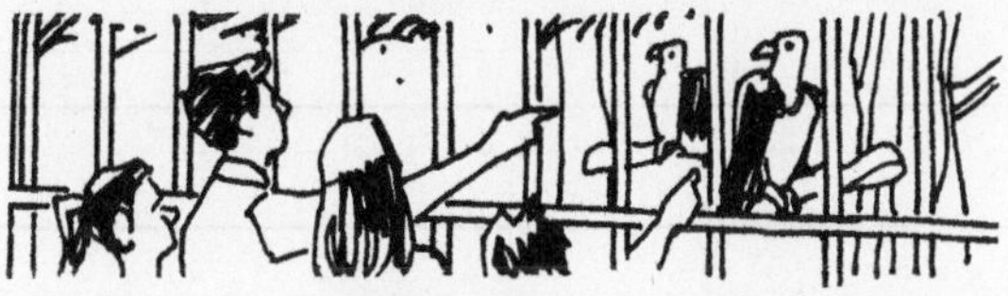	
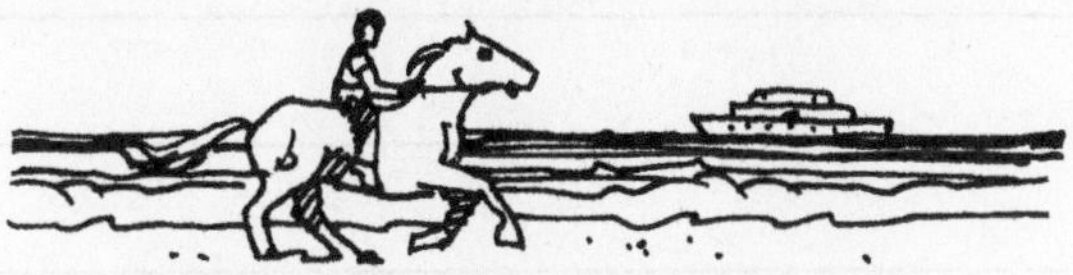	
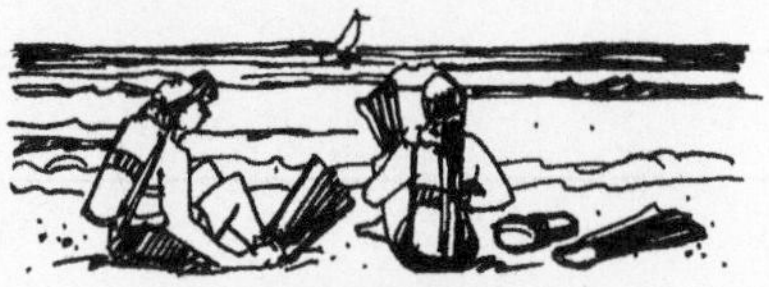	
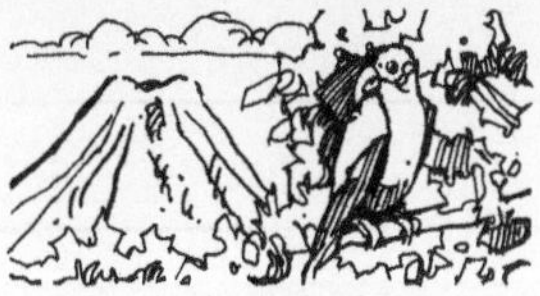	

B. Leer *(___ /___ puntos)*

Responde las siguientes preguntas encerrando en un círculo la letra de la respuesta apropiada.

1. ¿De dónde es Miguel?

a. de San José **b.** de Costa Rica **c.** de Houston

2. ¿Por qué fueron Miguel y su familia a Costa Rica?

a. para montar a caballo **b.** para visitar a los abuelos **c.** para ver el parque nacional

3. ¿Por cuánto tiempo viajó su familia en Costa Rica?

a. dos semanas **b.** una semana **c.** diez días

4. ¿Quienes fueron al teatro?

a. toda la familia **b.** los abuelos **c.** Miguel y su abuelo

5. ¿Cómo vio Miguel las montañas y el lago?
   a. en avión **b.** a caballo **c.** en coche
6. ¿Qué no le gustó a Miguel?
   a. el caballo **b.** el hotel **c.** el teatro

C. Escribir *(___ /___ puntos)*

D. Hablar *(___ /___ puntos)*

E. Cultura *(___ /___ puntos)*

Prueba 8B-1

Comprensión del vocabulario

A. Empareja cada palabra de la Columna A con un lugar de la Columna B asociado con ella. Escribe la letra del lugar en el espacio en blanco que corresponda.

	A		B
_____	**1.** donde hay personas enfermas	**a.**	el proyecto de construcción
_____	**2.** donde puedes ir de pesca	**b.**	la escuela primaria
_____	**3.** de donde vienen las zanahorias y los tomates	**c.**	el hospital
_____	**4.** muchas casas que están muy cerca	**d.**	el río
_____	**5.** similar a una ciudad	**e.**	el barrio
_____	**6.** donde van los coches y bicicletas	**f.**	el jardín
_____	**7.** donde estudian los niños	**g.**	la calle
_____	**8.** donde reciclan el vidrio	**h.**	el centro de reciclaje
_____	**9.** donde hacen una casa nueva	**i.**	la comunidad

B. Hoy Tania ha empezado a colaborar como voluntaria en el hogar de ancianos de su área. Lee lo que le dice su supervisora, y completa las oraciones encerrando en un círculo la palabra o frase más apropiada de las que aparecen entre paréntesis.

1. (Hay que / Dimos) hablar mucho con los ancianos que viven aquí.
2. Es importante saber que este lugar no es un (hospital / juguete); es una casa.
3. Trabajar aquí es una experiencia (otra vez / increíble).
4. Es necesario ser muy simpático con (la gente / el juguete) que vive aquí.
5. El año pasado les (dimos / separamos) regalos a los ancianos para sus cumpleaños.
6. Trabajar como voluntaria aquí es bueno porque ayudas a (los demás / las cajas).

C. Alonso y Jesús están hablando sobre distintas maneras de ayudar a mantener limpia la comunidad. Lee su conversación y escribe en los espacios en blanco la letra del dibujo que corresponda a las cosas que mencionan.

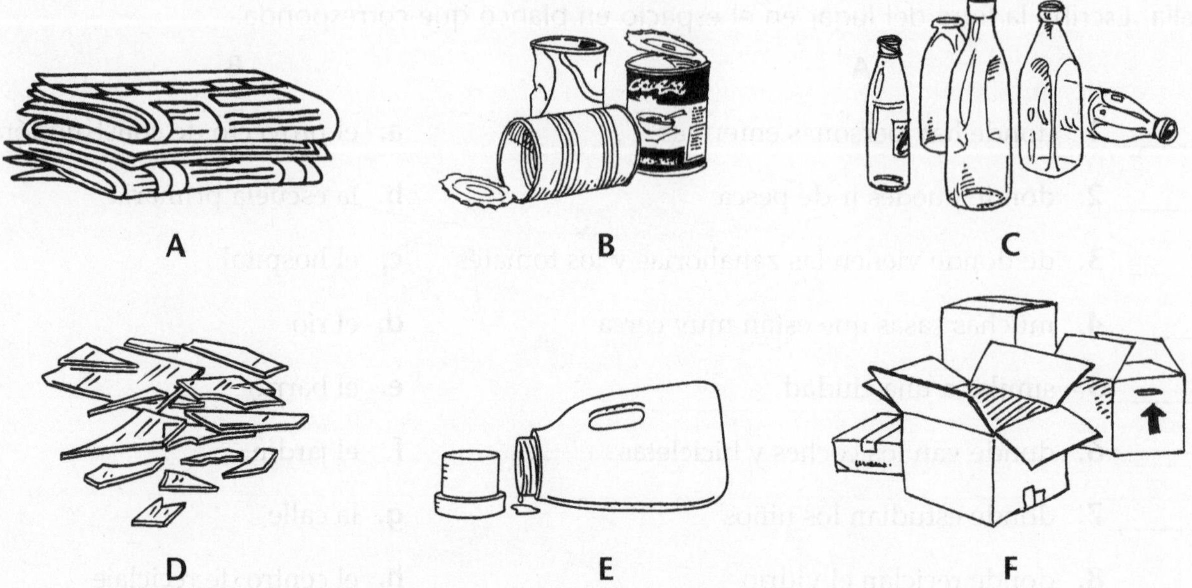

ALONSO: —¿Qué podemos hacer para ayudar a limpiar nuestra comunidad?

JESÚS: —Pues, podemos llevar cosas al centro de reciclaje.

ALONSO: —Sí, tienes razón. Podemos separar el plástico. ______

JESÚS: —Verdad. También podemos separar las latas. ______

ALONSO: —¿Y qué más?

JESÚS: —Hay que recoger las botellas de las calles también. ______

ALONSO: —Pues, sí ... las botellas, el plástico, las latas ... y ...

JESÚS: —¡Y los periódicos! Debemos reciclar los periódicos. ______

ALONSO: —¿Debemos ponerlos en cajas? ______

JESÚS: —Claro. ¡Qué buena idea!

ALONSO: —Una cosa más. Hay mucho vidrio en las calles.

Es necesario recoger el vidrio usado. ______

JESÚS: —Tienes razón, el vidrio no debe estar en las calles.

ALONSO: —¡Manos a la obra!

Prueba 8B-2

Uso del vocabulario

A. Observa el dibujo de las cosas que se encontraron en un centro de reciclaje. Usa los objetos dibujados y las claves que aparecen abajo para escribir oraciones completas sobre lo que hacen distintas personas para ayudar a reciclar. No es necesario que uses todo lo que aparece en el dibujo.

Modelo Miguel / separar

Miguel separa las botellas de plástico y de vidrio.

1. yo / recoger / la calle

____.

2. Gloria / llevar / centro de reciclaje

____.

3. nosotros / recoger / niños pobres

____.

4. tú / separar

____.

B. Tu profesor/a está tratando de ver cuál sería el mejor lugar en el que cada estudiante de la clase podría colaborar como voluntario. Lee las descripciones de algunos de tus compañeros y escribe el lugar en que piensas que debería ofrecerse.

1. A Juan le gusta pasar tiempo con los ancianos. ______
2. A Pablo le gusta leer con los niños. ______
3. Susana quiere darle casas nuevas a la gente pobre. ______
4. A Lorena y a Miguel les gusta reciclar. ______
5. Luisa quiere ser doctora. ______

C. Completa las siguientes conversaciones con palabras de tu vocabulario. Escribe una letra en cada guión.

1. —¿No vas a jugar al básquetbol con nosotros hoy?

   —No, voy a r_ _ _ _ g_ _ la basura de las _ a_ _ l_ _ con otros voluntarios.

   —Sí, hay mucha basura en los barrios de nuestra _ _ _ u_ _ _ _ d.

   —De acuerdo.

2. —Hay muchas personas en nuestra ciudad que tienen p_ _ _ l_ _ _ s.

   —Estoy de acuerdo. H_ _ _ u_ decidir qué podemos hacer para ayudarlas.

   —¿Qué hacen ustedes para ayudar a los _ _ á?

   —Trabajamos en el j_ _ _ _ _ del hospital. Hay muchas flores bonitas.

   —Nosotros _ e_ o_ _ _ _ _ la ropa usada y la llevamos a la gente pobre del _ _ r_ _ _.

   —Trabajar como _ _ l_ _ _ a_ _ _ es una experiencia _ n_ _ v_ _ _ _ _ e, ¿no?

Prueba 8B-3

El presente de *decir*

Acaban de asaltar una joyería cerca de la escuela de Pancho. A medida que la gente se va acercando, empiezan a circular rumores. Lee la siguiente conversación y escribe en los espacios en blanco la forma del presente del verbo **decir** que mejor complete cada oración.

SANCHO: —Oye, las personas __________ que un robo *(robbery)* pasó aquí.

PANCHO: —Sí. La profesora __________ que uno de los estudiantes lo vio.

MARÍA: —Sí. Él __________ que el ladrón *(robber)* es alto y pelirrojo como tú, Sancho.

SANCHO: —¿Qué __________ tú, María?

MARÍA: —No __________ nada, Sancho. ¡Pero tú puedes ser el ladrón!

PANCHO: —¿Qué más __________ las personas aquí?

JULIA: —La mujer del vestido rojo __________ que el ladrón sólo tomó *(took)* un anillo.

PANCHO: —Yo __________ que él probablemente necesita un regalo para su novia.

JULIA: —¡Increíble!

SANCHO: —El dependiente de la joyería __________ que el anillo es muy caro.

JULIA: —Pancho y Sancho, ¿qué __________ Uds.?

PANCHO/SANCHO: —Nosotros __________ que es más interesante hablar del robo pero si no regresamos a clase vamos a tener problemas con nuestros profesores. Vamos a clase.

Prueba 8B-4

Pronombres de objeto indirecto

A. Tú y tus amigos están comentando cómo celebra los cumpleaños cada cual con su familia. Completa las siguientes oraciones con los pronombres de objeto indirecto que correspondan. Sigue el modelo.

Modelo Nuestra familia ___*nos*___ prepara una cena especial.

1. Yo ______ compro globos de muchos colores a mis hermanitos.
2. Rosario ______ va a dar una corbata a su padre.
3. ¿Qué ______ dan tus padres a ti, Ramiro?
4. Mis hermanos y yo ______ preparamos el desayuno a nuestra abuela.
5. Mis padres siempre ______ dan un regalo a mí.
6. ¿Sus familias ______ preparan un pastel a Uds.?
7. Nuestros primos ______ traen unos dulces sabrosos a nosotros.
8. Tus amigos siempre ______ dan flores a ti, ¿verdad?
9. Rafael ______ da una cadena bonita a mí.

B. Lucía está escribiendo una entrada en su diario sobre una visita al hospital de niños del área, que su familia está planeando. Lee la entrada de Lucía y escribe en los espacios en blanco los pronombres de objeto indirecto que correspondan. El primero ya está dado.

Viernes, 3 de mayo

Mañana mi familia y yo vamos a trabajar en el Hospital de Niños. La gente de la comunidad ___nos___ va a dar unas cajas de juguetes y ______ vamos a traer los juguetes a los niños. Tambié n, a la niña menor ______ vamos a dar unos globos y a los niños mayores ______ vamos a traer unas revistas. Los niños ______ van a preparar un almuerzo especial a nosotros. Por supuesto, todos ______ dicen a mí que va a ser una experiencia inolvidable. Yo ______ digo a ellos que estoy de acuerdo.

Prueba 8B-5

El pretérito de *hacer* y de *dar*

A. Tus compañeros están comentando dónde trabajaron como voluntarios el año pasado. Escribe las formas que correspondan del verbo **hacer** en los espacios en blanco.

1. Rolando ______________ trabajo voluntario en el hospital.
2. Nosotros ______________ trabajo voluntario en el proyecto de construcción.
3. Yo ______________ trabajo voluntario en la escuela primaria.
4. Tú ______________ trabajo voluntario en el campamento.
5. Los miembros de la comunidad ______________ trabajo voluntario en un jardín.
6. Yolanda ______________ trabajo voluntario en el centro de reciclaje.

B. Jordan le está mandando un mensaje a su amigo Roberto contándole qué se regalaron los miembros de su familia para las fiestas. Lee su mensaje y escribe en los espacios en blanco las formas del pretérito del verbo **dar** que correspondan. La primera ya está dada.

Mis abuelos me ___*dieron*___ una bicicleta nueva. ¡Mi tía también me ____________ una bicicleta nueva! Mi hermana me ____________ un suéter y mis padres me ____________ unas novelas. Yo le ____________ una camiseta a Felipe y le ____________ tres discos compactos a Pedro. Todos nosotros les ____________ unas vacaciones por barco a los abuelos. ¿Qué les ____________ tú a las personas de tu familia?

EXAMEN DEL CAPÍTULO, 8B

PARTE I: Vocabulario y gramática en uso

A. Los estudiantes están recogiendo artículos reciclables y llevándolos al centro de reciclaje de su área. Escribe los nombres de las cosas que recogieron este mes.

Vamos a llevar estas __1__ al centro de reciclaje.

Debemos llevar los __2__ también.

Vamos a poner el __3__ aquí.

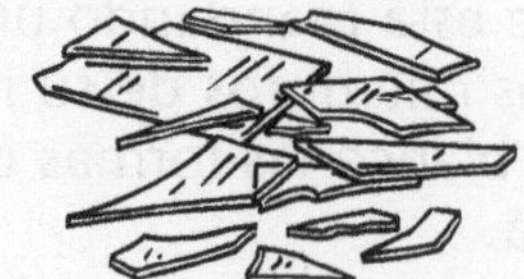

Aquí tengo unas __4__ en la bolsa.

Es importante también separar las __5__ de cartón.

Tenemos que llevar el __6__ y eso es todo.

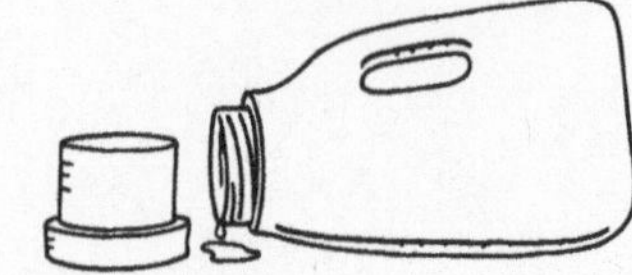

B. Varias personas les están comentando a otras la importancia de trabajar como voluntarias en sus comunidades. En la hoja de respuestas, escribe el pronombre de objeto indirecto que corresponda en cada espacio en blanco y la forma correcta del presente del verbo **decir**. Sigue el modelo.

Modelo Mi padre *le dice* a mi hermana que es importante reciclar.

1. Mi profesora de ciencias ______ a mí que es necesario recoger la basura en las calles.
2. Tú ______ a tu novio que quieres ayudar a los demás.
3. Yo ______ a mis padres que debemos dar nuestros juguetes a los niños pobres.
4. Mi mamá ______ a sus amigas que trabajar con ancianos es una experiencia inolvidable.
5. Nosotros ______ al presidente que es importante ayudar a los demás.
6. Los profesores ______ a ti que debes decidir cómo puedes ayudar.
7. Yo ______ a la clase que es necesario hacer el trabajo voluntario.

C. Mauricio está hablando de sus experiencias como voluntario. Completa su relato con las formas correctas del pretérito de los verbos **hacer** y **dar**.

Me gusta trabajar como voluntario. El año pasado, yo __1__ unos proyectos de construcción para la comunidad. Una vez, mis amigos y yo __2__ trabajo voluntario en un centro de reciclaje en un barrio pobre. Varias personas de la comunidad nos __3__ mucha ayuda con el proyecto. Un supermercado nos __4__ una cajas para separar el vidrio, el plástico, el cartón y el papel. Mi familia también __5__ otro trabajo voluntario. Nosotros __6__ un jardín público para la comunidad. Un amigo nos __7__ unas plantas para el jardín y todos trabajamos para plantarlas.

PARTE II: Comunicación y cultura

A. Escuchar

For *La semana de la comunidad,* a local radio station sponsored a contest to encourage people to help in the community. As a service project, your Spanish class participated in this contest. Listen as classmates report to the radio announcer what they did that week. Try to identify whether each person (a) helped older people; (b) worked on a recycling project; (c) worked as a volunteer in a hospital; (d) worked as a volunteer in a school; or (e) worked on a construction project. Write the letter of the correct choice in the box on the grid. You will hear each set of statements twice.

B. Leer

Lee el informe que se les envió a los miembros del Club de Español describiendo la colaboración de cada miembro con varias organizaciones e individuos de la comunidad. ¿Qué miembros donaron (a) dinero, (b) clases a grupos o individuos, (c) ropa, (d) muebles, o (e) alimentos?

El Club de Español

Informe

presentado por Juana Esquivel el ocho de noviembre

1. Julia les dio unas lecciones de piano a dos niños en una escuela primaria.
2. Alejandro, Luis y Marco hicieron un escritorio y un estante. Se los dieron a un estudiante pobre.
3. Marta y Susana decidieron dar lecciones de baile a las niñas del quinto grado de la escuela que queda cerca de nosotros.
4. Javier les dio diez camisetas a los chicos del hospital.
5. Miguel, Clara, Eva, Jaime y Mario les dieron guantes y abrigos a los hijos de una familia muy grande de nuestra comunidad.
6. Luz dio veinte dólares al hospital para un programa especial para los niños.
7. Patricio les dio veinte comidas de arroz con pollo a los ancianos en el Centro del Mar.
8. Elisa y su padre hicieron una cómoda para una casa hecha por voluntarios.
9. Roberto le dio unas lecciones de guitarra a un niño de la comunidad.
10. Sara cocinó diez pasteles para los ancianos.

C. Escribir

Tu clase ha participado de una lluvia de ideas sobre qué poner en el cartel de *La Semana de la Comunidad*. Tu grupo te pidió que escribieras la sección del cartel sobre **Las Diez Cosas Más Importantes...** que la gente puede hacer en la comunidad. Por ejemplo, puedes empezar diciendo **Recicla...** o **Recoge...**

Para evaluar tu escrito, se considerará:

- **el número de sugerencias que das y si has terminado la tarea.**
- **la variedad del vocabulario que usas.**
- **el uso apropiado del vocabulario y los puntos de gramática que acabas de aprender.**

D. Hablar

Tu profesor/a te asignará un compañero o compañera. Los dos van a representar una entrevista con una agencia de trabajadores voluntarios para solicitar una beca. Uno de ustedes va a empezar la entrevista preguntándole al otro qué hizo hasta ahora para ayudar a su comunidad y por qué ha decidido ofrecerse como voluntario. Luego van a intercambiarse los papeles, de modo que el/la estudiante que hizo las preguntas, ahora pueda hablar de su propia experiencia como voluntario/a. Cuando te entrevisten a ti, trata de mencionar por lo menos tres cosas que hayas hecho como voluntario/a.

Para evaluar tu participación en la entrevista, se considerará:

- **la cantidad de información sobre el trabajo voluntario que des al responder.**
- **la habilidad para mantener una conversación de modo natural, con preguntas, respuestas y comentarios.**
- **la pronunciación y la fluidez con que te expresas.**

E. Cultura

Describe la participación como voluntarios de muchos jóvenes de Hispanoamérica, en comparación con la de los jóvenes de tu comunidad. ¿Colaboran con las mismas causas, o con causas distintas?

HOJA DE RESPUESTAS

PARTE I: Vocabulario y gramática en uso

A. *(___ /___ puntos)*

1. ______________________ 4. ______________________
2. ______________________ 5. ______________________
3. ______________________ 6. ______________________

B. *(___ /___ puntos)*

1. ______________________ 5. ______________________
2. ______________________ 6. ______________________
3. ______________________ 7. ______________________
4. ______________________

C. *(___ /___ puntos)*

1. ______________________ 5. ______________________
2. ______________________ 6. ______________________
3. ______________________ 7. ______________________
4. ______________________

PARTE II: Comunicación y cultura

A. Escuchar *(___ /___ puntos)*

Respuestas posibles: (a) ayudó a ancianos, (b) trabajó en un proyecto de reciclado, (c) trabajó como voluntario/a en un hospital, o (d) trabajó en un proyecto de construcción.

1.	2.	3.	4.	5.

B. Leer *(___ /___ puntos)*

1.	2.	3.	4.	5.
6.	7.	8.	9.	10.

C. Escribir *(___ /___ puntos)*

LAS DIEZ COSAS MÁS IMPORTANTES

1. ______
2. ______
3. ______
4. ______
5. ______
6. ______
7. ______
8. ______
9. ______
10. ______

D. Hablar *(___ /___ puntos)*

E. Cultura *(___ /___ puntos)*

Prueba 9A-1

Comprensión del vocabulario

A. Es sábado, y Felipe y su hermano están viendo la guía de televisión para tratar de decidir qué van a ver. Encierra en un círculo la palabra o frase que describe el tipo de programa que muestra cada uno de los dibujos numerados que aparecen en la guía.

1. Me gustaría ver un programa ________.

a. deportivo **b.** educativo

2. ¿Quieres ver un programa ________?

a. de la vida real **b.** de entrevistas

3. No me gustan ________.

a. los programas de concursos **b.** las telenovelas

4. Me gustan los programas de ________, pero no hoy.

a. noticias **b.** entrevistas

5. Prefiero los programas de ________.

a. dibujos animados **b.** la vida real

6. A mí me encantan los programas de ________.

a. noticias **b.** concursos

B. Josefina y Bernardo van mucho al cine. Basándote en los dibujos, escribe en los espacios en blanco la letra del tipo de película que es más probable que estén viendo.

_____ **1.**  **a.** el drama

_____ **2.**  **b.** la comedia

_____ **3.**  **c.** la película de horror

_____ **4.**  **d.** la película de ciencia ficción

_____ **5.**  **e.** la película romántica

_____ **6.**  **f.** la película policíaca

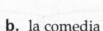

C. Un grupo de amigos están hablando de las películas que quisieran ir a ver. Completa sus conversaciones encerrando en un círculo la palabra o frase más apropiada en cada caso.

1. —¿Qué (clase de / menos de) película es *Vivir sin ti*?
   —Es un drama.
2. —¿Cómo son las dramas?
   —Son (graciosos / realistas).
3. —¿Quién es (la actriz / el actor) de la película *Ciento tres días*?
   —Es Roberto Ilunga.
4. —¿A qué hora (empieza / termina) la película *Gato loco*?
   —A las 8:15. Tenemos tiempo de cenar antes de ir al cine.

Prueba 9A-2

Uso del vocabulario

A. Juanita Ríos está entrevistando por televisión a la famosa actriz argentina Belinda Tragicómica. Basándote en los títulos, completa la entrevista con los tipos de película que menciona.

JUANITA: —Pues, Belinda, Ud. tiene una nueva película.

BELINDA: —Sí, Juanita. Se llama *El barco del amor (love)*, y es una película ________________.

JUANITA: —Y en esta película, Ud. es Marisol, una profesora de niños que decide ir de viaje por el río Amazonas. ¡Qué fascinante!

BELINDA: —Sí. Es similar a mi personaje *(character)* en la película *Los extraterrestres en la clase*, pero no es una película de ________________.

JUANITA: —¿Cuál es el personaje favorito de sus películas pasadas?

BELINDA: —Pues, María, de la ________________ *La playa es muy divertida*. Todos dicen que estoy muy graciosa en esta película. O quizás, Julieta en el famoso ________________ *Romeo y Julieta*. Todos dicen que tengo mucha emoción en esta película triste.

JUANITA: —¿De veras? Y, ¿qué nos puede decir sobre la película de ________________ *El terror en las calles*?

BELINDA: —¡No es muy buena! En otra nueva película soy Berta, la ladrona *(thief)*. Esta película ________________ se llama *Detectives somos.*

JUANITA: —Belinda, muchas gracias por hablarnos hoy. Buena suerte.

B. Ahora, veamos qué dice el público sobre las películas de Belinda. Completa las oraciones con la forma correcta del adjetivo que corresponda en cada caso. Pero primero, ordena las letras de los adjetivos que aparecen en la lista.

lannfiti	miaetnceoon	fitasanecn	notot	otenvoli	óoccim	rataisle

1. A mi novia le gustó *El barco del amor*. Ella dice que es muy ________________. A mí no me gustó nada. La profesora, Marisol, debe ser inteligente pero en la película es muy ______________. Ella es una profesora de niños pero ¡ella es muy ____________ en esta película!

2. Me gustó muchísimo *La playa es muy divertida.* Cuando veo una película no quiero ver cosas tristes. Tampoco quiero ver cosas ______________ como un hombre que mata *(kills)* a otras personas. Esta película es muy ____________.

3. La película *Los extraterrestres en la clase* es muy interesante porque tienes que pensar si es posible ver cosas como éstas en el futuro—¡personas de otro planeta aquí en nuestra escuela! A mi hermano no le gustó la película. Dice que no es posible—que no es ______________. Para mí es ______________ pensar en estas cosas. Me encantó.

C. Lee las siguientes situaciones. Basándote en los gustos e intereses de cada persona, escribe en los espacios en blanco la forma correcta de las palabras que identifican el tipo de programas televisivos que ve con frecuencia.

1. Me encanta ver y practicar deportes. Prefiero ver los programas ______________.
2. Mis hermanitos tienen 4 y 6 años. Ellos están contentos cuando dan programas de ______________________, como "El mono Jorgito".
3. Me encanta aprender secretos de las personas famosas cuando hablan de sus experiencias personales. Siempre veo programas de __________, como "Hablando con Catalina".
4. Me gusta mucho la clase de ciencias naturales en la escuela. Por eso prefiero ver un programa ______________, como los de animales de África o Australia.
5. Soy bastante inteligente. Cuando veo un programa de ______________ puedo contestar (*answer*) todas las preguntas. En el futuro voy a participar en uno de estos programas y recibir mucho dinero.
6. Yo toco la guitarra y me gusta cantar y bailar. Por eso me encantan los programas ______________.
7. Todos los días regreso a casa a las tres de la tarde para ver mi ______________ favorita—"Pasión en la ciudad". Me encanta ver los problemas románticos y trágicos de los actores y actrices guapos.
8. Soy estudiante de las ciencias sociales. En clase siempre hablamos de las cosas que ocurren en los diferentes países del mundo. Por eso siempre veo uno de los programas de ______________ que empiezan a las seis de la tarde.

Prueba 9A-3

Acabar de + infinitivo

Tomás siempre llega tarde a todos lados. Lee las siguientes conversaciones y complétalas con la forma correcta de **acabar de.**

1. **En la estación de autobuses**

   TOMÁS: —Necesito el autobús a San Luis Obispo.

   SR. RAMOS: —Lo siento, pero el autobús ____________ salir.

2. **En el supermercado**

   TOMÁS: —Necesito tres pollos, por favor.

   DEPENDIENTE: —Lo siento, pero yo ____________ vender todos los pollos.

3. **En el museo de arte**

   TOMÁS: —Quiero un boleto para las exhibiciones especiales de Monet, por favor.

   SRA. RUIZ: —Lo siento, pero las exhibiciones ____________ terminar.

4. **En la casa de su amigo**

   TOMÁS: —¿Vamos a ver el programa musical en el canal 7?

   ALEJANDRO: —¡Qué pena! Ellos ____________ decir que cancelaron el programa para esta noche.

5. **En la casa de su abuela**

   TOMÁS: —Abuelita, ¿me puedes dar uno de tus pasteles riquísimos?

   ABUELITA: —Lo siento, Tomás. Nosotros ____________ comer todos los pasteles. ¿Quieres fruta?

Prueba 9A-4

Gustar y otros verbos similares

El canal televisivo del área donde vive Sarita le ha pedido a su familia que responda a una encuesta sobre los programas que ven con más frecuencia. Completa sus respuestas escribiendo los pronombres indirectos y las formas de los verbos dados que correspondan.

1. **Los programas musicales**

   A nosotros ________________ los programas musicales porque son muy divertidos. (encantar)

2. **Las telenovelas**

   A Sarita ________________ las telenovelas porque ella es muy romántica. (interesar)

3. **El programa de noticias "24/7"**

   A mis padres ________________ el programa "24/7" porque es fascinante. (encantar)

4. **Los programas educativos**

   A mí ________________ los programas educativos porque son interesantes. (gustar)

5. **El programa de entrevistas "¡A conversar!"**

   A ti ________________ el programa porque no hay mucha acción, ¿verdad? (aburrir)

6. **Los programas de la vida real**

   A mis padres y a mí ________________ los programas de la vida real porque son cómicos y realistas. (interesar)

7. **El canal 7 en general**

   A toda la familia ________________ el canal 7 porque tiene muchos programas diferentes. (encantar)

8. **Comentarios generales**

   A Uds. ________________ un buen programa de dibujos animados para los niños. (faltar)

EXAMEN DEL CAPÍTULO, 9A

PARTE I: Vocabulario y gramática en uso

A. Observa los carteles de distintas películas. Di qué tipo de película se va a dar y cuándo. En tus oraciones, usa las formas correctas del verbo **dar**.

1. 

8:30

2. 

11:15

3. 

5:45

4. 

7:20

5. 

3:30

B. Observa los dibujos y escribe oraciones diciendo qué acaba de hacer cada persona.

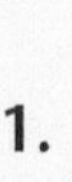
1.  él

2.  Ud.

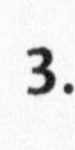
3.  tú

4.  nosotros

5.  ellas

6. 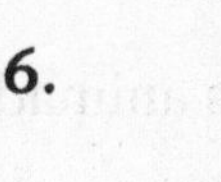 yo

C. Los estudiantes de la clase de Ana María hicieron una encuesta para saber qué programas de televisión suelen ver y qué opinan de ellos. Ana María y su amiga Olga están viendo los resultados de la encuesta, que aparecen en el siguiente cuadro. Lee la información y luego escribe oraciones completas describiendo las reacciones de cada persona. Usa las claves dadas.

	aburrir	encantar	interesar	no gustar
la telenovela "Hospital Central"	Roberto y Beatriz	Sergio	Marcos y yo	Ud.
los programas educativos	tú	Lidia y yo	Gilda	Elena
los programas de la vida real	yo	Javier y Adela	Juan y José	tú y Elena
los programas deportivos	Juan	Javier	tú y yo	Ud.
las noticias	tú y yo	Lidia	Marcos y Gilda	Roberto y Adela
el programa de dibujos animados "Tikitrín"	tú	yo	José y Elena	Juan
el programa musical "Sábado gigante"	Sergio y yo	Ud.	Beatriz y tú	Adela
el programa de entrevistas	yo	tú	Lana	Paula y Carla

Modelo A Gilda / los programas educativos
A Gilda le interesan los programas educativos.

1. a Lidia y a mí / los programas educativos
2. a Beatriz y a ti / el programa musical "Sábado gigante"
3. a mí / los programas de la vida real
4. a ti / el programa de entrevistas
5. a Roberto y a Adela / las noticias
6. a Ud. / la telenovela "Hospital Central"
7. a ti / el programa de dibujos animados "Tikitrín"
8. a Javier / los programas deportivos
9. a Lana / el programa de entrevistas

PARTE II: Comunicación y cultura

A. Escuchar

Listen as people tell a telephone interviewer their opinions about the TV programs they have watched on a new Spanish-language cable station. After listening to each person, decide if the show (a) bored the viewer; (b) interested the viewer; (c) was too violent for the viewer; or (d) was too childish or silly for the viewer. Write the letter that corresponds to each person's opinion in the grid. You will hear each set of statements twice.

B. Leer

Lee la reseña sobre un nuevo programa de televisión que escribió el famoso crítico Omar Orozco. Presta atención a los detalles que indicarían si le gustó o no un programa en particular. Responde las preguntas que aparecen en la hoja de respuestas.

¡Nos dicen que este año tenemos los mejores programas de TV! ¿Los mejores? No estoy de acuerdo. Unos son buenos y otros son horribles. Dime la verdad. ¿Necesitamos otro programa de la vida real? ¡NO! Estos programas tontos son para las personas que no tienen nada que hacer. ¡Es ridículo ver a un hombre que besa (kiss) *a un elefante! Eso es lo que pasó en el primer programa el viernes pasado. Acabo de ver el nuevo programa de entrevistas, "Julio". ¡Qué asco! Es horrible. En su primer programa, Julio habló con actores famosos sobre ideas políticas o económicas. ¡Uf! ¡Qué aburrido! Es más interesante hablar de mi gato. Debe hablar sobre sus películas nuevas. Pero hay un programa que empezó en octubre, "El monstruo y yo" que es un programa de ciencia ficción. Cada semana trae una aventura diferente. Anoche, los personajes fueron a buscar un anillo en otro planeta. Fue fascinante. Me gustaría ver más programas como éste. Es de muy buena calidad.*

C. Escribir

Vas a escribir una entrada en tu diario sobre una película que acabas de ver. Menciona el título de la película, el tipo de película que es, y qué te gustó o no te gustó de ella. Da todos los detalles que puedas.

Para evaluar tu escrito, se considerará:
- **la cantidad de información que das para justificar tu opinión sobre la película.**
- **la ortografía y el uso apropiado del vocabulario que acabas de aprender.**
- **la variedad de expresiones y el vocabulario que usas.**

D. Hablar

Tu profesor/a te asignará un compañero o compañera. Coméntale algo que acabas de ver por televisión o en el cine y expresa tus opiniones al respecto. Luego pregúntale a tu compañero/a si vio el mismo programa o película y cuál fue su opinión. Si tu compañero/a no vio lo mismo que tú, pregúntale qué otra cosa acaba de ver. Luego, intercámbiense los papeles. Trata de hacer otras preguntas o algunos comentarios sobre lo que te dicen.

Para evaluar tu conversación, se considerará:

- **la cantidad de información que das para justificar tu opinión sobre el programa de televisión o la película que viste.**
- **tu habilidad para mantener una conversación de modo natural, participando con preguntas y comentarios.**
- **la pronunciación y la fluidez con que te expresas.**

E. Cultura

Finalmente llegas a la casa de la familia con la que te vas a quedar en México por dos semanas. Durante la primera comida, notas que la gente hace gestos para expresarse. Observa los dibujos e indica qué está "diciendo" cada miembro de la familia. Escribe la letra de la respuesta correcta en los espacios en blanco de la hoja de respuestas.

A B C D E

1. ¡Este plato está muy rico!
2. Por favor, un poquito de postre.
3. No sé donde está mi tenedor.
4. ¡Es la hora de comer!
5. Gabriel, ¿todos tus amigos van a comer con nosotros?

HOJA DE RESPUESTAS

PARTE I: Vocabulario y gramática en uso

A. *(___ /___ puntos)*

1. ____.
2. ____.
3. ____.
4. ____.
5. ____.

B. *(___ /___ puntos)*

1. ____.
2. ____.
3. ____.
4. ____.
5. ____.
6. ____.

C. *(___ /___ puntos)*

1. ____.
2. ____.
3. ____.
4. ____.
5. ____.
6. ____.
7. ____.
8. ____.
9. ____.

PARTE II: Comunicación y cultura

A. Escuchar *(___ /___ puntos)*

Respuestas posibles: el programa le resultó (a) aburrido, (b) interesante, (c) demasiado violento, o (d) demasiado tonto o infantil.

1.	2.	3.	4.	5.	6.

B. Leer *(___ /___ puntos)*
Contesta las preguntas siguientes:

1. ¿Cuántos de los programas nuevos le gustan a Óscar?
   a. uno de los tres **b.** dos de los tres **c.** tres
2. ¿Cuál es el mejor programa este año?
   a. el programa de entrevistas **b.** el programa de ciencia ficción **c.** el programa de la vida real
3. Según Óscar, ¿quiénes ven los programas de la vida real?
   a. las personas que trabajan mucho **b.** las personas que no tienen mucho que hacer **c.** los deportistas
4. ¿Sobre qué habla Julio con los actores en su programa probablemente?
   a. los gatos y los perros **b.** el Presidente de los Estados Unidos **c.** sus películas
5. ¿Qué clase de programas le aburren a Óscar?
   a. los programas de la vida real **b.** los programas de entrevistas **c.** los programas de ciencia ficción

C. Escribir *(___ /___ puntos)*

____

____

____

____

____

D. Hablar *(___ /___ puntos)*

E. Cultura *(___ /___ puntos)*

1. ________ 2. ________ 3. ________ 4. ________ 5. ________

Prueba 9B-1

Comprensión del vocabulario

A. Empareja los dibujos con las oraciones que correspondan, escribiendo la letra del dibujo en los espacios dados.

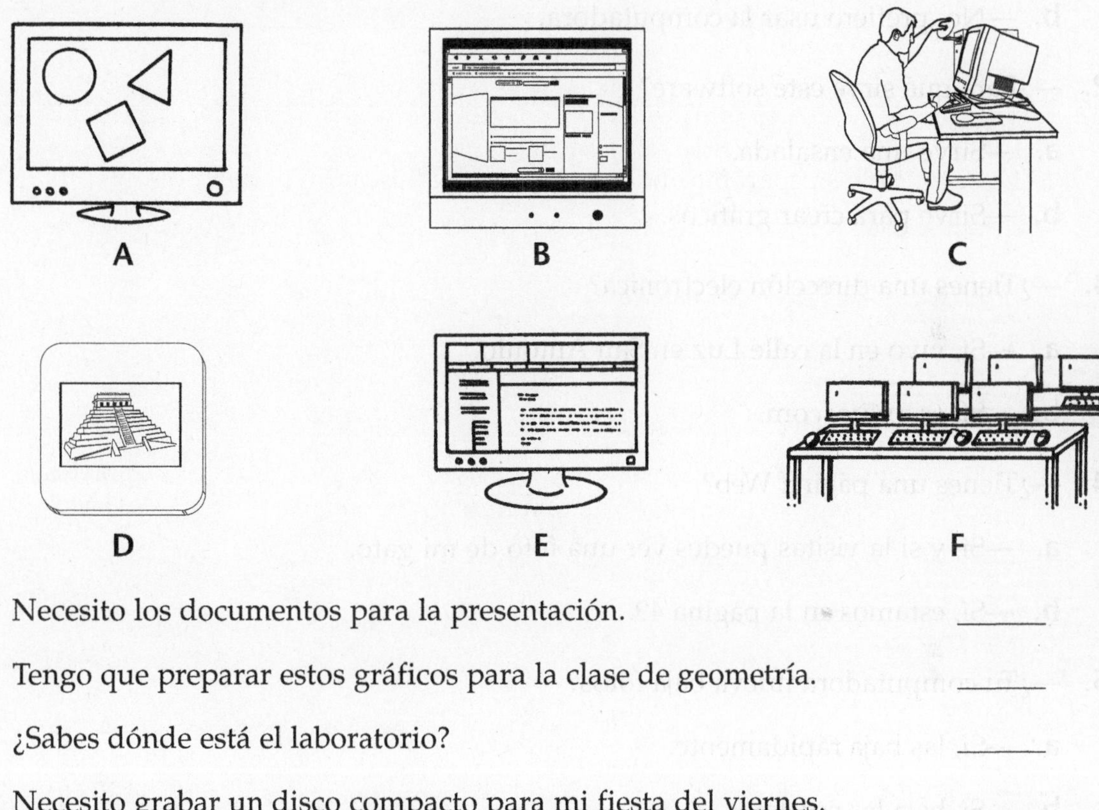

1. Necesito los documentos para la presentación. _____
2. Tengo que preparar estos gráficos para la clase de geometría. _____
3. ¿Sabes dónde está el laboratorio? _____
4. Necesito grabar un disco compacto para mi fiesta del viernes. _____
5. Gregorio tiene unas diapositivas de su viaje a Teotihuacán. _____
6. ¿Viste el nuevo sitio Web de Alejandro? _____

B. Un grupo de estudiantes están hablando en su clase de computación. Lee las siguientes conversaciones y encierra en un círculo la mejor respuesta a cada pregunta.

1. —¿Visitas los salones de chat con frecuencia?
   - **a.** —No, prefiero hablar cara a cara.
   - **b.** —No, prefiero usar la computadora.
2. —¿Para qué sirve este software?
   - **a.** —Sirve una ensalada.
   - **b.** —Sirve para crear gráficos.
3. —¿Tienes una dirección electrónica?
   - **a.** —Sí, vivo en la calle Luz en San Antonio.
   - **b.** —Sí, es xx@xx.com.
4. —¿Tienes una página Web?
   - **a.** —Sí, y si la visitas puedes ver una foto de mi gato.
   - **b.** —Sí, estamos en la página 49.
5. —¿Tu computadora nueva baja fotos?
   - **a.** —Sí, las baja rápidamente.
   - **b.** —Sí, baja las escaleras.
6. —¿Cómo te comunicas más con tus amigos?
   - **a.** —Les hablo por teléfono o les escribo por correo electrónico.
   - **b.** —Navego en la Red.
7. —¿Para qué usas la computadora?
   - **a.** —No la uso. Tengo miedo de romperla si la uso.
   - **b.** —La uso para sacar fotos.

Prueba 9B-2

Uso del vocabulario

A. Lee para qué usan la computadora distintos estudiantes. Basándote en los dibujos de la izquierda, escribe en los espacios en blanco la palabra o frase que mejor complete cada oración.

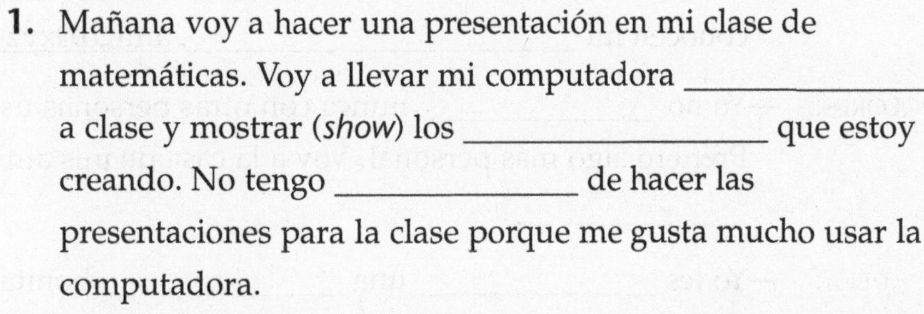

1. Mañana voy a hacer una presentación en mi clase de matemáticas. Voy a llevar mi computadora ______ a clase y mostrar (*show*) los ______ que estoy creando. No tengo ______ de hacer las presentaciones para la clase porque me gusta mucho usar la computadora.

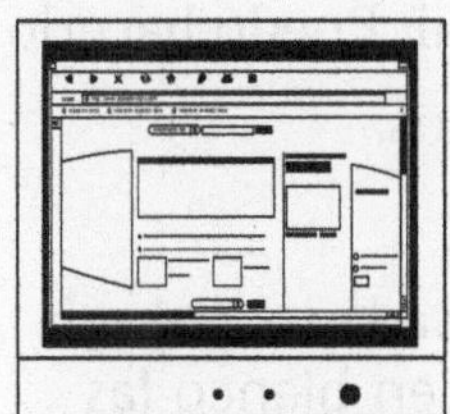

2. No puedo usar la computadora para escribir mi composición porque Elena está en ______ en este momento. Está leyendo el ______ que Felipe creó para la escuela. Tiene mucha ______ interesante y necesaria como las fechas de los partidos de todos los deportes y los diferentes clubes y organizaciones.

3. A Fernando le encantan la música y la computadora. Le gusta ______ en la Red para buscar ______ de sus grupos musicales favoritos. Después le gusta ______las en un disco compacto.

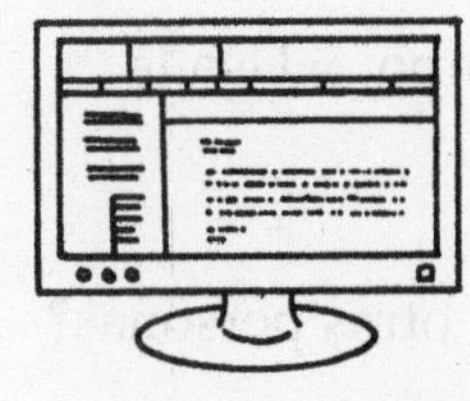

4. Para mi clase de ciencias sociales tengo que escribir un ______ sobre un país de la América Central. No me gusta buscar libros en la biblioteca. Prefiero buscar y leer ______ en la Red.

5. Cuando vamos al ______, la profesora dice que no podemos visitar ______ para hablar con otras personas. Podemos jugar juegos, pero sólo si son para una clase. La profesora es muy estricta pero muy inteligente también. Si no sabemos hacer algo en la computadora, siempre podemos ______le ayuda.

B. Tres personas están describiendo cómo prefieren comunicarse con otra gente. Lee las descripciones y complétalas con las palabras y expresiones del vocabulario que correspondan.

ANTONIO: —Me gusta mucho escribir y recibir ________. Les escribo a mis amigos y mis primos cada semana pero no uso papel y un bolígrafo. Uso la computadora y les escribo por ________________. Todos mis amigos conocen mi ________________, amigo@xyz.com.

DOLORES: —Yo no ____________ nunca con otras personas usando la computadora. Prefiero algo más personal. Voy a la casa de mis amigos y les hablo ____________.

ADELA: —Yo les ____________ una ____________ bonita o divertida a todos mis amigos para su cumpleaños, aniversario u otro día especial. Puedo hacerlo usando la Red o puedo comprarlas en una tienda de regalos.

C. Lee las siguientes preguntas o afirmaciones sobre cómo la gente usa la tecnología para comunicarse. Completa las oraciones escribiendo en los espacios en blanco las palabras del vocabulario que expresen la misma idea de forma diferente.

1. ¿Qué piensas de mi nueva cámara digital? = ¿Qué ____________ mi nueva cámara digital?
2. Es demasiado difícil crear una página Web. = Es demasiado ____________ crear una página Web.
3. ¿Para qué usamos el Internet? = ¿Para qué ____________ el Internet?
4. Uso la computadora para hacer la investigación en muy poco tiempo. = Uso la computadora para hacer la investigación muy ____________.
5. ¿Cómo hablas con otras personas? = ¿Cómo ____________ con otras personas?

Prueba 9B-3

El presente de *pedir y servir*

A. Tus amigos te piden que les recomiendes qué platos pedir en La Casa de Pedro, tu restaurante favorito. Completa las siguientes oraciones con las formas correctas del presente del verbo **pedir**.

1. Mi padre ________________ bistec con frijoles.
2. Cuando mis hermanos comen en la Casa de Pablo, ellos ________________ sopa de pollo.
3. Nosotros siempre ________________ un pastel delicioso.
4. Si tengo mucha hambre, yo ________________ pescado con papas y judías verdes.
5. Elisa y yo ________________ café después de la cena.
6. Marta, tú ________________ flan, ¿verdad?

B. Ahora estás en La Casa de Pedro, leyendo la carta de presentación de Pedro a sus clientes impresa en el menú. Escribe en los espacios en blanco las formas correctas del presente de **servir**.

Bienvenidos a La Casa de Pedro. Aquí nosotros ______________ comida sabrosa mexicana. Nuestros camareros le ______________ a Ud. una gran selección de platos, como el pollo con salsa y el bistec. A veces nuestro chef les ______________ a nuestros clientes un plato especial: un pescado sabroso o un queso importado. Si Ud. viene a celebrar su cumpleaños con nosotros, yo personalmente le ______________ el pastel más sabroso del menú. Nuestra casa es su casa.

Saludos,
Pedro

Prueba 9B-4

Saber y conocer

A. Trabajas en el periódico de la escuela y estás preparando una entrevista a tu profesor/a de español. Escribe las preguntas que le harás, usando las palabras dadas y las formas correctas del presente de los verbos **saber** y **conocer**.

Modelo Ud. / la Ciudad de México ¿ *Ud. conoce la Ciudad de México* ?

1. Ud. / hablar inglés ¿ ______ ?
2. Ud. y sus amigos / bailar flamenco ¿ ______ ?
3. Ud. y su familia / Argentina ¿ ______ ?
4. Ud. / Benicio Del Toro ¿ ______ ?
5. Los profesores de español / la película *La familia* ¿ ______ ?
6. Nosotros / sus estudiantes ¿ ______ ?

B. Ahora, escribe oraciones completas diciendo si sabes las siguientes cosas o conoces a las personas que se indican. Usa **saber** or **conocer**, según corresponda.

1. hablar español ______.
2. dónde están los restaurantes mexicanos de mi ciudad ______.
3. el nombre del Presidente de los Estados Unidos ______.
4. Puerto Rico ______.
5. una persona famosa ______.
6. preparar la paella ______.

EXAMEN DEL CAPÍTULO, 9B

PARTE I: Vocabulario y gramática en uso

A. Lee las siguientes oraciones. Presta atención a los verbos porque indican qué está haciendo cada persona en la computadora. Completa las ideas escribiendo en la hoja de respuestas la letra de la palabra o expresión del vocabulario que falta en cada caso.

1. Miguel está creando ______, usando fotos y dibujos, para su presentación.
2. Ana tiene que escribir una ______ para su clase de inglés y un ______ para su clase de ciencias naturales.
3. Rafael está navegando ______ ______. Está buscando un ______ ______ sobre los problemas ecológicos en México.
4. Marta acaba de bajar ______ que va a usar en su presentación sobre unos artistas sudamericanos.
5. Carmen va a grabar una ______ en un disco compacto.
6. Yolanda le va a enviar una ______ de cumpleaños a su mejor amiga.
7. Ricardo va a visitar un ______ ______ ______ para conocer a personas de otros lugares.
8. Joaquín está haciendo un ______ para representar para qué usan más sus amigos la computadora.
9. La abuela de Lola le está escribiendo por ______ ______ para decirle que viene a visitarla en un mes.

B. Observa los siguientes dibujos de alimentos. Luego, escribe oraciones diciendo qué pide la primera persona, y qué le sirve la segunda. Usa las formas correctas de **pedir** y **servir**. En las oraciones con el verbo **servir**, no te olvides de incluir los pronombres de objeto indirecto.

1. Yo ______ pero tú me ______ .
2. Ud. ______ pero nosotros le ______
3. Nosotros ______ pero Uds. nos ______ .
4. Tú ______ pero yo te ______ .

C. La clase de Eduardo hizo una encuesta sobre personas, lugares y actividades que ellos, sus familiares y sus amigos conocen o saben hacer. Lee los resultados y escribe oraciones diciendo con qué está familiarizada cada una de las personas indicadas. Usa las formas de los verbos **saber** o **conocer**, según corresponda.

Persona	Persona, lugar o actividad
1. Paula	grabar un disco compacto
2. tú	usar una cámara digital
3. Pablo y Silvia	un amigo de Bill Gates
4. Ud.	Seattle y Vancouver
5. yo	escribir por correo electrónico
6. nosotros	el parque nacional Yosemite
7. yo	un actor famoso
8. Uds.	navegar en la Red
9. mis amigos	mi dirección electrónica

PARTE II: Comunicación y cultura

A. Escuchar

In the school cafeteria, you overhear parts of conversations in which students are expressing their opinions about computers. As they talk, listen for the reason *why* each person either likes or dislikes using the computer. In the grid on your answer sheet, write whether each person likes or dislikes computers and the letter of the corresponding picture that illustrates the reason for his or her opinion. You will hear each set of statements twice.

B. Leer

Dos personas están participando en el chat de Internet "Mis padres y yo". Lee lo que las dos jóvenes dicen sobre la relación con sus padres. ¿Tienen problemas similares? ¿Tienen sus padres las mismas opiniones? Lee las afirmaciones que aparecen en la hoja de respuestas e indica si cada una es **cierta** o **falsa**, o si no tienes bastante información para decidirlo.

Tigre: Mis padres viven en el pasado. Ellos piensan que las personas en los salones de chat son malas. Mi madre no comprende que los salones de chat son para mí como los teléfonos o las cartas son para ella.

Pájaro: Yo comprendo completamente. Mis padres no comprenden que es más divertido hablar con muchos amigos al mismo tiempo en los salones de chat. También es una oportunidad de conocer a otras personas.

Tigre: Estoy de acuerdo. Yo conocí a una joven que le gusta jugar al básquetbol, como yo. Ella vive en otra ciudad, pero me gusta hablar con ella sobre sus partidos.

Pájaro: Exactamente. Con los salones de chat, podemos hablar con otros sobre las cosas que nos interesan. Yo vivo en una ciudad MUY pequeña. Gracias a los salones de chat, es como vivir en una ciudad grandísima. Anoche hablé con un chico a quien le gusta grabar discos compactos. Voy a enviarle mi disco compacto favorito y él me envía su disco compacto favorito.

Tigre: Mi padre dice que las computadoras son buenas para buscar información para mis clases, pero no para hablar con amigos. Él me dice que en SU casa, la computadora es para los estudios, no para las fiestas.

Pájaro: Mucho gusto de conocerte, Tigre.

Tigre: El gusto es mío, Pájaro.

C. Escribir

Para participar en **MundoChat**, se te pide que escribas un perfil de ti mismo/a. En una de las secciones del perfil debes describir para qué usas la computadora, en la escuela o en tu casa. Trata de escribir sobre (a) por lo menos tres cosas que haces en Internet o en tu computadora, y (b) por qué te gusta usar la computadora o el Internet.

Para evaluar el perfil que describes, se considerará:

- **el número de oraciones que escribes correctamente sobre los usos que le das a la computadora y el Internet.**
- **el número de oraciones que escribes correctamente sobre lo que te gusta de usar la computadora o el Internet.**
- **el uso del vocabulario especializado relacionado con las computadoras y el Internet.**

D. Hablar

Estás muy interesado/a en trabajar unas horas por semana en un proveedor de servicios de Internet de tu área. Para que te consideren el/la candidato/a mejor calificado/a, tienes que convercerlos de que eres capaz de explicarles a los clientes qué tipos de cosas pueden hacer en línea, con una computadora. Trata los siguientes temas y da todos los ejemplos y detalles que puedas:

- por qué una computadora con acceso a Internet es una buena inversión para toda la familia.
- por qué es conveniente que los estudiantes de secundaria tengan en casa una computadora con acceso a Internet.
- por qué es entretenido tener una la computadora.

Para evaluar tu presentación, se considerará:

- **tu habilidad para tratar los tres temas sugeridos, dando ejemplos y detalles.**
- **el uso correcto del vocabulario especializado en tecnología recién aprendido.**
- **la fluidez y pronunciación.**

E. Cultura

Basándote en lo que aprendiste en este capítulo, ¿por qué te parece que a muchos jóvenes hispanoamericanos les parecería un lujo tener una computadora en la casa? Explica por qué ir a un cibercafé puede ser una alternativa barata y divertida.

HOJA DE RESPUESTAS

PARTE I: Vocabulario y gramática en uso

A. *(___ /___ puntos)*

1. _ _ a _ o _ _ _ _ _ _ _ _
2. c _ _ _ _ s _ _ _ _ _   _ n _ _ _ _ e
3. e _   _ _ _ e _   _ _ t _ o _ _ _
4. _ _ f _ _ _ c _ _ _
5. _ a _ c _ _ _
6. _ a _ _ e _ _ _
7. _ _ _ ó _   _ _   c h _ t
8. g _ _ _ _ c _ _
9. _ _ r r _ _   e _ _ _ _ _ _ _ _ _ _ _ _ _ _

B. *(___ /___ puntos)*

1. ______________________________.
2. ______________________________.
3. ______________________________.
4. ______________________________.

C. *(___ /___ puntos)*

1. ______________________________.
2. ______________________________.
3. ______________________________.
4. ______________________________.
5. ______________________________.
6. ______________________________.
7. ______________________________.
8. ______________________________.
9. ______________________________.

PARTE II: Comunicación y cultura

A. Escuchar *(___ /___ puntos)*

A B C D

E F G H

	1	2	3	4	5	6	7	8
¿Le gusta o no?								
¿Por qué?								

9. ¿Te gustan las computadoras? ____________________
10. ¿Por qué o por qué no? ____________________

B. Leer *(___ /___ puntos)*

Lee las siguientes afirmaciones e indica si cada una es: **(A) Cierta, (B) Falsa,** o si **(C) No hay bastante información.**

1. Los padres del "Tigre" son muy modernos. ______
2. Los padres del "Tigre" piensan que en los salones de chat hay mucha gente buena. ______
3. A "Tigre" le gusta conocer a jóvenes que juegan al básquetbol. ______
4. "Tigre" es de una familia muy grande. ______
5. Según el padre del "Tigre", las computadoras son buenas para una fiesta. ______
6. A "Pájaro" no le gusta hablar con muchas personas al mismo tiempo. ______
7. Según "Pájaro," no es caro grabar discos compactos. ______
8. "Pájaro" vive en una ciudad bastante grande. ______
9. A "Pájaro" le gusta viajar. ______
10. A "Tigre" le encanta la comida mexicana. ______

Nombre ______________________ Hora ____________

Fecha ______________ **Hoja de respuestas 9B, Página 3**

C. Escribir *(___ /___ puntos)*

D. Hablar *(___ /___ puntos)*

E. Cultura *(___ /___ puntos)*

Exámenes acumulativos

EXAMEN ACUMULATIVO I

PARTE I. Vocabulario y gramática en uso

A. Un grupo de amigos están hablando de actividades y dónde se hacen por lo general. Empareja cada oración de la izquierda con la oración de la derecha que corresponda, escribiendo la letra apropiada en los espacios en blanco de la hoja de respuestas.

1. Me gustan las películas.
2. No me gusta nadar.
3. Me gusta la comida mexicana.
4. Me gusta esquiar.
5. Me gusta ir de compras.
6. No me gusta levantar pesas.
7. Me gusta escuchar música.
8. Me gusta correr.
9. Me gustan los libros.
10. No me gusta la ciudad.

A. No voy a la piscina.
B. Voy al parque.
C. Voy al campo.
D. Voy al cine.
E. No voy al gimnasio.
F. Voy a la biblioteca.
G. Voy al restaurante.
H. Voy al centro comercial.
I. Voy a las montañas.
J. Voy a un concierto.

B. En una clase sobre salud, los estudiantes están hablando de comidas y ejercicios que ayudan a mantenerse saludable. En la hoja de respuestas, escribe oraciones completas usando la forma correcta del verbo **ser** y las palabras dadas a continuación.

1. Los tomates / sabroso
2. El pescado / bueno
3. El vóleibol / divertido
4. Las actividades físicas / bueno
5. Las grasas / malo
6. La leche / sabroso
7. El desayuno / bueno
8. Los pasteles / horrible
9. Los videojuegos / malo
10. La sopa de verduras / bueno

C. Gilda está escribiendo una entrada en su diario sobre las cosas que hace en la escuela todos los días. En la hoja de respuestas, escribe la forma correcta del presente del verbo apropiado en cada uno de los espacios en blanco que aparecen en el diario.

14 de diciembre

Voy a escribir un poco sobre un día típico en la escuela. Primero, yo __1__ (*ver / ir*) a la escuela a las siete de la mañana porque __2__ (*correr / enseñar*) un poco antes de las clases. A las ocho __3__ (*tener / hacer*) mi primera clase, la clase de inglés. __4__ (*ser / estar*) una clase muy fácil para mí. Después, mi amiga Ana y yo __5__ (*tener / ir*) a la clase de español donde __6__ (*estudiar / comer*) mucho y __7__ (*hablar / nadar*) con nuestros amigos. La profesora Lemaños __8__ (*bailar / enseñar*) muy bien y __9__ (*estar / ser*) muy inteligente.

Después de la clase, Ana y Federica __10__ (*estudiar / ir*) a la clase de educación física, pero yo __11__ (*beber / comer*) el almuerzo. Mis amigos Pablo y Rafael __12__ (*compartir / comprender*) sus almuerzos a veces. Los lunes y miércoles, yo __13__ (*tener / jugar*) al tenis después de almorzar. A la una, yo __14__ (*tener / ver*) clase otra vez. Las clases __15__ (*caminar / terminar*) a las dos y media y Ana y yo __16__ (*ir / jugar*) a casa para estudiar o ver la tele un poco. Finalmente, yo __17__ (*estar / comer*) la cena con mi familia, y mis hermanos y yo __18__ (*necesitar / estudiar*) o __19__ (*practicar / hablar*) el piano. A las once, el día __20__ (*terminar / trabajar*) y puedo dormir. ¡Buenas noches!

PARTE II. Comunicación

A. Escuchar

Some friends are talking about the activities that they enjoy. Listen as they talk and check off the activities that each person *likes* to do. You will hear each of them speak in the order in which they are listed on the grid. You will hear each set of statements twice.

B. Escuchar

Victoria has a lot to do today. Listen as she talks about her plans with her mother. She will mention things that she is going to do and the places she will need to go. Write numbers on the buildings to indicate the order in which she will do the activities. You will hear this conversation twice.

C. Leer

Lee la tarjeta que Ángelo le mandó a su abuelo. Luego, junto a cada una de las afirmaciones que aparecen en la hoja de respuestas, escribe una **C** si es **cierta** o una **F** si es **falsa**.

Querido abuelo:

Saludos desde Puerto Escondido, México. Me gusta mucho este lugar. Todos los días, yo nado en el mar y juego al vóleibol con mis amigos. Por la tarde, vamos a la ciudad para visitar los lugares interesantes como la iglesia grande y el parque. Hay unos cafés muy buenos aquí, también. Me encanta comer las fresas y las manzanas de aquí—¡son muy sabrosas! Después, mis amigos y yo vamos al cine casi todas las noches. Me encanta el cine mexicano. Pues, nos vemos pronto, abuelo.

Un abrazo,

Ángelo

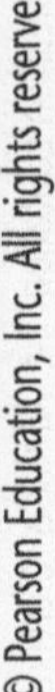

D. Escribir

Te estás ofreciendo para recibir en tu casa a un estudiante hispanohablante del programa de intercambio. Para saber con cuál de los candidatos tienes intereses en común, el programa te ha pedido que llenes el formulario que aparece en la hoja de respuestas.

Para evaluar tu escrito, se considerará:
- **que hayas completado la tarea.**
- **la variedad del vocabulario que usas.**
- **el uso apropiado del vocabulario y los puntos de gramática que acabas de aprender.**

E. Hablar

Tu profesor/a te pedirá que hables de uno de los siguientes temas:

1. Imagina que le estás hablando a un niño de tercer grado sobre hábitos alimenticios saludables. Describe los alimentos que recomendarías incluir en cada una de las tres comidas diarias. Al hablar, hazle preguntas sobre el tipo de comidas que come y describe qué comes tú por lo general en un día.
2. Describe las cosas que por lo general llevas a la escuela en tu mochila y en qué clases las usas. Habla de las cosas que hay en tu salón de clases.

Para evaluar tu presentación, se considerará:
- **la cantidad de información que das.**
- **la organización con que presentas las ideas y la facilidad con que se entiende tu exposición.**
- **el uso apropiado del vocabulario y los puntos de gramática que acabas de aprender.**

HOJA DE RESPUESTAS

PARTE I. Vocabulario y gramática en uso

A. (___/___ *puntos*)

1. ______ 5. ______ 9. ______
2. ______ 6. ______ 10. ______
3. ______ 7. ______
4. ______ 8. ______

B. (___/___ *puntos*)

1. ______________________________.
2. ______________________________.
3. ______________________________.
4. ______________________________.
5. ______________________________.
6. ______________________________.
7. ______________________________.
8. ______________________________.
9. ______________________________.
10. ______________________________.

C. (___/___ *puntos*)

1. ______ 8. ______ 15. ______
2. ______ 9. ______ 16. ______
3. ______ 10. ______ 17. ______
4. ______ 11. ______ 18. ______
5. ______ 12. ______ 19. ______
6. ______ 13. ______ 20. ______
7. ______ 14. ______

PARTE II. Comunicación

A. Escuchar (___/___ *puntos*)

	bailar	hablar	escribir cuentos	estudiar	leer	practicar deportes	nadar
1. Susana							
2. Mauricio							
3. Raquel							
4. Paco							
5. Julián							

B. Escuchar (___/___ *puntos*)

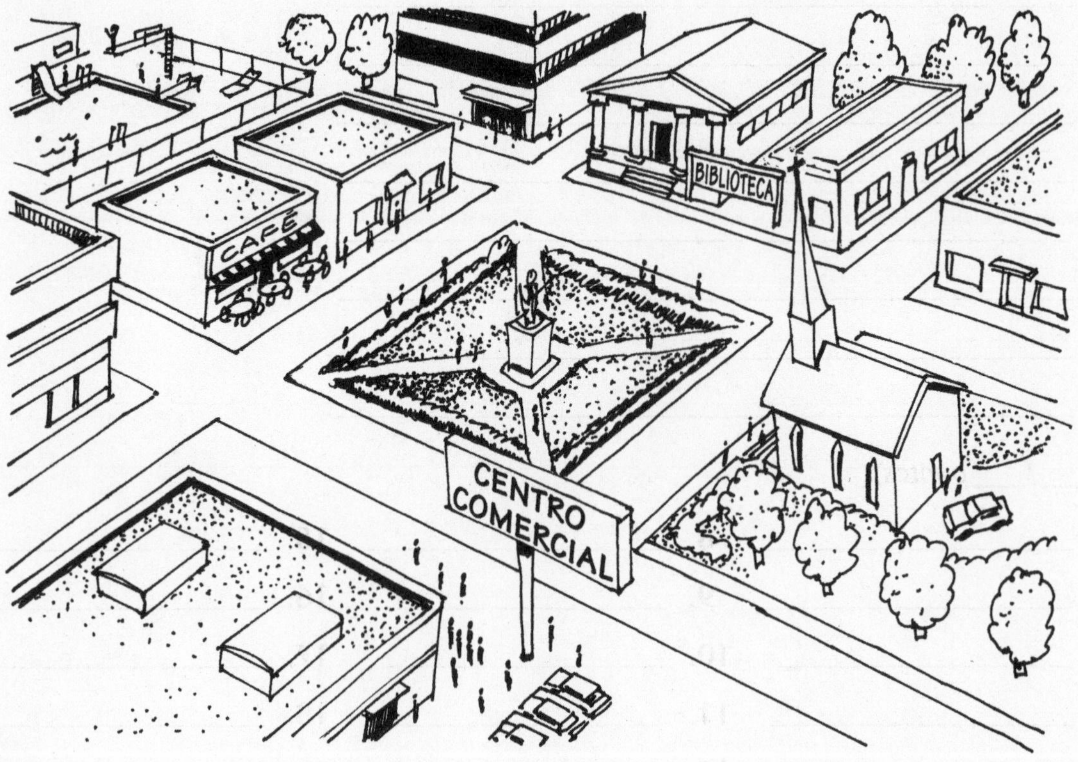

C. Leer (___/___ *puntos*)

1. Ángelo es deportista. _____
2. A Ángelo no le gusta la fruta. _____
3. Ángelo visita muchos lugares fascinantes. _____
4. A Ángelo le gustan las películas mexicanas. _____
5. Ángelo está en Perú. _____

D. Escribir (___/___ *puntos*)

Fecha

Nombre ____________

¿Cuántos años tienes? ____________

Escuela ____________

Por favor escribe un párrafo en español describiendo tu personalidad, las actividades que más y que menos te gustan, y tu horario de clases.

____

____

____

____

____

____

____

____

____

E. Hablar (___/___ *puntos*)

Realidades A/B-1 Nombre ____ Hora ____

Examen acumulativo II Fecha ____

EXAMEN ACUMULATIVO II

PARTE I. Vocabulario y gramática en uso

A. Alejandro le está escribiendo una carta a Pablo, su amigo de la clase de español. En la hoja de respuestas, escribe la forma correcta del pretérito del verbo más apropiado en cada espacio en blanco. Escoge un verbo de la siguiente lista: **ir, visitar, comer, comprar, beber, escribir, hablar, ver, pasar.** Deberás usar algunos verbos más de una vez.

Querido Pablo:

Hoy yo __1__ todo el día en la Ciudad de México. Primero __2__ las iglesias grandísimas y después __3__ al parque central, que se llama el Zócalo. Allí __4__ el almuerzo con mi amigo Paco y después nosotros __5__ al parque zoológico. Nosotros __6__ los monos y muchos otros animales.

Por la tarde, Ramona, Edgar y yo __7__ un barrio bonito de la ciudad, con muchas tiendas y restaurantes, que se llama la Zona Rosa. Yo __8__ unas tarjetas postales en una tienda pequeña y ellos __9__ a las zapaterías famosas de la ciudad. Después nosotros __10__ una limonada en un café. Edgar __11__ inglés con uno de los camareros que __12__ tres años en Phoenix en la casa de sus tíos. Ellos __13__ por quince minutos. Edgar y Ramona __14__ una pizza pequeña y yo __15__ de todas mis experiencias en mis tarjetas.

Y tú, Pablo, ¿por qué no me __16__ una carta? ¿__17__ con nuestra profesora de español sobre mis experiencias en Cuernavaca hace dos semanas? Si la ves, por favor, dile *(tell her)* que uso mi español todos los días.

Tu mejor amigo,

Alejandro

B. Usando los dibujos y los verbos dados, escribe en tu hoja de respuestas oraciones completas diciendo las opiniones de las personas que se indican. Sigue el modelo.

Modelo a Alejandro / encantar *A Alejandro le encantan las películas de horror*.

1.  a mi padre / no gustar
2.  a Luisa / encantar
3. 

a nosotros / aburrir
4.  a Jorge / interesar
5.  a mí / faltar
6.  a ti / encantar

C. Elisa está preparándose para volver a casa, de regreso de su viaje a Guatemala. Ahora está haciendo la maleta. Lee sus oraciones y escribe el pronombre de objeto directo apropiado (**lo, la, los, las**) en los espacios en blanco de la hoja de respuestas.

1. Tengo muchos regalos para mi familia. Necesito poner__1__ en mi mochila.
2. ¿Dónde está el anillo para mi hermanita? ¿__2__ tengo en la mochila?
3. Y todos mis recuerdos, ¿__3__ pongo en la mochila o en el bolso?
4. ¿Dónde compré esta blusa para mi mamá? Ah, sí. __4__ compré en el mercado la semana pasada.
5. ¿Qué hago con las fotos que saqué durante el viaje? __5__ pongo en la mochila también.

PARTE II. Comunicación

A. Escuchar

Listen as Marta and Tomás talk with their father about the household chores that need to be done today. Check off whether Tomás or Marta will do the chores. **¡Ojo!** Some tasks may require two check marks. You will hear this conversation twice..

B. Escuchar

Linda just returned from a shopping trip and is showing her purchases to Patricio. First, read the statements on your answer sheet. Then, listen to their conversation and put the statements in the order in which they are said. You will hear this conversation twice.

C. Leer

Lee el siguiente anuncio de una productora de cine. Luego, junto a cada una de las oraciones que aparecen en la hoja de respuestas, escribe una **C** si es **cierta**, o una **F** si es **falsa**.

¡Hoy puede ser el mejor día de su vida! La compañía cinematográfica Mar y Sol viene a su ciudad buscando nuevos actores. Vamos a producir una película romántica en la isla tropical de San Martín y Ud. puede ser parte de la emoción. Buscamos personas pelirrojas de 20 a 30 años con experiencia de trabajar en restaurantes. Es mejor si Ud. tiene familia de San Martín, especialmente su padre, el padre de su padre o los hermanos de su padre. Si Ud. quiere ser actor, necesita venir al hotel Milagros en la playa de Miami el sábado que viene, a las dos de la tarde. ¡Buena suerte!

D. Escribir

Mónica se está preparando para su primera cena con invitados. Describe la situación. ¿Qué ropa lleva? ¿Qué está haciendo en este momento? ¿En qué parte de la casa está y qué hay allí? Usa la imaginación y el dibujo como guía.

Para evaluar tu escrito, se considerará:

- **la cantidad de información que das.**
- **la variedad del vocabulario que usas.**
- **el uso apropiado del vocabulario y los puntos de gramática que acabas de aprender.**

E. Hablar

Tu profesor/a te pedirá que hables de uno de los siguientes temas:

1. Di qué hiciste durante tus últimas vacaciones. ¿Adónde fuiste? ¿Qué hiciste allí? Pregúntale a tu profesor/a qué hizo para sus vacaciones, adónde fue, etc.
2. Imagina que tú y tu hermano o hermana se han propuesto sorprender a sus padres limpiando la casa mientras no están. Dile qué debe hacer para ayudar. Recuerda usar los mandatos y hablar sobre los cuartos de la casa y lo que hay que hacer en cada uno.

Para evaluar tu presentación, se considerará:

- **la cantidad de información que das.**
- **la organización con que presentas las ideas y la facilidad con que se te entiende.**
- **el uso apropiado del vocabulario y los puntos de gramática que acabas de aprender.**

HOJA DE RESPUESTAS

PARTE I. Vocabulario y gramática en uso

A. (___/___ *puntos*)

1. ____________ 7. ____________ 13. ____________
2. ____________ 8. ____________ 14. ____________
3. ____________ 9. ____________ 15. ____________
4. ____________ 10. ____________ 16. ____________
5. ____________ 11. ____________ 17. ____________
6. ____________ 12. ____________

B. (___/___ *puntos*)

1. ______________________________.
2. ______________________________.
3. ______________________________.
4. ______________________________.
5. ______________________________.
6. ______________________________.

C. (___/___ *puntos*)

1. ______
2. ______
3. ______
4. ______
5. ______

PARTE II. Comunicación

A. Escuchar (___/___ *puntos*)

	TOMÁS	MARTA
1.		
2.		
3.		
4.		
5.		
6.		
7.		

B. Escuchar (___/___ *puntos*)

_____ Linda compró la falda negra.

_____ Linda compró unos zapatos rojos.

_____ Linda vio una falda verde y falda negra.

_____ Linda compró un suéter azul.

_____ Linda compró una camisa roja y negra.

C. Leer (___/___ *puntos*)

1. *Mar y Sol* es el nombre de la película. _______
2. Va a ser una película de horror. _______
3. La compañía busca personas viejas. _______
4. Un camarero pelirrojo puede ser el actor perfecto. _______
5. Es mejor tener un padre, un abuelo o un tío de San Martín. _______
6. Los actores tienen que venir al hotel por la mañana. _______

D. Escribir (___/___ *puntos*)

____

____

____

____

____

____

____

____

E. Hablar (___/___ *puntos*)